ANTHONY HOROWITZ

Troswyd i'r Gymraeg
gan
Grey Evans

DREF WEN

I MG

Llyfrau eraill yng nghyfres Alecs Rider:
Tarandon
Traeth Sgerbwd
Cyrch Eryr

Cyhoeddwyd 2013 gan Wasg y Dref Wen,
28 Ffordd yr Eglwys, Yr Eglwys Newydd,
Caerdydd CF14 2EA, ffôn 029 20617860.
Cyhoeddwyd gyntaf yn y Deyrnas Unedig yn 2003
gan Walker Books Cyf,
87 Vauxhall Walk, Llundain SE11 5HJ
dan y teitl *Eagle Strike*

Argraffwyd a rhwymwyd ym Mhrydain.

CYNNWYS

PROLOG

Jyngl yr Amazon. Pymtheng mlynedd yn ôl.

Roedden nhw wedi cymryd pum niwrnod i gwblhau'r daith, gan dorri llwybr drwy'r tyfiant trwchus, myglyd, a brwydro drwy'r aer ei hun, oedd yn hongian yn drymaidd, yn llaith a disymud. O'u hamgylch roedd coed mor uchel ag eglwysi cadeiriol, a phefriai golau gwyrdd, rhyfedd – bron yn sanctaidd – drwy'r gorchudd anferth o ddail. Roedd fel pe bai ei meddwl ei hun gan y fforest law. Ei llais hi oedd sgrech sydyn parot, a fflach wrth i fwnci neidio ar wib drwy'r canghennau uwchben. Roedd hi'n gwybod eu bod nhw yno.

Ond hyd yma roedden nhw wedi bod yn lwcus. Roedden nhw wedi diodde ymosodiadau, wrth gwrs, gan y gelod a'r mosgitos a'r morgrug pigog. Ond roedd y nadroedd a'r sgorpionau wedi rhoi llonydd iddyn nhw. Doedd dim piranhas yn yr afonydd roedden nhw wedi'u croesi. Roedden nhw wedi cael mynd yn eu blaenau.

Bagiau ysgafn oedd ganddyn nhw, yn cario dim ond y pethau hanfodol: map, cwmpawd, poteli dŵr, tabledi iodin, rhwydi rhag mosgitos, a machetes. *Yr unig beth trwm oedd y reiffl*

Winchester 88 gyda Sniperscope roedden nhw'n bwriadu'i defnyddio i ladd y dyn oedd yn byw yn y drysni anghysbell yma, gan milltir i'r de o Iquitos ym Mheriw.

Er bod y ddau ddyn yn gwybod enwau'i gilydd, doedden nhw byth yn eu defnyddio nhw. Roedd hynny'n rhan o'u hyfforddiant. Roedd yr hynaf o'r ddau'n ei alw'i hun yn Heliwr. Sais oedd o, er ei fod yn siarad saith o ieithoedd yn ddigon rhugl iddo gael ei dderbyn fel brodor o lawer o'r gwledydd roedd yn mynd iddyn nhw yn ei dro. Ac yntau tua deg ar hugain oed, ac yn olygus, roedd ganddo wallt cwta a llygaid gwyliadwrus fel sydd gan bob milwr profiadol. Roedd y dyn arall – Cosac – yn fain, yn bryd golau, ac yn byrlymu o egni. Doedd o ddim mwy na phedair ar bymtheg oed. Hon fyddai ei laddfa gyntaf.

Lliw caci oedd dillad y ddau – cuddliw jyngl safonol. Roedd eu hwynebau hefyd wedi'u peintio'n wyrdd, â streipiau brown tywyll ar draws eu bochau. Roedden nhw wedi cyrraedd pen eu taith fel roedd yr haul yn dechrau codi, a safent yno nawr, yn llonydd fel delwau, gan anwybyddu'r pryfed oedd yn hymian o gwmpas eu hwynebau ac yn blasu'u chwys.

O'u blaenau roedd llecyn agored, o waith dyn,

wedi'i wahanu o'r jyngl gan ffens ddeg metr o
uchder. Yn y canol safai tŷ hardd, yn arddull y
gwladychwyr, â chloriau ffenestri a ferandas o
bren, llenni gwyn a ffaniau'n troi'n araf, ynghyd
â dau adeilad isel arall o frics tua ugain metr tu
draw iddo. Llety'r gwarchodwyr oedd hwnnw.
Roedd rhyw ddwsin ohonyn nhw'n patrolio'r
ffens ac yn gwylio o dyrau metel rhydlyd. Fallai
fod rhagor ohonynt tu mewn. Ond roedden
nhw'n ddiog, yn cerdded ling-di-long o gwmpas
y lle, heb ganolbwyntio ar eu gwaith. Roedden
nhw yng nghanol y jyngl. Credent eu bod yn
ddiogel.

Roedd hofrenydd pedair-sedd yn disgwyl ar
sgwâr o darmac. Ni fyddai perchennog y tŷ'n
cymryd mwy nag ugain cam i gerdded o ddrws
y tŷ i'r hofrenydd. Dyna'r unig amser y byddai yn
y golwg. Dyna pryd y byddai'n rhaid iddo farw.

Er bod y ddau ddyn yn gwybod enw'r dyn
roedden nhw wedi dod i'w ladd, doedden nhw
ddim yn ei ddefnyddio chwaith. Roedd Cosac
wedi'i ddweud unwaith ond roedd Heliwr wedi'i
gywiro.

'Paid byth â galw targed wrth ei enw iawn.
Mae'n ei wneud yn berson go-iawn. Mae'n agor
drws i mewn i'w fywyd, a phan mae'r amser yn
dod, mi all dy atgoffa di be wyt ti'n wneud a

7

gwneud iti oedi.'

Dim ond un wers oedd hon o'r nifer o wersi roedd Cosac wedi'u dysgu gan Heliwr. Cyfeirient at y targed yn unig fel y Comander. Roedd yn filwr – neu dyna oedd o ar un adeg. Roedd yn dal i fod yn hoff o wisgo dillad milwrol yr olwg. Â chynifer o warchodwyr ganddo, roedd yn rheoli byddin fechan. Roedd yr enw'n gweddu iddo.

Doedd y Comander ddim yn ddyn da. Roedd yn fasnachwr cyffuriau, yn allforio cocên ar raddfa enfawr. Roedd hefyd yn rheoli un o'r gangiau mwyaf creulon ym Mheriw, gan arteithio a lladd unrhyw un oedd yn sefyll yn ei ffordd. Ond doedd dim o hyn yn golygu unrhyw beth i Heliwr a Cosac. Roedden nhw yma am eu bod nhw wedi derbyn tâl o ugain mil o bunnau am gael gwared ohono – a hyd yn oed pe bai'r Comander yn feddyg neu'n offeiriad fyddai hynny ddim yn gwneud yr un gronyn o wahaniaeth iddyn nhw.

Taflodd Heliwr gipolwg ar ei oriawr. Roedd hi'n ddau funud i wyth yn y bore ac roedd wedi cael ar ddeall y byddai'r Comander yn gadael am Lima ar yr awr. Gwyddai hefyd fod y Comander yn ddyn prydlon. Llwythodd un getrisen .308 i'r Winchester a chywiro'r

Sniperscope. Un ergyd – dyna'r cyfan fyddai arno ei angen.

Yn y cyfamser roedd Cosac wedi estyn ei sbienddrych ac yn chwilio'r cowrt i weld a oedd unrhyw symudiad yno. Doedd arno ddim ofn, ond teimlai'n llawn tyndra a chynnwrf. Troellodd diferyn o chwys i lawr yn araf y tu ôl i'w glust a rhedeg i lawr ei wddf. Roedd ei geg yn sych. Tapiodd rhywbeth yn ysgafn ar ei gefn a meddyliodd tybed oedd Heliwr wedi ei gyffwrdd, er mwyn ei rybuddio i beidio â chynhyrfu. Ond roedd Heliwr rai lathenni i ffwrdd, yn canolbwyntio ar y dryll.

Symudodd rhywbeth.

Doedd Cosac ddim yn sicr fod unrhyw beth yno nes i rywbeth ddringo dros ei ysgwydd ac ar ei wddf – ac erbyn hynny roedd hi'n rhy hwyr. Yn araf iawn, trodd ei ben. A dyna lle roedd o, ar ymyl eithaf ei olwg. Pry copyn, yn gafael yn ochr ei wddf, yn union o dan asgwrn ei ên. Llyncodd. Wrth ei bwysau roedd wedi credu mai tarantwla oedd yno – ond roedd hyn yn waeth, llawer gwaeth. Roedd yn ddu iawn â phen bach a chorff chwyddedig, hyll, fel ffrwyth ar fin hollti. Gwyddai pe bai'n medru ei droi drosodd y byddai wedi gweld marc coch fel cloc tywod ar ei fol.

Gweddw ddu oedd y pry cop. Latrodectus

9

curacaviensis. *Un o'r pryfed cop mwyaf marwol yn y byd.*

Symudodd y pry copyn, ei goesau blaen yn ymestyn nes bod un bron â chyffwrdd ymyl ceg Cosac. Roedd y coesau eraill yn dal i afael yn ei wddf, a'r rhan fwyaf o gorff y pry copyn erbyn hyn yn hongian dan ei ên. Roedd ar Cosac awydd llyncu eto, ond feiddiai o ddim. Gallai unrhyw symudiad ddychryn y creadur – a doedd arno ddim angen unrhyw esgus i ymosod, beth bynnag. Dyfalai Cosac mai pry benyw oedd yno: creadur fil gwaith gwaeth na'r gwryw. Pe bai'n penderfynu brathu, byddai ei ddannedd gwag yn chwistrellu gwenwyn niwrotocsig i mewn i gorff Cosac a hwnnw'n parlysu'i system nerfol yn llwyr. Fyddai o'n teimlo dim byd i ddechrau. Fyddai yna ddim ond dau bigiad coch bach, bach ar ei groen. Byddai'r tonnau o boen yn dod ymhen rhyw awr. Byddai caeadau'i lygaid yn chwyddo. Byddai'n methu anadlu. Byddai'n cael ffitiau. Byddai bron yn sicr yn marw.

Ystyriodd Cosac godi un llaw a cheisio taro'r peth erchyll i ffwrdd. Petai wedi bod ar unrhyw ran arall o'i gorff byddai wedi mentro. Ond roedd wedi aros ar ei wddf, fel pe bai wedi'i swyno gan y curiad gwaed roedd wedi'i ddarganfod yno. Roedd Cosac isio galw ar Heliwr, ond allai o ddim mentro symud y cyhyrau yn ei wddf. Prin roedd yn anadlu. Roedd Heliwr yn dal i wneud y cywiriadau terfynol, heb sylweddoli beth oedd yn digwydd. Beth allai Cosac ei wneud?

Yn y diwedd, chwibanodd. Dyna'r unig sŵn y meiddiai ei wneud. Roedd yn arswydus o ymwybodol o'r creadur yn hongian arno. Teimlodd bigiad coes arall, y tro yma'n cyffwrdd ei wefus. Oedd y creadur ar fin dringo ar ei wyneb?

Trodd Heliwr i edrych, a gweld ar unwaith bod rhywbeth o'i le. Roedd Cosac yn sefyll yn annaturiol o lonydd, ei ben wedi'i ystumio, ei wyneb, dan y paent, yn hollol welw. Cymerodd Heliwr gam ymlaen fel bod Cosac erbyn hyn yn sefyll rhyngddo a'r cowrt. Roedd wedi gostwng ei ddryll, ei faril yn pwyntio am y ddaear.

Gwelodd Heliwr y pry copyn.

Yr un eiliad, agorwyd drws y tŷ a daeth y Comander allan: dyn byr, tew heb eillio, ac wedi'i wisgo mewn tiwnig tywyll â choler agored. Roedd yn cario bag dogfennau ac yn ysmygu sigarét.

Ugain cam at yr hofrenydd – ac eisoes roedd o'n symud yn bwrpasol, gan siarad â'r ddau warchodwr oedd yn ei hebrwng. Taflodd Cosac olwg ar Heliwr. Roedd yn gwybod na fyddai'r sefydliad oedd yn eu cyflogi yn maddau os bydden nhw'n methu, ac mai dyma'r unig gyfle y bydden nhw'n ei gael. Symudodd y pry copyn eto, ac wrth edrych i lawr, gwelai Cosac ei ben: clwstwr o lygaid bychain, disglair – hanner dwsin ohonynt – yn syllu i fyny arno, yn hyllach na dim ar y ddaear. Roedd ei groen yn cosi ac ochr ei wyneb yn ysu am gael ei blicio'i hun i ffwrdd. Ond roedd yn gwybod nad oedd dim y gallai Heliwr ei wneud. Roedd yn rhaid iddo saethu. Doedd y Comander yn ddim mwy na deg cam oddi wrth yr hofrenydd. Roedd y llafnau eisoes yn troi. Roedd Cosac isio sgrechian arno. Saetha! Byddai sŵn yr ergyd yn dychryn y creadur a byddai'n siŵr o frathu. Ond doedd hynny ddim yn bwysig. Roedd yn rhaid i'r fenter lwyddo.

Cymerodd Heliwr lai na dwy eiliad i wneud penderfyniad. Gallai ddefnyddio blaen y dryll i sgubo'r weddw ddu i ffwrdd. Efallai y medrai gael gwared â hi cyn iddi frathu Cosac. Ond erbyn hynny byddai'r Comander yn ei hofrenydd, y tu ôl i wydr gwrth-fwledi. Neu fe allai saethu'r Comander. Ond unwaith iddo danio'r dryll, byddai'n rhaid iddo droi a rhedeg yn syth, gan ddiflannu i mewn i'r jyngl. Fyddai dim amser i helpu Cosac; fyddai yna ddim byd y gallai ei wneud.

Penderfynodd, codi'r dryll, anelu a saethu.

Fflachiodd y fwled wynias heibio, gan dorri llinell yng ngwddf Cosac. Chwalodd y weddw ddu'n syth, wedi'i ffrwydro'n ddarnau gan rym yr ergyd. Aeth y fwled yn ei blaen ar draws y llecyn a thrwy'r ffens – gan gario darnau bach o'r weddw ddu gyda hi – a'i chladdu'i hun ym mrest y Comander. Roedd hwnnw ar fin dringo i mewn i'r hofrenydd. Safodd fel pe bai wedi'i synnu, cododd ei law at ei galon, yna syrthiodd. Trodd y gwarchodwyr gan weiddi, yn llygadrythu i'r jyngl, gan geisio gweld y gelyn.

Ond roedd Heliwr a Cosac eisoes wedi diflannu. Llyncodd y jyngl nhw mewn eiliadau, er i awr a mwy fynd heibio cyn iddyn nhw stopio i gael eu gwynt.

Roedd Cosac yn gwaedu. Roedd llinell goch a allai fod wedi'i gwneud â phren mesur ar draws ochr ei wddf, ac roedd y gwaed wedi diferu i lawr, gan staenio'i grys. Ond doedd y weddw ddu ddim wedi'i frathu. Estynnodd Cosac ei law i dderbyn potel ddŵr gan Heliwr, ac yfodd ohoni.

'Mi wnest ti achub fy mywyd i,' meddai.

13

Meddyliodd Heliwr. 'Cymryd bywyd ac achub bywyd gydag un fwled ... tipyn o gamp.'

Byddai craith ar wddf Cosac am weddill ei oes. Ond fyddai hynny ddim yn amser hir iawn. Mae bywyd y llofrudd proffesiynol yn aml yn fyr. Heliwr fyddai'n marw gyntaf, mewn gwlad arall, ar gyrch arall. Yn nes ymlaen y deuai tro Cosac.

Y funud yma ddwedodd o 'run gair. Roedden nhw wedi gorffen eu gwaith. Dyna'r cyfan oedd yn bwysig. Rhoddodd y botel ddŵr yn ôl i Heliwr, ac wrth i belydrau'r haul daro'n ffyrnig ac i'r jyngl wylio ac ystyried beth oedd wedi digwydd, cychwynnodd y ddau ddyn gyda'i gilydd, gan dorri a hacio'u ffordd drwy wres canol y bore ar ddiwrnod arall.

DIM O MUSNES I

Gorweddai Alecs Rider ar wastad ei gefn, yn sychu yn yr haul canol dydd.

Roedd o wedi bod yn nofio, a gallai deimlo dŵr y môr yn diferu drwy'i wallt ac yn anweddu oddi ar ei frest. Roedd ei siorts yn dal yn wlyb, ac yn cydio yn ei groen. Yr eiliad honno, roedd mor hapus ag y gall rhywun fod; wythnos ar ôl dechrau gwyliau oedd wedi bod yn berffaith o'r eiliad y glaniodd yr awyren yn Montpellier ac yntau'n camu allan i heulwen lachar ei ddiwrnod cyntaf ar lannau Môr y Canoldir. Roedd wrth ei fodd yn ne Ffrainc – y lliwiau cryf, yr arogleuon, cyflymder y bywyd oedd yn cydio ym mhob munud ac yn gwrthod gollwng gafael. Doedd ganddo ddim syniad faint o'r gloch oedd hi, heblaw ei fod yn dechrau teimlo'n llwglyd, felly mae'n rhaid ei bod bron yn amser cinio. Clywodd bwl byr o fiwsig wrth i ferch â radio gerdded heibio, a throdd Alecs ei ben i'w ddilyn. A dyna pryd aeth yr haul dan gwmwl, a phan rewodd y môr, a'r byd i gyd fel petai'n dal ei wynt.

Nid ar y ferch â'r radio roedd yn edrych. Edrychai heibio iddi, i lawr tua'r morglawdd oedd yn gwahanu'r traeth a'r lanfa, lle roedd cwch hwylio ar fin glanio. Roedd yn anferth, bron cymaint ag un o'r cychod a gariai dwristiad yn ôl a blaen ar hyd y glannau. Ond fyddai'r un o'r twristiaid byth yn rhoi blaen troed ar y cwch yma. Edrychai'n gwbl ddigroeso wrth lithro'n ddistaw drwy'r dŵr, y ffenestri o wydr tywyll a'r blaen trwm yn codi o'r dŵr fel wal wen solet. Safai dyn ym mhen blaen y cwch, gan syllu'n syth o'i flaen, ei wyneb yn wag. Adnabu Alecs yr wyneb ar unwaith.

Yassen Gregorovich. Rhaid mai dyna pwy oedd o.

Eisteddodd Alecs fel delw, ei bwysau ar un fraich, a hanner ei law o'r golwg dan y tywod. Wrth iddo wylio, daeth dyn yn ei ugeiniau o'r caban a phrysuro i glymu'r cwch. Roedd ei gorff yn fyr, fel epa, a gwisgai fest ryllog a ddangosai'r tatŵs a orchuddiai ei freichiau a'i ysgwyddau. Morwr cyflog cyffredin? Wnaeth Yassen ddim cynnig ei helpu â'r gwaith. Brysiodd trydydd dyn ar hyd y lanfa. Roedd yn dew ac yn foel, a gwisgai siwt wen rad. Roedd yr haul wedi llosgi ei gorun gan droi'r croen yn lliw coch, hyll, canseraidd.

Gwelodd Yassen y dyn a dringo i lawr, gan symud fel olew'n llifo. Gwisgai jîns glas a chrys gwyn â choler agored. Byddai dynion eraill wedi gorfod brwydro i gadw'u cydbwysedd wrth gerdded i lawr y bompren sigledig i'r lan, ond phetrusodd o ddim am eiliad. Roedd rhywbeth annynol yn ei gylch. Â'i wallt cwta, ei lygaid caled, glas a'i wyneb gwelw diemosiwn, roedd yn amlwg nad rhywun ar ei wyliau oedd hwn. Ond wyddai neb heblaw Alecs y gwir amdano. Llofrudd i gytundeb oedd Yassen, y dyn oedd wedi llofruddio'i ewythr a newid ei fywyd. Roedd heddluoedd y byd yn chwilio amdano.

Felly beth oedd o'n ei wneud yma, mewn tref fach glan-môr ar gwr y corsydd a'r llynnoedd oedd yn nodweddu ardal y Camargue? Doedd dim byd yn Saint-Pierre ar wahân i draethau, meysydd gwersylla, gormodedd o fwytai, ac eglwys enfawr oedd yn debycach i gastell na dim arall. Roedd Alecs wedi cymryd wythnos i ddod i arfer â thawelwch swynol y lle. Ac yna, hyn!

'Alecs? Ar be ti'n edrych?' mwmiodd Sabina, a bu raid i Alecs ei orfodi'i hun i droi, i gofio'i bod hi yno.

'Dwi'n ...' Roedd y geiriau'n gwrthod dod. Wyddai o ddim beth i'w ddweud.

'Ti'n meddwl y gallet ti rwto 'bach mwy o eli haul ar 'y nghefn i? Mae hi mor dwym ...'

Sabina. Merch fain, bryd tywyll, ac weithiau'n

llawer hŷn na'i phymtheng mlwydd. Ond wedyn, roedd hi'r math o eneth fyddai'n debygol o fod wedi ffeirio teganau am fechgyn cyn ei phen blwydd yn un ar ddeg. Er ei bod yn defnyddio ffactor 25, roedd yn gofyn am ragor o eli haul bob ryw chwarter awr, a rhywsut neu'i gilydd Alecs oedd yn gorfod ei rwbio arni bob tro. Taflodd gipolwg ar ei chefn, a oedd, mewn gwirionedd, â lliw haul perffaith. Gwisgai ficini wedi'i wneud allan o gyn lleied o ddefnydd fel nad oedd lle ar gyfer unrhyw batrwm. Roedd ei llygaid yn cysgodi y tu ôl i sbectol haul Dior ffug (a brynwyd ganddi am ddegfed rhan pris un go iawn) ac roedd â'i phen mewn copi o *The Lord of the Rings*, gan chwifio'r botel eli haul ar yr un pryd.

Edrychodd Alecs yn ôl ar yr cwch hwylio. Roedd Yassen yn ysgwyd llaw â'r dyn pen moel, a'r morwr yn sefyll gerllaw, yn aros. Hyd yn oed o'r pellter yma gallai Alecs weld mai Yassen, yn sicr ddigon, oedd yn rheoli'r cyfan, a phan oedd yn siarad roedd y ddau ddyn yn gwrando. Un tro roedd Alecs wedi gweld Yassen yn saethu dyn yn farw am wneud dim ond gollwng parsel. Roedd rhyw oerni rhyfeddol yn dal i berthyn iddo, rhywbeth oedd yn gwrthsefyll effaith haul Môr y Canoldir hyd yn oed. Y peth od oedd mai chydig iawn o bobl yn y byd fyddai wedi gallu nabod y Rwsiad. Roedd Alecs yn un ohonyn nhw. Tybed allai'r ffaith fod Yassen yma fod yn gysylltiedig ag o mewn rhyw ffordd?

'Alecs …?' meddai Sabina.

Symudodd y tri dyn i ffwrdd o'r cwch, ac anelu am y dref. Yn sydyn roedd Alecs ar ei draed.

'Mi fydda i'n ôl yn fuan,' meddai.

'Ble ti'n mynd?'

'Dwi angen diod.'

'Mae dŵr 'da fi.'

'Na, dwi isio Coke.'

Hyd yn oed wrth iddo gipio'i grys-T a'i dynnu dros ei ben, roedd Alecs yn gwybod nad oedd hyn yn syniad da. Fallai fod Yassen Gregorovich wedi dod i'r Camargue ar wyliau. Fallai ei fod wedi dod er mwyn llofruddio maer y dref. P'un bynnag, doedd a wnelo'r peth ddim ag Alecs, a gwallgofrwydd fyddai iddo ddod i gysylltiad â Yassen eto. Cofiodd Alecs yr addewid roedd wedi'i wneud y tro diwethaf iddyn nhw gwrdd, ar ben to yng nghanol Llundain.

Chi laddodd Ian Rider. Rhyw ddiwrnod mi fydda i'n eich lladd chi.

Ar y pryd roedd yn golygu pob gair. Y funud yma doedd o ddim isio unrhyw gysylltiad efo Yassen na'r byd roedd yn rhan ohono.

19

Ac eto …

Roedd Yassen yma. Roedd yn rhaid iddo gael gwybod pam.

Cerddai'r tri dyn ar hyd y briffordd, gan ddilyn glan y môr. Trodd Alecs yn ei ôl dros y tywod, heibio'r maes ymladd teirw o goncrid gwyn, oedd wedi ei synnu pan ddaeth yma gyntaf – nes iddo gofio nad oedd Sbaen yn ddim mwy na rhyw gan milltir i ffwrdd. Roedd ymladd teirw i fod heno. Roedd pobl eisoes yn sefyll mewn ciw wrth y ffenestri bach er mwyn prynu tocynnau, ond roedd Alecs a Sabina wedi penderfynu cadw'n glir. 'Rwy'n gobeitho taw'r tarw fydd yn ennill,' oedd unig sylw Sabina.

Trodd Yassen a'r ddau ddyn i'r chwith, gan ddiflannu i ganol y dref. Cyflymodd Alecs ei gamau, gan wybod mor hawdd fyddai iddo'u colli yn y dryswch o ffyrdd cefn o amgylch yr eglwys. Doedd dim rhaid iddo fod yn rhy ofalus ynghylch osgoi cael ei weld. Roedd Yassen yn meddwl ei fod yn ddiogel. Mewn tref dwristaidd boblog, doedd hi ddim yn debygol y byddai'n sylwi bod rhywun yn ei ddilyn. Ond yn achos Yassen, doedd rhywun byth yn gwbl sicr. Teimlai Alecs ei galon yn curo'n galetach â phob cam a gymerai. Roedd ei geg yn sych, ac am unwaith nid ar yr haul roedd y bai.

Roedd Yassen wedi diflannu. Edrychodd Alecs i'r dde ac i'r chwith. Roedd tyrfa o bobl ar bob ochr, yn llifo allan o'r siopau ac i mewn i'r tai bwyta awyr agored oedd eisoes yn gweini cinio, ac arogl *paella'n* llenwi'r awyr. Diawliodd ei hun am ddal yn ôl, am beidio â meiddio mynd yn agosach. Gallai'r tri dyn fod wedi diflannu i mewn i unrhyw un o'r adeiladau. Tybed a oedd o wedi dychmygu'u gweld nhw yn y lle cyntaf? Syniad braf, ond cafodd ei chwalu ymhen dim pan welodd nhw'n eistedd ar deras o flaen un o'r bwytai crandiaf yn y sgwâr, y dyn pen moel wrthi'n galw am fwydlenni.

Cerddodd Alecs o flaen siop yn gwerthu cardiau post, gan ddefnyddio'r silffoedd fel sgrin rhyngddo a'r tŷ bwyta. Y lle agosaf oedd caffi'n gweini byrbrydau a diodydd dan ambaréls mawr lliwgar. Symudodd yn agosach. Roedd Yassen a'r ddau ddyn arall lai na deng metr i ffwrdd, a gallai Alecs eu gweld yn fwy manwl. Roedd y morwr yn llwytho bara i'w geg fel pe bai heb fwyta ers wythnos. Siaradai'r dyn pen moel yn dawel a theimladwy, gan chwifio'i ddwrn yn yr awyr i wneud ei bwynt. Roedd Yassen yn gwrando'n amyneddgar. Yng nghanol sŵn y dyrfa o'i gwmpas, allai Alecs ddim deall yr un gair roedden nhw'n ei ddweud. Cymerodd gip heibio un o'r ambaréls, a bu bron i un o'r gweinyddwyr daro yn ei erbyn, gan weiddi'n flin arno mewn Ffrangeg. Edrychodd Yassen i'w gyfeiriad a dyciodd Alecs o'r golwg, gan ofni ei fod wedi tynnu sylw ato'i hun.

Roedd rhes o blanhigion mewn tybiau pren yn gwahanu'r caffi a theras y bwyty. Llithrodd Alecs rhwng dau o'r tybiau a symud yn gyflym i'r cysgodion, y tu mewn i'r bwyty. Yma roedd yn teimlo'n fwy diogel, yn llai agored. Roedd y gegin yn union y tu ôl iddo. Ar un ochr roedd y bar ac o'i flaen tua dwsin o fyrddau, y cyfan yn wag. Roedd dynion gweini'n dod i mewn ac allan yn cario plateidiau o fwyd, ond roedd y cwsmeriaid i gyd wedi dewis bwyta y tu allan.

Edrychodd Alecs allan drwy'r drws a dal ei wynt. Roedd Yassen wedi codi o'i gadair ac yn cerdded yn bwrpasol tuag ato. Tybed oedd o wedi'i weld? Ond yna gwelodd fod gan Yassen rywbeth yn ei law: ffôn symudol. Rhaid ei fod wedi cael galwad ac yn dod i mewn i'r bwyty er mwyn gallu ateb yn breifat. Cam neu ddau eto a byddai'n cyrraedd y drws. Edrychodd Alecs o'i gwmpas a gweld alcof â llenni mwclis yn ei guddio. Gwthiodd ei ffordd drwyddynt i mewn i storfa fechan, dim ond digon mawr i'w guddio. Swatiodd yng nghanol pentyrau o fopiau, pwcedi, bocsys cardfwrdd a photeli gwin gwag. Crynodd y llenni mwclis cyn llonyddu.

Yn sydyn roedd Yassen yn sefyll yn agos ato.

'Fe gyrhaeddais i ugain munud yn ôl,' meddai. Roedd yn siarad Saesneg gyda'r arlliw lleiaf o acen Rwsaidd. 'Roedd Franco'n aros amdana i. Mae'r cyfeiriad wedi'i gadarnhau a phopeth wedi'i drefnu.'

Ceisiodd Alecs ddal ei anadl. Chydig gentimetrau'n unig oedd rhyngddo ef a Yassen, a dim ond rhwystr bregus y mwclis lliwgar yn gwahanu'r ddau. Heblaw ei bod hi mor dywyll dan do ar ôl y golau haul llachar, byddai Yassen yn sicr o fod wedi'i weld.

'Fe wnawn ni'r cyfan bnawn heddiw. Does dim rheswm ichi bryderu o gwbl. Mae'n well inni beidio â chysylltu. Fe roddaf adroddiad ichi ar ôl imi ddod yn ôl i Lundain.'

Diffoddodd Yassen Gregorovich y ffôn a sefyll yn llonydd fel delw. Gwelodd Alecs yr union foment, y wyliadwriaeth sydyn wrth i ryw reddf anifeilaidd ddweud wrth Yassen bod rhywun wedi clywed ei sgwrs. Roedd y ffôn yn dal i orffwys yn ei law, ond gallai fod yn gyllell roedd ar fin ei thaflu. Er bod ei ben yn llonydd, symudai ei lygaid o ochr i ochr, gan chwilio am y gelyn. Swatiodd Alecs yn dawel y tu ôl i'r llen o fwclis, heb feiddio symud. Beth oedd y peth gorau i'w wneud? Câi ei demtio i ruthro oddi yno, i redeg allan i'r awyr agored. Na. Byddai'n farw cyn cymryd dau gam. Byddai Yassen yn ei ladd cyn cael gwybod pwy oedd o, hyd yn ood, na pham roedd o yno. Yn araf iawn, edrychodd Alecs o'i gwmpas am arf, am unrhyw beth y gallai'i ddefnyddio i'w amddiffyn ei hun.

Ac yna agorodd drws y gegin a daeth gweinydd allan, gan droi heibio Yassen a galw ar rywun ar yr un pryd. Roedd llonyddwch y foment wedi'i chwalu. Llithrodd Yassen y ffôn i boced ei drowsus a mynd yn ei ôl at y dynion eraill.

Ochneidiodd Alecs mewn rhyddhad mawr.

Beth oedd o wedi'i ddysgu?

Roedd Yassen Gregorovich wedi dod yma i ladd rhywun. Roedd yn sicr o hynny, o leiaf. *Mae'r cyfeiriad wedi'i gadarnhau a phopeth wedi'i drefnu.* Ond o leiaf doedd Yassen ddim wedi crybwyll enw Alecs. Felly roedd o'n iawn. Rhyw Ffrancwr oedd y targed, yn ôl pob tebyg, rhywun oedd yn byw yma yn Saint-Pierre. Byddai'n digwydd rywdro'r pnawn hwnnw. Bwled, neu fallai gyllell, yn fflachio yn yr haul. Eiliad fer o drais a byddai rhywun yn rhywle'n eistedd yn ôl, gan wybod bod ganddyn nhw un gelyn yn llai.

Beth alla i ei wneud? meddyliodd Alecs.

Gwthiodd drwy'r llen fwclis a gwneud ei ffordd allan drwy gefn y bwyty. Roedd yn falch o'i gael ei hun allan yn y stryd, yn ddigon pell o'r sgwâr. Nawr, am y tro cyntaf, ceisiodd feddwl yn bwrpasol. Gallai fynd at yr heddlu, wrth gwrs. Gallai ddweud wrthyn nhw mai ysbïwr oedd o, wedi gweithio deirgwaith erbyn hyn i MI6 – Gwasanaeth Cudd-ymchwil Byddin Prydain. Gallai ddweud ei fod wedi adnabod Yassen, yn gwybod ei hanes, a bod llofruddiaeth bron yn sicr o ddigwydd y pnawn hwnnw os na fyddai rhywun yn ei rwystro.

Ond pa les fyddai hynny'n ei wneud? Fallai y byddai'r heddlu'n ei ddeall, ond fydden nhw byth yn ei gredu. Hogyn ysgol pedair ar ddeg oed oedd o, â thywod yn ei wallt a lliw haul ganddo. Fe fydden nhw'n cymryd un cipolwg arno a chwerthin.

Gallai fynd at Sabina a'i rhieni. Ond doedd Alecs ddim isio gwneud hynny chwaith. Roedd o yma ar eu gwahoddiad nhw, a pham ddylai o ddod â llofruddiaeth i mewn i'w gwyliau? Un tro, pan oedd yn aros gyda hi yng Nghernyw, roedd Alecs wedi ceisio dweud y gwir wrth Sabina. Roedd hi'n meddwl ei fod yn tynnu'i choes.

Edrychodd Alecs o amgylch y siopau twristaidd, y cabanau hufen iâ, y dyrfa'n cerdded yn hamddenol ar hyd y stryd. Roedd yn olygfa nodweddiadol o luniau cardiau post. Y byd go iawn. Felly be gebyst roedd o'n ei wneud yn potsian unwaith eto efo ysbïwyr a llofruddion? Roedd i fod ar ei wyliau. Doedd hyn yn ddim o'i fusnes o. Câi Yassen wneud beth a fynnai. Fyddai Alecs ddim yn gallu'i rwystro, waeth beth a wnâi. Gwell anghofio ei fod erioed wedi'i weld.

Anadlodd Alecs yn ddwfn a cherdded yn ôl ar hyd y ffordd i'r traeth i chwilio am Sabina a'i rhieni. Wrth gerdded, ceisiodd benderfynu beth i'w ddweud wrthyn nhw: pam ei fod wedi gadael mor sydyn, a pham nad oedd o bellach yn gwenu.

Y pnawn hwnnw, manteisiodd Sabina ac Alecs ar gynnig ffermwr lleol i roi lifft iddyn nhw i Aigues-Mortes, tref gaerog ar gyrion y corsydd heli. Roedd Sabina isio dianc oddi wrth ei rhieni a segura mewn caffi Ffrengig, lle gallen nhw lygadu'r brodorion a'r twristiaid yn cerdded heibio. Roedd hi wedi dyfeisio system o roi marciau i Ffrancwyr ifainc am eu hymddangosiad – bydden nhw'n colli pwyntiau am goesau main, dannedd cam neu ddiffyg chwaeth mewn dillad. Doedd neb eto wedi sgorio mwy na saith allan o ugain, a byddai Alecs fel arfer wrth ei fodd yn eistedd gyda hi yn gwrando arni'n chwerthin yn uchel.

Ond nid y pnawn yma.

Roedd popeth allan o ffocws. Roedd y muriau a'r tyrau mawr o'i gwmpas yn teimlo fel petaen nhw filltiroedd i ffwrdd, a'r ymwelwyr i'w gweld yn symud yn rhy araf, fel ffilm yn rhedeg i lawr. Roedd Alecs isio mwynhau bod yma, a theimlo'n rhan o'r gwyliau unwaith eto. Ond roedd gweld Yassen wedi difetha'r cyfan.

Roedd Alecs wedi cwrdd â Sabina ryw fis ynghynt, pan oedd y ddau'n cynorthwyo yn nhwrnamaint tennis Wimbledon, ac roedden nhw wedi dod yn ffrindiau da cyn pen dim. Unig blentyn oedd Sabina. Roedd ei mam, Lis, yn gweithio fel cynllunydd ffasiwn; gohebydd oedd ei thad, Edward. Doedd Alecs ddim wedi gweld llawer arno. Doedd e ddim gyda nhw ar ddechrau'r gwyliau, gan deithio ar y trên o Baris yn nes ymlaen, a byth ers hynny roedd wedi bod yn gweithio ar ryw stori neu'i gilydd.

Roedd y teulu wedi llogi tŷ gwyliau y tu allan i Saint-Pierre, yn union ar lan afon, y Petit Rhône. Roedd yn debyg i'r rhan fwyaf o dai'r ardal:

adeilad gwyn llachar, caeadau ffenestri glas, a tho o deils terracotta wedi'u crasu yn yr haul. Roedd yno dair stafell wely, a chegin agored, hen ffasiwn, ar y llawr isaf, yn edrych allan dros ardd wyllt gyda phwll nofio a chwrt tonnis, lle roedd chwyn yn gwthio'u ffordd drwy'r tarmac. Roedd Alecs wedi gwirioni ar y lle o'r cychwyn cyntaf. O'i stafell wely roedd golygfa o'r afon, a phob gyda'r nos roedd Sabina ac yntau wedi treulio oriau'n gorweddian ar hen soffa, yn sgwrsio'n dawel ac yn gwylio'r dŵr yn byrlymu heibio.

Roedd wythnos gynta'r gwyliau wedi mynd heibio mewn chwinciad. Roedden nhw wedi bod yn nofio yn y pwll ac yn y môr, oedd lai na milltir i ffwrdd. Roedden nhw wedi bod yn cerdded, yn mynydda, yn canŵio a hyd yn oed yn marchogaeth un tro, er nad oedd Alecs yn or-hoff o'r gamp honno. Roedd Alecs yn hoffi rhieni Sabina'n fawr. Roedden nhw'r math o oedolion oedd heb anghofio'u hieuenctid eu hunain, a bydden nhw'n gadael i Sabina ac yntau wneud fwy neu lai fel roedden nhw'n dewis ar eu pennau'u hunain. Ac am y saith niwrnod diwethaf roedd popeth wedi mynd yn hwylus.

Tan iddo weld Yassen.

Mae'r cyfeiriad wedi'i gadarnhau a phopeth

wedi'i drefnu. Fe wnawn ni'r cyfan bnawn heddiw.

Beth oedd y Rwsiad yn bwriadu'i wneud yn Saint-Pierre? Pa anlwc oedd wedi'i arwain yma, i daflu'i gysgod unwaith eto dros fywyd Alecs? Er gwaethaf gwres crasboeth haul y pnawn, crynodd Alecs.

'Alecs?'

Sylweddolodd fod Sabina wedi bod yn siarad ag o, a throdd i edrych arni. Roedd hi'n syllu ar draws y bwrdd a golwg bryderus ar ei hwyneb. 'Am beth wyt ti'n meddwl?' gofynnodd. 'Roeddet ti filltiroedd i ffwrdd.'

'Dim byd.'

'Ti heb fod fel ti dy hunan drwy'r pnawn. Beth ddigwyddodd bore 'ma? I ble est ti oddi ar y traeth?'

'Mi ddeudis i. Mond isio diod o'n i.' Roedd yn casáu gorfod dweud celwydd wrthi, ond allai o ddim dweud y gwir.

'Dweud o'n i y dylen ni gychwyn. Addewais y bydden ni gartre erbyn pump. O Mam bach! Dishgwl ar hwnna!' Pwyntiodd hi at ddyn ifanc arall yn cerdded heibio. 'Pedwar mas o ugain. Does dim bechgyn golygus o gwbl yn Ffrainc?' Taflodd gipolwg ar Alecs. 'Heblaw ti, wrth gwrs.'

'Felly sawl marc fyddet ti'n rhoi i mi?'

gofynnodd Alecs.

Ystyriodd Sabina. 'Deuddeg a hanner mas o ugain,' meddai o'r diwedd. 'Ond paid â becso, Alecs. Deng mlynedd arall a byddi di'n berffaith.'

Weithiau bydd erchylltra'n amlygu'i hun yn y ffordd fwyaf disylw.

Y diwrnod hwn, un car heddlu oedd hynny, yn rasio ar hyd y ffordd lydan, wag a droellai i lawr i Saint-Pierre. Roedd Alecs a Sabina'n eistedd yng nghefn yr un lori oedd wedi'u cario nhw yno. Roedden nhw'n gwylio gwartheg yn pori yn un o'r caeau pan basiodd y car heddlu – glas a gwyn a golau'n fflachio ar y to – a rhuthro yn ei flaen i'r pellter. Roedd Alecs yn dal i feddwl am Yassen, a wnaeth gweld y car ddim ond tynhau'r cwlwm yn ei stumog. Dim ond car heddlu oedd o. Fallai nad oedd yn arwyddocaol o gwbl.

Ond wedyn daeth hofrenydd i'r golwg, yn cychwyn o rywle gweddol agos a chodi'n uchel i'r awyr. Gwelodd Sabina'r hofrenydd a phwyntio ato.

'Mae rhywbeth wedi digwydd,' meddai. 'Newydd ddod o'r dref mae hwnna.'

Oedd yr hofrenydd wedi dod o'r dref? Doedd Alecs ddim mor sicr. Gwyliodd wrth iddo hedfan uwch eu pennau a diflannu i gyfeiriad Aigues-Mortes. Teimlai Alecs ei anadl yn mynd yn fyrrach, a phwysau trwm rhyw ofn dieithr yn gwasgu arno.

Wrth i'r lori droi'r cornel, gwyddai Alecs fod ei ofnau gwaethaf wedi eu gwireddu – ond mewn ffordd na allai fyth fod wedi'i rhagweld.

Rwbel, waliau brics darniog a thrawstiau dur cam. Mwg du trwchus yn troelli i'r awyr. Roedd eu tŷ nhw wedi cael ei chwalu'n yfflon. Dim ond un wal oedd yn dal i sefyll, gan roi'r argraff greulon nad oedd gormod o ddifrod wedi'i wneud. Ond roedd y gweddill wedi mynd. Gwelai Alecs wely pres yn hongian ar ongl anghredadwy, wedi'i ddal rywsut yn yr awyr. Gorweddai dau gaead ffenest glas yn y gwair tua hanner can metr i ffwrdd. Roedd ewyn brown ar wyneb y dŵr yn y pwll nofio. Mae'n rhaid bod y ffrwydrad yn un anferthol.

Roedd fflyd o geir a faniau wedi'u parcio o amgylch yr adeilad: cerbydau'r heddlu, ambiwlans, diffoddwyr tân a'r adran wrthderfysgol. Edrychai'r cyfan yn afreal, rywsut – fel teganau, meddyliodd Alecs. Mewn gwlad dramor, does dim byd yn edrych yn fwy dieithr na'r gwasanaethau brys.

'Mam! Dadi!'

Clywodd Alecs Sabina'n gweiddi'r geiriau a'i gweld yn neidio allan o'r lori cyn iddi stopio. Wedyn roedd hi'n rhedeg ar y llwybr graean, yn gwthio'i ffordd rhwng y swyddogion yn eu gwahanol lifreiau. Stopiodd y lori a dringodd Alecs allan, heb fod yn sicr a fyddai ei draed yn cyffwrdd y ddaear ynteu'n dal i fynd yn eu blaenau, yn syth drwyddo. Roedd ei ben yn troi; teimlai ei fod ar fin llewygu.

Ddwedodd neb air wrtho wrth iddo fynd yn ei flaen. Roedd fel petai o ddim yno o gwbl. O'i flaen gwelodd fam Sabina'n ymddangos o rywle, ei hwyneb yn strempiau o ludw a dagrau, a meddyliodd yn ddistaw bach os oedd hi'n iawn, os oedd hi y tu allan i'r tŷ pan ddigwyddodd y ffrwydrad, yna fallai fod Edward Pleasure wedi llwyddo i ddianc hefyd. Ond wedyn gwelodd Sabina'n dechrau crynu a chofleidio'i mam, ac roedd yn gwybod y gwaethaf.

Aeth yn nes, mewn pryd i glywed geiriau Lis wrth iddi gydio yn ei merch.

'Wyddon ni ddim eto beth ddigwyddodd. Maen nhw wedi mynd â dy dad mewn hofrenydd i Montpellier. Mae e'n fyw, Sabina, ond mae e wedi'i glwyfo'n ddifrifol. Ry'n ni'n mynd ato nawr. Ti'n gwybod bod dy dad yn gryf. Ond dyw'r doctoriaid ddim yn siŵr a ddaw e trwyddi neu beidio. Dy'n ni jest ddim yn gwybod …'

Llanwyd ffroenau Alecs ag arogl llosgi. Roedd y mwg wedi gorchuddio'r haul. Dechreuodd ei lygaid ddyfrio, ac ymladdodd i dynnu anadl.

Ei fai o oedd hyn.

Doedd o ddim yn gwybod pam ei fod wedi digwydd, ond roedd yn hollol sicr pwy oedd yn gyfrifol.

Yassen Gregorovich.

Dim o musnes i. Dyna roedd Alecs wedi'i feddwl. Dyma oedd y canlyniad.

Y BYS AR Y GLICIED

Roedd yr heddwas oedd yn siarad gydag Alecs yn ifanc a dibrofiad ac yn brwydro i ddod o hyd i'r geiriau priodol. Nid yn unig, sylweddolodd Alecs, roedd yn cael trafferth â'r iaith Saesneg. Yn y gornel dawel hon o Ffrainc, y peth gwaethaf fyddai fel arfer yn ei wynebu fyddai gyrrwr meddw bob hyn a hyn, neu fallai dwrist wedi colli'i waled ar y traeth. Roedd hon yn sefyllfa newydd ac roedd yr heddwas allan o'i ddyfnder yn llwyr.

'Mae'r digwyddiad mwyaf echrydus,' meddai. 'Y'ch chi wedi adnabod Monsieur Pleasure oddi ar amser hir?'

'Na, ddim ers amser hir iawn,' meddai Alecs.

'Bydd yn derbyn y driniaeth orau.' Gwenodd yr heddwas yn galonogol. 'Mae Madame Pleasure a'i merch yn mynd i ysbyty yn awr ond maent wedi gofyn inni ofalu amdanoch.'

Roedd Alecs yn eistedd ar gadair ysgafn yng nghysgod coeden. Chydig wedi pump o'r gloch oedd hi, ond roedd yr haul yn dal yn boeth. Llifai'r afon rai metrau i ffwrdd, a byddai wedi rhoi unrhyw beth am gael plymio i'r dŵr a nofio, a dal i fynd nes bod yr holl fusnes yma ymhell y tu ôl iddo.

Roedd Sabina a'i mam wedi gadael ers ryw ddeng munud, a nawr roedd ar ei ben ei hun gyda'r heddwas ifanc. Roedden nhw wedi rhoi cadair yn y cysgod iddo fo, a photelaid o ddŵr, ond roedd hi'n amlwg nad oedd neb yn gwybod beth i'w wneud â'r bachgen. Doedd o ddim yn aelod o'r teulu. Doedd ganddo ddim hawl i fod yma. Roedd rhagor o uwch-swyddogion wedi cyrraedd: plismyn, diffoddwyr tân. Roedden nhw'n symud yn araf drwy'r gweddillion, gan droi ambell styllen o bren neu symud darn o ddodrefnyn wedi'i falu fel pe baen nhw'n chwilio am yr un cliw syml fyddai'n dweud wrthyn nhw pam fod hyn wedi digwydd.

'Ry'n ni wedi teleffonio'ch conswl,' meddai'r heddwas ifanc. 'Fe wnân nhw eich casglu i fynd â chi adref. Ond mae'n rhaid iddyn nhw anfon cynrychiolydd o Lyon. Mae'n ffordd bell. Felly heno mae'n rhaid ichi aros yma yn Saint-Pierre.'

'Dwi'n gwybod pwy wnaeth hyn,' meddai Alecs.

'Comment?'

'Dwi'n gwybod pwy oedd yn gyfrifol.' Taflodd Alecs gipolwg tua'r tŷ. 'Mae'n rhaid ichi fynd i mewn i'r dref. Mae 'na gwch hwylio wedi'i glymu wrth y lanfa. Wnes i ddim gweld yr enw, ond allwch chi mo'i fethu o. Cwch anferth ... gwyn.

Mae 'na ddyn ar ei fwrdd; ei enw ydi Yassen Gregorovich. Mae'n rhaid ichi ei restio fo cyn iddo gael cyfle i ddianc.'

Syllodd yr heddwas yn syn ar Alecs. Meddyliodd Alecs tybed faint roedd wedi'i ddeall.

'Mae'n flin 'da fi? Beth ych chi'n ddweud? Y dyn hwn, Yassen ...'

'Yassen Gregorovich.'

'Chi'n ei adnabod e?'

'Ydw.'

'Pwy yw e?'

'Llofrudd ydi o. Mae'n cael ei gyflogi i lofruddio pobl. Welais i o y bore 'ma.'

'Plîs!' Cododd yr heddwas ei law. Doedd o ddim isio gwrando ar ragor. 'Arhoswch fan hyn.'

Gwyliodd Alecs wrth iddo gerdded draw at y ceir wedi'u parcio, er mwyn dod o hyd i swyddog uwch, mae'n debyg. Yfodd lymaid o ddŵr, yna cododd ar ei draed. Doedd ddim isio eistedd yma, fel rhywun yn mwynhau picnic, yn edrych ar bethau'n digwydd. Er bod awel ysgafn wedi codi, roedd arogl pren wedi llosgi yn drwm ar yr awyr o'i gwmpas. Chwythodd tamaid o bapur wedi'i dduo yn y fflamau dros y graean. Ar chwiw, plygodd Alecs a'i godi.

Darllenodd:

caviar for breakfast, and the swimming
pool at his Wiltshire mansion is rumoured
to have been built in the shape of Elvis
Presley. But Damian Cray is more than the
world's richest and most successful pop star.
His business ventures – including hotels, TV
stations and computer games – have added
millions more to his personal fortune.
The questions remain. Why was Cray
in Paris earlier this week and why did
he arrange a secret meeting with

Dyna'r cyfan oedd yna. Trodd y papur yn ddu a diflannodd y geiriau.

Sylweddolodd Alecs ar beth roedd yn edrych. Rhaid mai tudalen oedd hon o'r erthygl y bu Edward Pleasure yn gweithio arni byth er pan gyrhaeddodd y tŷ. Rhywbeth i'w wneud â Damian Cray, y mega-seléb …

'Excusez-moi, jeune homme …'

Cododd ei ben a gweld bod yr heddwas wedi dod yn ei ôl gyda dyn arall, rai blynyddoedd yn hŷn, gyda cheg yn troi ar i lawr a mwstás bach. Suddodd calon Alecs. Roedd wedi adnabod y teip hyd yn oed cyn i'r dyn ddechrau siarad. Yn ffals a hunan-bwysig, ac mewn iwnifform oedd yn rhy drwsiadus, roedd amheuaeth yn amlwg ar ei wyneb.

'Mae gyda chi rywbeth i'w ddweud wrthym

ni?' gofynnodd. Roedd ei Saesneg yn well nag un y llall.

Ailadroddodd Alecs beth roedd wedi'i ddweud.

'Sut ydych chi'n gwybod am y dyn yma? Y dyn ar y cwch hwylio?'

'Fo laddodd fy ewyrth i.'

'Pwy oedd eich ewyrth?'

'Sbïwr oedd o. Roedd o'n gweithio i MI6.' Anadlodd Alecs yn ddwfn. 'Dwi'n credu fallai mai *fi* oedd targed y bom. Dwi'n meddwl mai trio fy lladd i oedd o ...'

Siaradodd y plismyn â'i gilydd am chydig, cyn troi'n ôl at Alecs. Roedd yr heddwas hŷn wedi aildrefnu'i wyneb fel ei fod bellach yn edrych i lawr ar Alecs â chymysgedd o garedigrwydd a phryder. Ond roedd yno hefyd haerllugrwydd: *Rydw i'n iawn. Rwyt ti'n anghywir. A fydd dim yn fy mherswadio i mai fel arall y mae hi.* Roedd fel athro gwael mewn ysgol wael, yn rhoi croes ger ateb cywir.

'Rydych chi wedi cael sioc ofnadwy,' meddai'r heddwas. 'Y ffrwydrad ... fe wyddon ni'n barod mai nwy yn gollwng o bibell oedd yr achos.'

'Na ...' Ysgydwodd Alecs ei ben.

Cododd y plismon ei law. 'Does dim rheswm pam y byddai llofrudd yn dymuno niweidio teulu ar eu gwyliau. Ond rwy'n deall. Rydych chi wedi cynhyrfu; mae'n bosib iawn eich bod chi mewn sioc. Wyddoch chi ddim beth rydych chi'n ddweud.'

'Plîs …'

'Rydyn ni wedi cysylltu â swyddfa'ch conswl, a bydd rhywun yn cyrraedd yn fuan. Tan hynny, fe fyddai'n well ichi beidio ag ymyrryd.'

Gwyrodd Alecs ei ben. 'Fyddai gwahaniaeth gynnoch chi petawn i'n mynd am dro?' meddai. Daeth y geiriau allan yn dawel ac yn aneglur.

'Am dro?'

'Dim ond am bum munud. Awydd bod ar ben fy hun.'

'Wrth gwrs. Peidiwch â mynd rhy bell. Hoffech chi gael rhywun i ddod gyda chi?'

'Na. Mi fydda i'n iawn.'

Trodd a cherdded i ffwrdd. Roedd wedi osgoi edrych ym myw llygaid y plismyn, ac roedden nhw'n credu, meddyliodd, ei fod yn teimlo cywilydd. Doedd dim byd o'i le ar hynny. Doedd Alecs ddim isio iddyn nhw weld ei wylltineb, y dymer ddu oedd yn llifo drwyddo fel afon rewllyd. Doedden nhw ddim wedi'i gredu! Roedden nhw wedi'i drin fel plentyn di-ddeall!

Roedd pob cam a gerddai yn serio delweddau ar ei feddwl. Llygaid Sabina'n lledu wrth iddi weld y tŷ yn chwilfriw o'i blaen. Edward Pleasure yn cael ei hedfan i ysbyty yn y ddinas. Yassen Gregorovich ar fwrdd ei gwch, yn hwylio i ffwrdd tua'r machlud, joban arall wedi'i gwneud. Ac ar Alecs oedd y bai! Dyna oedd y peth gwaethaf. Dyna oedd yn anfaddeuol. Wel, doedd o ddim yn mynd i ddioddef yn fud. Gadawodd Alecs i'w wylltineb ei yrru ymlaen. Roedd hi'n bryd cymryd rheolaeth dros y sefyllfa.

Pan gyrhaeddodd y briffordd, edrychodd yn ei ôl. Roedd y plismyn wedi anghofio amdano. Cymerodd un cipolwg olaf ar y gragen losg a fu'n gartref gwyliau iddo, a chododd y düwch y tu mewn iddo eto. Trodd i ffwrdd a dechrau rhedeg.

Roedd Saint-Pierre chydig llai na milltir i ffwrdd. Roedd hi'n fin nos cynnar erbyn iddo gyrraedd a'r strydoedd yn llawn o bobl mewn hwyliau da. Mewn gwirionedd, roedd y dref i'w gweld yn brysurach nag erioed. Yna cofiodd. Roedd yr ymladd teirw heno a phobl wedi tyrru i'r dref o'r ardaloedd cyfagos i wylio.

Roedd yr haul eisoes yn dechrau suddo dros y gorwel, ond oedai'r golau dydd yn yr aer fel petai wedi'i adael ar ôl yn ddamweiniol. Roedd lampau'r stryd wedi'u goleuo, a thaflent olau oren llachar ar y palmentydd tywodlyd. Roedd hen chwrligwgan yn troi mewn cylchoedd, fel niwl troellog o fylbiau trydan a miwsig croch. Ymlwybrodd Alecs drwy'r cyfan heb stopio. Yn sydyn roedd ar ochr arall y dref a'r strydoedd yn dawel unwaith eto. Roedd hi bron yn nos erbyn hyn, a phopeth yn fwy llwyd ei liw.

Doedd o ddim wedi disgwyl gweld y cwch hwylio. Yng nghefn ei feddwl roedd wedi credu y byddai Yassen wedi gadael oriau'n ôl. Ond dyna lle roedd o, wedi'i glymu yn yr un fan. Doedd neb i'w weld yn unman. Roedd fel petai pawb wedi heidio i wylio'r ymladd teirw. Yna camodd ffigur allan o'r tywyllwch a gwelodd Alecs y dyn pen moel â'r llosg haul. Roedd yn dal i wisgo'r siwt wen. Ysmygai sigâr, y tân ar ei blaen yn taflu gwrid coch dros ei wyneb.

Roedd lampau'n pefrio y tu ôl i ffenestri'r cwch. A fyddai'n dod o hyd i Yassen y tu ôl i un ohonyn nhw? Doedd gan Alecs ddim syniad pendant o beth roedd yn ei wneud. Roedd gwylltineb yn dal i'w yrru yn ei flaen yn ddall. Y cyfan a wyddai oedd fod yn rhaid iddo fynd ar fwrdd y cwch hwylio, ac nad oedd dim byd yn mynd i'w rwystro.

Franco oedd enw'r dyn. Roedd wedi camu i lawr ar y lanfa am na allai Yassen ddioddef arogl mwg sigâr. Doedd o ddim yn hoffi Yassen. Yn fwy na hynny, roedd arno'i ofn. Pan glywodd y Rwsiad fod Edward Pleasure wedi'i anafu, ond nid wedi'i ladd, ddwedodd o 'run gair, ond daeth rhyw olwg dwys a hyll i'w lygaid. Roedd wedi troi i edrych ar Raoul, y morwr, am foment. Raoul ei hun oedd wedi gosod y bom yn ei le ... yn rhy bell o stafell y newyddiadurwr. Raoul oedd wedi gwneud camgymeriad. Ac roedd Franco'n gwybod bod Yassen bron iawn wedi'i ladd yn y fan a'r lle. Fallai y gwnâi hynny eto. Dduw mawr – am lanast.

Clywodd Franco sŵn esgid yn crafu ar gerrig mân a gweld bachgen yn cerdded tuag ato. Roedd yn fain a chanddo liw haul, yn gwisgo siorts a chrys-T Stone Age di-liw, gyda llinyn o fwclis pren am ei wddf. Roedd ganddo wallt golau a syrthiai'n gudynnau dros ei dalcen – edrychai'n debyg i Sais. Ond beth oedd o'n ei wneud fan hyn?

Roedd Alecs wedi ystyried tybed pa mor agos at y dyn y gallai fentro cyn codi amheuon ynddo. Pe bai oedolyn yn cerdded tuag at y cwch, byddai hynny'n wahanol; y ffaith mai dim ond pedair ar ddeg oed oedd Alecs oedd y rheswm pennaf pam ei fod mor ddefnyddiol i MI6. Doedd pobl ddim yn sylwi arno nes ei bod yn rhy hwyr.

Dyna ddigwyddodd y tro yma. Wrth i'r bachgen ddod yn nes, sylwodd Franco ar y llygaid brown tywyll mewn wyneb oedd rywsut yn rhy ddifrifol i fachgen o'i oedran. Llygaid oedd wedi gweld gormod oedden nhw.

Safodd Alecs gyferbyn â Franco. Yr eiliad honno trawodd, gan droi ar belen ei droed chwith a chicio â'r dde. Cafodd Franco'i synnu'n llwyr. Trawodd sawdl Alecs ef yn galed yn ei stumog – ond gwyddai Alecs yn syth nad oedd wedi sylweddoli pa mor solet oedd ei wrthwynebydd. Roedd wedi disgwyl teimlo bloneg o dan y siwt lac. Ond roedd ei droed wedi taro yn erbyn cylch o gyhyrau, ac er bod Franco wedi'i frifo a cholli'i wynt, roedd yn dal ar ei draed.

Gollyngodd Franco'r sigâr a thaflu'i hun ymlaen, ei law eisoes yn chwilota ym mhoced ei siaced. Daeth â hi allan yn dal rhywbeth. Clywyd clic isel, a neidiodd saith modfedd o arian gloyw i'r golwg. Roedd ganddo gyllell glec. Gan symud yn gyflymach o lawer nag y byddai Alecs wedi meddwl oedd yn bosib, taflodd ei hun ar draws y lanfa. Chwifiodd ei law mewn hanner cylch. Clywodd Alecs sŵn y llafn yn hollti'r awyr. Anelodd eto, a fflachiodd y gyllell heibio wyneb Alecs, gan ei fethu o gentimetr.

Doedd gan Alecs ddim arf. Roedd yn amlwg bod Franco wedi defnyddio'r gyllell ar sawl achlysur arall, ac oni bai iddo gael ei wanhau gan y gic gyntaf, byddai'r sgarmes eisoes ar ben. Edrychodd Alecs o'i amgylch, yn chwilio am unrhyw beth y gallai ei ddefnyddio i'w amddiffyn ei hun. Doedd bron ddim byd ar y lanfa – dim ond hen focs neu ddau, pwced, rhwyd bysgota. Erbyn hyn roedd Franco'n symud yn arafach. Ymladd â phlentyn yr oedd o – dim mwy na hynny. Efallai fod y cythraul bach wedi ymosod yn annisgwyl â'r gic gyntaf yna, ond byddai'n ddigon hawdd rhoi diwedd ar hyn.

Mwmiodd air neu ddau yn Ffrangeg: rhywbeth distaw a brwnt. Yna, eiliad yn ddiweddarach, anelodd ei ddwrn drwy'r awyr, y gyllell yn dilyn llwybr fyddai wedi torri gwddf Alecs oni bai iddo'i daflu'i hun tuag at yn ôl.

Sgrechiodd Alecs.

Roedd wedi baglu, gan syrthio'n drwm ar ei gefn, ag un fraich allan. Gwenodd Franco gan ddangos dau ddant aur, a chamu tuag ato, yn awyddus i roi diwedd ar hyn. Yn rhy hwyr, gwelodd ei fod wedi cael ei dwyllo. Roedd llaw Alecs wedi cydio yn y rhwyd. Wrth i Franco ddechrau gwyro tuag ato, neidiodd Alecs ar ei draed gan chwifio'i fraich ymlaen â'i holl nerth.

Ymledodd y rhwyd, gan ddisgyn dros ben Franco, ei ysgwydd, a'r llaw â'r gyllell. Rhegodd a throi, i geisio'i ryddhau'i hun, ond wrth symud roedd yn mynd yn fwy a mwy caeth.

Gwyddai Alecs fod yn rhaid iddo orffen hyn yn gyflym. Roedd Franco'n dal i frwydro â'r rhwyd, ond gwelodd Alecs ei fod yn dechrau agor ei geg i weiddi am help. Os clywai Yassen unrhyw beth, byddai'r cyfan ar ben. Anelodd Alecs a chicio'r eildro, ei droed yn dyrnu yn erbyn stumog y dyn. Collodd ei wynt yn llwyr, a gwelodd Alecs ei wyneb yn troi'n goch. Roedd hanner ffordd allan o'r rhwyd, yn perfformio rhyw ddawns ryfedd ar ymyl y lanfa, pan gollodd ei gydbwysedd a syrthio. Â'i ddwylo'n gaeth ni allai ei amddiffyn ei hun. Trawodd ei ben yn erbyn y concrid â chlec uchel cyn gorwedd yn llonydd.

Safodd Alecs, yn anadlu'n ddwfn. Yn y pellter clywodd drwmped yn seinio, a thon o gymeradwyaeth. Roedd yr ymladd teirw i fod i ddechrau ymhen deng munud. Roedd band bychan wedi cyrraedd ac yn paratoi i chwarae. Edrychodd Alecs ar y dyn anymwybodol a sylweddoli mai o drwch blewyn roedd o wedi llwyddo i ddianc. Doedd dim golwg o'r gyllell; fallai ei bod hi wedi syrthio i'r dŵr. Ystyriodd

Alecs am eiliad a ddylai fynd yn ei flaen. Yna meddyliodd am Sabina a'i thad, a'r peth nesaf a wyddai roedd wedi dringo'r bompren ac yn sefyll ar y dec.

Enw'r cwch hwylio oedd *For de Lance*. Sylwodd Alecs ar yr enw wrth ddringo i fyny, a chofiodd ei fod wedi'i weld yn rhywle arall. Ie! Ar drip ysgol i Sw Llundain oedd hynny. Rhyw fath o neidr oedd y *Fer de Lance*. Un wenwynig, wrth gwrs.

Safai mewn llecyn llydan â llyw ac offer llywio wrth y drws ar un ochr, a soffas lledr ar hyd y cefn. Roedd yno fwrdd isel. Rhaid bod y dyn pen moel yn eistedd yma, cyn iddo fynd i lawr i ysmygu'r sigâr. Gwelodd Alecs hen gylchgrawn, potel gwrw, ffôn symudol a dryll.

Roedd wedi gweld y ffôn o'r blaen. Un Yassen oedd e. Roedd yn llaw y Rwsiad yn y bwyty'n gynharach y diwrnod hwnnw. Roedd y ffôn o liw brown anarferol, neu fel arall gallai Alecs fod wedi'i anwybyddu. Ond nawr sylwodd ei fod yn dal i fod ymlaen. Cododd y ffôn.

Sgroliodd Alecs yn gyflym at y mynegai ac yna at y Rhestr Galwadau. Cafodd hyd i gofnod o'r holl alwadau roedd Yassen wedi'u derbyn y diwrnod hwnnw. Am 12.53 roedd yn siarad â rhif oedd yn dechrau â 44207. Prydain oedd y 44;

golygai 207 fod y rhif rywle yn Llundain. Dyna oedd yr alwad roedd Alecs wedi digwydd ei chlywed yn y bwyty. Dysgodd y rhif ar ei gof yn gyflym. Dyna oedd rhif y person oedd wedi rhoi ei orchmynion i Yassen. Byddai'n dweud wrtho y cyfan roedd arno angen ei wybod.

Cododd y dryll.

Roedd yn ei ddwylo o'r diwedd. Bob tro roedd wedi gweithio i MI6 roedd wedi gofyn iddyn nhw am ddryll, a phob tro roedden nhw wedi gwrthod. Roedden nhw wedi rhoi dyfeisiau eraill iddo – ond dim ond saethau llonyddu, grenadau llonyddu a bomiau mwg oedd y rheiny. Dim byd fyddai'n lladd. Teimlodd Alecs nerth yr arf a ddaliai a phwysodd y dryll yn ei law. Grach MP-443 du â thrwyn byr a rhigolau hyd y carn. O Rwsia, wrth gwrs, rhan o gyflenwad newydd y fyddin. Gadawodd i'w fys droi o gwmpas y glicied a gwenodd yn sarrug. Roedd Yassen ac yntau bellach yn gyfartal.

Aeth yn ei flaen yn ddistaw, drwy'r drws, dringo i lawr grisiau, ac i goridor oedd fel petai'n ymestyn ar hyd y cwch, â chabanau ar bob ochr. Roedd wedi gweld lolfa uwchben, ond gwyddai nad oedd neb yno. Doedd dim golau y tu ôl i'r ffenestri hynny. Os oedd Yassen yn rhywle, i lawr yma y byddai. Gan dynhau'i afael yn y

Grach, sleifiodd ymlaen, ei draed yn gwneud dim smic o sŵn ar y carped trwchus.

Daeth at ddrws a gweld rhimyn o olau melyn oddi tano. Gan wasgu'i ddannedd, estynnodd am y dwrn, gan hanner gobeithio y byddai wedi cloi. Trodd y dwrn ac agorodd y drws. Aeth Alecs i mewn.

Roedd y caban yn annisgwyl o fawr, o siâp petryal hir â charped gwyn a dodrefn pren modern ar hyd dwy wal. Roedd y drydedd wal wedi'i llenwi gan wely dwbl isel â bwrdd a lamp ar bob ochr iddo. Gorweddai dyn ar ei hyd ar y cwrlid gwyn, ei lygaid ynghau, yn llonydd fel corff. Camodd Alecs ymlaen. Doedd dim sŵn yn y stafell, ond yn y pellter gallai glywed y band yn chwarae yn y maes ymladd teirw: dau neu dri o drwmpedi, tiwba a drwm.

Symudodd Yassen Gregorovich 'run fodfedd wrth i Alecs ddod yn nes, gan ddal y dryll o'i flaen. Cyrhaeddodd erchwyn y gwely. Dyma'r agosaf iddo fod erioed at y Rwsiad, y dyn oedd wedi lladd ei ewythr. Gallai weld pob manylyn o'i wyneb: y gwefusau eglur, y blew llygaid benywaidd, bron. Dim ond centimetr i ffwrdd o dalcen Yassen oedd y dryll. Dyma ble roedd y cyfan yn gorffen. Y cyfan oedd raid iddo'i wneud oedd gwasgu'r glicied a byddai popeth ar ben.

'Noswaith dda, Alecs.'

Nid bod Yassen wedi deffro. Roedd ei lygaid wedi bod ynghau a nawr roedden nhw'n agored. Roedd mor syml â hynny. Doedd yr olwg ar ei wyneb heb newid dim. Roedd yn gwybod yn syth pwy oedd Alecs, ac ar yr un pryd yn cydnabod y dryll oedd yn pwyntio ato. Cydnabod a derbyn.

Ddwedodd Alecs 'run gair. Daeth cryndod bach i'r llaw oedd yn dal y dryll, a chododd ei law arall i'w sadio.

'Mae fy nryll i gen ti,' meddai Yassen.

Tynnodd Alecs anadl.

'Wyt ti'n bwriadu'i ddefnyddio fe?'

Dim gair.

Aeth Yassen yn ei flaen yn ddigynnwrf. 'Rwy'n credu y dylet ti ystyried yn ofalus iawn. Dyw lladd dyn ddim fel gweld y peth ar y teledu. Os tynni di ar y glicied yna, byddi di'n saethu bwled go iawn i mewn i gig a gwaed go iawn. Fydda i'n teimlo dim byd; byddaf yn marw ar unwaith. Ond bydd raid i ti fyw gyda'r hyn rwyt ti wedi'i wneud am weddill dy oes. Wnei di byth anghofio'r peth.'

Seibiodd, gan adael i'w eiriau hongian yn yr awyr.

'Fedri di wynebu'r peth mewn gwirionedd,

Alecs? Fedri di wneud i dy fys ufuddhau iti? Fedri di fy lladd i?'

Roedd Alecs wedi fferru, fel delw. Roedd ei holl sylw wedi'i ganolbwyntio ar y bys oedd yn troi o gwmpas y glicled. Roedd yn syml. Roedd yna ddyfais sbring. Byddai'r glicied yn tynnu'r cnicyn yn ôl, yna'i ollwng. Byddai'r cnicyn yn taro'r fwled, talp o angau ychydig dros bymtheg milimetr o hyd, gan ei gyrru ar ei thaith fer, gyflym i mewn i ben y dyn yma. Gallai ei wneud.

'Fallai dy fod ti wedi anghofio beth ddwedais i wrthot ti unwaith. Nid dy fywyd ti yw hwn. Does a wnelo hyn ddim o gwbl â ti.'

Roedd Yassen wedi ymlacio'n llwyr. Doedd dim emosiwn yn ei lais. Roedd fel pe bai'n nabod Alecs yn well nag oedd Alecs yn ei nabod ei hun. Ceisiodd Alecs edrych i ffwrdd, i osgoi'r llygaid glas digynnwrf oedd yn ei wylio â rhywbeth tebyg i dosturi.

'Pam wnaethoch chi'r fath beth?' gofynnodd Alecs. 'Pam chwythu'r tŷ i fyny? Pam?'

Daeth symudiad bach byr i'r llygaid. 'Am fy mod wedi cael fy nhalu.'

'Eich talu i'm lladd i?'

'Nage, Alecs.' Am eiliad roedd Yassen yn swnio bron fel pe bai'n gweld rhywbeth yn ddoniol. 'Doedd a wnelo'r peth ddim byd â ti.'

'Felly pwy –'

Ond roedd hi'n rhy hwyr.

Yn llygaid Yassen y gwelodd y peth gyntaf; gwybod bod y Rwsiad wedi bod yn tynnu'i sylw wrth i ddrws y caban agor yn ddistaw y tu ôl iddo. Cydiodd pâr o ddwylo ynddo a chafodd ei dynnu'n ffyrnig i ffwrdd o'r gwely. Gwelodd Yassen yn chwipio i'r ochr mor gyflym â neidr – mor gyflym â *fer de lance.* Taniodd y dryll, ond doedd Alecs ddim wedi'i danio'n fwriadol, a saethodd y bwled i mewn i'r llawr. Trawodd yn erbyn wal a theimlodd y dryll yn syrthio o'i law. Roedd blas gwaed yn ei geg. Teimlai fod y cwch hwylio'n siglo.

Seiniodd ffanffer yn y pellter, yn cael ei dilyn gan waedd y dorf yn atseinio. Roedd yr ymladd teirw wedi cychwyn.

MATADOR

Eisteddodd Alecs yn gwrando ar y tri dyn fyddai'n penderfynu'i dynged, gan geisio deall beth roedden nhw'n ddweud. Siaradent Ffrangeg, ond mewn acen dinas Marseilles, a oedd bron yn annealladwy – ac roedden nhw'n defnyddio iaith y gwter, nid y math o iaith roedd Alecs wedi'i dysgu.

Roedd wedi cael ei lusgo i fyny i'r prif salŵn ac eisteddai'n swp mewn cadair freichiau ledr lydan. Erbyn hyn roedd Alecs wedi llwyddo i ddatrys beth oedd wedi digwydd. Roedd y morwr, Raoul, wedi dod yn ôl o'r dref ar ôl bod yn prynu bwyd, ac wedi dod o hyd i Franco'n gorwedd yn anymwybodol ar y lanfa. Roedd wedi dringo ar fwrdd y cwch ar frys i rybuddio Yassen ac wedi ei glywed yn siarad ag Alecs. Raoul, wrth gwrs, oedd wedi sleifio i mewn i'r caban a gafael yn Alecs o'r cefn.

Roedd Franco'n eistedd mewn cornel, ei wyneb yn llawn dicter a chasineb. Roedd clais piws tywyll ar ei dalcen lle roedd wedi taro'r llawr. Pan siaradodd, roedd ei eiriau'n diferu o wenwyn.

'Rhowch y cythrel bach i fi. Fe wna i ei ladd e fy hunan a'i ollwng e dros yr ochr i roi gwledd i'r pysgod.'

'Shwd lwyddodd e i'n ffindo ni, Yassen?' Raoul oedd yn siarad. 'Shwd oedd e'n gwbod pwy y'n ni?'

'Pam y'n ni'n wasto'n amser 'dag e? Gadewch i fi roi diwedd arno nawr.'

Taflodd Alecs gipolwg ar Yassen. Hyd yma doedd y Rwsiad heb yngan 'run gair, er ei bod yn gwbl amlwg mai ef oedd y bòs. Roedd rhywbeth od ynghylch y ffordd roedd yn gwylio Alecs. Doedd y llygaid glas gwag ddim yn datgelu unrhyw beth, ac eto teimlai Alecs ei fod yn cael ei fesur a'i bwyso. Teimlai fel pe bai Yassen wedi ei nabod ers amser hir ac wedi disgwyl ei gyfarfod eto.

Cododd Yassen ei law i gael distawrwydd, yna aeth draw at Alecs. 'Sut oeddet ti'n gwybod y byddet ti'n dod o hyd inni yma?' gofynnodd.

Ddwedodd Alecs 'run gair. Am eiliad gwelodd olwg flin ar wyneb y Rwsiad. 'Os gweli di'n dda, paid â gwneud imi ofyn iti ddwywaith.'

Cododd Alecs ei ysgwyddau. Doedd ganddo ddim i'w golli. Roedden nhw'n debygol o'i ladd p'run bynnag. 'Ar fy ngwyliau o'n i,' meddai. 'Ro'n i ar y traeth. Mi welais i chi ar fwrdd y cwch wrth i chi hwylio i mewn.'

'Dwyt ti ddim gydag MI6?'

'Na.'

'Ond fe wnest ti fy nilyn i i'r bwyty.'

'Do.' Nodiodd Alecs.

Gwenodd Yassen yn gynnil wrtho'i hun. 'Ro'n i'n meddwl bod 'na rywun yno.' Trodd yn ddifrifol unwaith eto. 'Roeddet ti'n aros yn y tŷ.'

'Cael gwahoddiad gan ffrind wnes i,' meddai Alecs. Meddyliodd am rywbeth yn sydyn. 'Newyddiadurwr ydi'i thad hi. Fo oedd yr un roeddech chi isio'i ladd?'

'Dyw hynny'n ddim o dy fusnes di.'

'Mae o rŵan.'

'Dy anlwc di yw e dy fod ti'n aros gydag e, Alecs. Rwy'i wedi dweud wrthot ti'n barod. Doedd e'n ddim byd personol.'

'Nag oedd mae'n debyg.' Edrychodd Alecs ym myw ei lygaid. 'Efo chi, dydi o byth.'

Aeth Yassen yn ôl at y ddau ddyn, ac ar unwaith dechreuodd Franco glebran, gan boeri'i eiriau allan. Roedd wedi tywallt mesur o wisgi iddo'i hun, ac fe'i llawciodd ar un gwynt heb dynnu'i lygaid oddi ar Alecs am eiliad.

'Dyw'r bachgen yn gwybod dim; all e ddim gwneud drwg inni,' meddai Yassen. Roedd yn siarad Saesneg – er ei fwyn ef, dyfalodd Alecs.

'Beth chi'n gwneud 'dag e?' gofynnodd Raoul, gan ei ddilyn mewn Saesneg cloff.

'Ei ladd e!' ebychodd Franco.

'Fydda i ddim yn lladd plant,' atebodd Yassen, a gwyddai Alecs mai dim ond hanner y gwir oedd hynny. Gallai'r bom yn y tŷ fod wedi lladd unrhyw un oedd yn digwydd bod yno ar y pryd, a fyddai dim tamaid o ots gan Yassen.

'Oes colled arnoch chi?' Roedd Franco wedi llithro'n ôl i'r Ffrangeg. 'Allwch chi ddim jest gadel iddo fe gerdded bant. Fe ddaeth e yma i'ch lladd chi. Heblaw am Raoul, fe alle fe fod wedi llwyddo.'

'Falle.' Edrychodd Yassen ar Alecs eto. O'r diwedd penderfynodd. 'Fe wnest ti beth annoeth wrth ddod yma, Alecs bach,' meddai. 'Mae'r bobl yma'n credu y dylwn i roi taw arnat ti, a nhw sy'n iawn. Petawn i'n credu mai unrhyw beth heblaw ffawd ddaeth â ti yma, pe bait ti'n gwybod unrhyw beth o gwbl, fe fyddet ti eisoes yn farw. Ond rwy'n ddyn rhesymol. Wnest ti ddim fy lladd i pan gest ti gyfle, felly nawr fe rof i gyfle i tithe hefyd.'

Siaradodd â Franco mewn Ffrangeg cyflym. I ddechrau roedd Franco'n ymddangos yn ddadleuol a sarrug. Ond wrth i Yassen fynd yn ei flaen, gwelodd Alecs wên yn croesi'i wyneb yn araf.

'Shwd drefnwn ni'r peth?' gofynnodd Franco.

'Ti'n nabod pobl. Mae gyda ti ddylanwad. Dim

ond talu'r bobl iawn sydd isie.'

'Caiff y bachgen ei ladd.'

'Yna fe gei di dy ddymuniad.'

'Iawn!' poerodd Franco. 'Fe fydda i'n joio gwylio!'

Daeth Yassen draw at Alecs a sefyll yn agos ato. 'Mae gen ti dipyn o blwc, Alecs,' meddai. 'Rwy'n edmygu hynny ynot ti. Nawr rwy'i am roi'r cyfle iti ei ddangos e.' Nodiodd ar Franco. 'Cer ag e!'

Roedd hi'n naw o'r gloch. Roedd y nos wedi golchi dros Saint-Pierre, gan ddod ag addewid o storm haf yn ei sgil. Roedd yr aer yn llonydd ac yn drymaidd a chymylau trwm yn cuddio'r sêr.

Safai Alecs ar lawr tywodlyd yng nghysgod bwa concrid, heb fedru amgyffred yn iawn beth oedd yn digwydd iddo. Roedd wedi cael ei orfodi, dan fygythiad dryll, i newid ei ddillad gwyliau am iwnifform anghyffredin iawn; heblaw ei fod yn deall y peryg roedd ar fin ei wynebu, byddai wedi teimlo'n hollol chwerthinllyd yn gwisgo'r fath ddillad.

I ddechrau rhoddwyd crys gwyn a thei du iddo. Wedyn, daeth siaced gyda phadiau ysgwydd oedd yn hongian dros ei freichiau a throwsus oedd yn dynn am ei gluniau a'i ganol, ond yn darfod dipyn uwch na'i fferau. Roedd y ddau ddilledyn wedi'u gorchuddio â secwins a miloedd o berlau mân, fel bod Alecs, wrth iddo symud i mewn ac allan o'r golau, yn troi'n arddangosfa dân gwyllt ar raddfa fechan. Yn olaf roedd wedi cael sgidiau duon, het gyrliog, ddu, a chlogyn coch llachar oedd wedi'i blygu dros ei fraich.

Roedd enw i'r iwnifform. *Traje de Luces*. Y siwt o oleuadau a wisgid gan y matadoriaid yn y maes ymladd teirw. Dyma'r prawf dewrder roedd Yassen rywsut wedi llwyddo i'w drefnu. Roedd am i Alecs ymladd â tharw.

Safai Yassen wrth ymyl Alecs, yn gwrando ar sŵn y dorf y tu mewn i'r arena. Mewn ymladd teirw arferol, eglurodd, mae chwech o deirw'n cael eu lladd. Weithiau bydd y trydydd o'r rhain yn cael ei roi i'r matador lleiaf profiadol, *novillero*, dyn ifanc a allai fod yn y cylch am y tro cyntaf. Doedd dim *novillero* ar y rhaglen heno … ddim nes i'r Rwsiad awgrymu fel arall. Roedd arian wedi newid dwylo. Ac roedd Alecs wedi cael ei baratoi. Roedd y peth yn gwbl wallgof – ond byddai'r dorf yn gwirioni arno. Unwaith iddo gyrraedd yr arena, fyddai neb yn gwybod nad oedd erioed wedi cael ei hyfforddi. Byddai'n ffigur bychan bach ynghanol yr arena dan y llifoleuadau. Byddai ei ddillad yn cuddio'r gwir. Fyddai neb yn gweld mai dim ond pedair ar ddeg oedd o.

Daeth ffrwydrad o weiddi a chymeradwyo o'r tu mewn i'r arena. Dyfalodd Alecs fod y matador newydd ladd yr all darw.

'Pam ydach chi'n gwneud hyn?' gofynnodd Alecs.

Cododd Yassen ei ysgwyddau. 'Gwneud cymwynas â ti, Alecs.'

'Ddim felly dwi'n ei gweld hi.'

'Roedd Franco am roi cyllell ynot ti. Doedd hi ddim yn hawdd ei ddarbwyllo fe i newid ei feddwl. Yn y diwedd fe gynigiais i chydig o adloniant iddo fe. Fel mae'n digwydd, mae e wrth ei fodd gydag ymladd teirw. Fel hyn mae e'n cael ei ddifyrru ac rwyt tithau'n cael dewis.'

'Dewis?'

'Ie, dewis rhwng saethu a sathru.'

'Y naill ffordd neu'r llall mi fydda i'n cael fy lladd.'

'Ie, dyna'r canlyniad mwyaf tebygol, mae'n ddrwg gen i ddweud. Ond o leiaf fe fyddi di'n marw'n arwr. Bydd mil o bobl yn dy wylio di. Eu lleisiau nhw fydd y peth olaf a glywi di.'

'Gwell na chlywed eich llais chi,' sgyrnygodd Alecs.

Ac yn sydyn roedd hi'n bryd iddo fynd i mewn.

Rhedodd dau ddyn mewn jîns a chrysau duon ymlaen ac agor gât. Roedd hi fel llen o bren yn cael ei thynnu ar draws llwyfan, gan ddatgelu golygfa anhygoel y tu ôl iddi. Yn gyntaf roedd yr arena'i hun, cylch hirgrwn o dywod melyn. Fel roedd Yassen wedi'i addo, roedd mil o bobl o'i hamgylch, wedi'u gwasgu'n dynn mewn rhesi. Roedden nhw'n yfed ac yn bwyta, llawer ohonynt yn chwifio rhaglenni o flaen eu hwynebau er mwyn symud yr awyr farwaidd, a phawb yn gwthio a chlebran. Er bod pawb yn eistedd, doedd neb yn llonydd. Yn y gornel bellaf roedd band yn chwarae – pum dyn mewn lifrai milwrol, yn edrych fel teganau o'r oes o'r blaen. Roedd y llifoleuadau mor llachar nes eu bod bron â dallu rhywun.

Pan oedd hi'n wag, roedd yr arena'n fodern, yn ddiolwg a marwaidd. Ond a hithau'n llawn i'r ymylon ar y noson boeth yma, gallai Alecs deimlo'r egni'n byrlymu drwyddi; sylweddolodd fod holl greulondeb y Rhufeiniaid, eu gladiatoriaid a'u hanifeiliaid gwyllt wedi goroesi'r canrifoedd ac yn byw ac yn ffynnu yn y fan hon.

Gyrrodd tractor tua'r gât lle safai Alecs, gan lusgo o'i ôl lwmpyn du, di-siâp oedd, tan rai eiliadau'n ôl, yn greadur byw, balch. Roedd rhyw ddwsin o bicelli lliwgar yn hongian o gefn

59

yr anifail. Wrth iddo ddod yn nes, gwelodd Alecs ei fod yn gadael pwll o hylif coch gloyw yn y tywod. Teimlai'n sâl, a meddyliodd tybed p'un ai ofn beth oedd i ddod oedd y rheswm, ynteu ffieidd-dod ac atgasedd at beth oedd wedi digwydd. Roedd Sabina ac yntau wedi cytuno na fyddent byth bythoedd yn mynd i ymladdfa deirw. Yn sicr, doedd Alecs ddim wedi rhagweld y byddai'n torri'r addewid hwnnw mor fuan.

Nodiodd Yassen arno. 'Cofia,' meddai, 'bydd Raoul, Franco a minnau wrth ymyl y *barrera* – mae honno'n union ar ochr y cylch. Os byddi di'n methu perfformio, neu'n ceisio rhedeg i ffwrdd, fe wnawn ni dy saethu'n farw a diflannu i'r tywyllwch.' Cododd ei grys i ddangos y dryll ym melt ei drowsus. 'Ond os byddi di'n cytuno i ymladd, ar ôl deng munud byddwn yn gadael. Os byddi di, drwy ryw wyrth, yn dal ar dy draed, fe gei wneud fel y mynni. Wyt ti'n gweld? Rwy'n rhoi cyfle iti.'

Seiniodd y trwmpedi yr eildro, i gyflwyno'r ornest nesaf. Teimlodd Alecs law'n pwyso ar ei asgwrn cefn a cherddodd ymlaen, ei ben yn troi. Sut oedd y fath beth wedi digwydd? Doedd bosib na fyddai rhywun yn gweld mai dim ond bachgen ysgol o wlad arall oedd o, dan y wisg ffansi, nid matador, na *novillero* neu beth bynnag. Byddai'n rhaid i rywun roi stop ar yr ornest.

Ond roedd y gwylwyr eisoes yn bloeddio'u cymeradwyaeth. Syrthiodd cawod fach o flodau tuag ato. Doedd neb yn gweld y gwirionedd, ac roedd Franco wedi gwario digon o arian i wneud yn siŵr na fydden nhw'n gwybod y gwir nes y byddai'n rhy hwyr. Doedd ganddo ddim dewis ond mynd ymlaen â hyn. Roedd ei galon yn dyrnu. Codai arogl gwaed a chwys anifail i'w ffroenau. Teimlai'n fwy ofnus nag oedd erioed wedi'i wneud o'r blaen.

Yn y dorf safai dyn mewn siwt sidan ddu ffansi â botymau perlog ac ysgwyddau llydan, a chodi hances wen. Llywydd y maes ymladd teirw oedd hwn, yn rhoi'r arwydd i ddechrau'r ornest nesaf. Seiniodd y trwmpedi. Agorodd gât arall a tharanodd y tarw roedd Alecs i fod i ymladd ag ef i'r cylch fel bwled wedi'i saethu o ddryll. Rhythodd Alecs. Roedd y creadur yn anferth – talp du, gloyw o gyhyrau, yn pwyso rhyw saith neu wyth can cilogram. Pe bai'n rhedeg yn ei erbyn byddai fel cael ei daro i lawr gan fws – heblaw y byddai'n gyntaf yn cael ei drywanu gan y cyrn oedd yn troelli o'i ben, gan gulhau'n ddau bigyn marwol. Yr eiliad yma roedd y creadur yn anwybyddu Alecs, gan redeg yn wyllt mewn cylch a chicio â'i goesau ôl, wedi'i gynddeiriogi gan y goleuadau a sŵn gweiddi'r dorf.

Meddyliodd Alecs tybed pam nad oedd ganddo cleddyf. Doedd gan fatador ddim arf i'w amddiffyn ei hun? Roedd picell yn gorwedd ar y tywod, wedi'i adael ar ôl yr ornest o'r blaen. *Banderilla* oddeutu metr o hyd â charn amryliw wedi'i addurno, a bachyn byr, danheddog. Byddai dwsinau o'r rhain yn cael eu suddo i mewn i wddf y tarw, gan ddinistrio'i gyhyrau a'i wanhau cyn y lladd terfynol. Byddai rhywun yn rhoi picell i Alecs wrth i'r ymladd fynd yn ei flaen, ond roedd wedi gwneud penderfyniad yn barod. Beth bynnag ddigwyddai, byddai'n ceisio osgoi rhoi poen i'r tarw. Wedi'r cyfan, doedd yntau ddim wedi dewis bod yma chwaith.

Roedd yn rhaid iddo ddianc. Roedd y gatiau wedi'u cau, ond doedd y wal bren oedd yn cau am yr arena – y *barrera*, yn ôl Yassen – ddim uwch na'i daldra'i hun. Gallai redeg a neidio drosti. Taflodd olwg ar y wal lle roedd newydd ddod i mewn. Roedd Franco wedi cymryd ei le yn y rhes flaen. Roedd ei law y tu mewn i'w siaced, a doedd gan Alecs ddim amheuaeth beth oedd ynddi. Gallai weld Yassen ar y pen pellaf a Raoul draw ar y dde. Rhyngddynt roedden nhw'n rheoli'r cylch cyfan.

Roedd yn rhaid iddo ymladd. Rhywfodd roedd yn rhaid iddo aros yn fyw am ddeng munud. Fallai nad oedd dim mwy na naw munud ar ôl erbyn hyn. Teimlai fel oes ers iddo ddod i mewn i'r cylch.

Tawodd y dorf. Disgwyliai mil o wynebau iddo wneud ei symudiad.

Yna sylwodd y tarw arno.

Yn sydyn stopiodd gylchu ac ymlwybrodd tuag ato, gan aros tuag ugain metr i ffwrdd, ei ben i lawr a'i gyrn yn pwyntio ato. Gwyddai Alecs â rhyw sicrwydd cyfoglyd ei fod ar fin rhuthro. Yn anfoddog, gadawodd i'r clogyn coch ostwng fel ei fod yn hongian i lawr at y tywod. Rhaid ei fod yn edrych fel ffŵl yn y wisg yma, heb unrhyw syniad o beth i'w wneud. Synnai nad oedd rhywun wedi dod â'r ornest i ben yn barod. Ond byddai Yassen a'r ddau ddyn yn gwylio pob symudiad a wnâi. Dim ond yr esgus lleiaf fyddai ar Franco ei angen i estyn ei ddryll. Roedd yn rhaid iddo actio'i ran.

Tawelwch. Roedd gwres y storm oedd ar fin dod yn pwyso i lawr arno. Doedd dim byd yn symud.

Rhuthrodd y tarw. Dychrynwyd Alecs gan y trawsnewid sydyn. Hyd yn hyn, roedd y tarw'n llonydd ac yn bell. Nawr roedd yn dod amdano fel pe bai rhywun wedi troi swits, ei ysgwyddau anferth yn chwyddo, pob cyhyr ynddo'n canolbwyntio ar y targed a arhosai'n llonydd, yn ddl-arf, yn unig. Erbyn hyn roedd yr anifail yn ddigon agos i Alecs weld ei lygaid: du, gwyn, yn goch gan waed ac yn gynddeiriog.

Digwyddodd y cyfan yn gyflym iawn. Roedd y tarw bron â'i gyrraedd. Gostyngai'r cyrn creulon i gyfeiriad ei stumog. Roedd drewdod yr anifail yn ei fygu. Neidiodd Alecs i'r ochr, gan godi'r clogyn yr un pryd, i ddynwared symudiadau roedd wedi'u gweld … fallai ar y teledu neu mewn ffilm. Teimlodd gorff y tarw'n lledgyffwrdd â'i gorff ei hun wrth iddo ruthro heibio, ac yn y cyffyrddiad bach hwnnw synhwyrodd nerth ac egni anferthol yr anifail. Daeth fflach o goch wrth i'r clogyn hedfan i fyny. Roedd fel pe bai'r arena gyfan yn chwyrlïo o'i amgylch, y dorf ar eu traed yn gweiddi. Roedd y tarw wedi mynd heibio. Roedd Alecs yn holliach.

Er na wyddai hynny ar y pryd, roedd Alecs wedi rhoi dynwarediad pur dda o'r *verónica*. Hwn yw'r symudiad cyntaf a'r symlaf mewn ymladd teirw, ond mae'n rhoi gwybodaeth hollbwysig i'r matador am ei wrthwynebydd: ei gyflymder, ei nerth, â pha gorn mae'n anelu.

Ond dim ond dau beth roedd Alecs wedi'u dysgu. Roedd matadoriaid yn ddewrach nag y meddyliai – yn wallgof o ddewr i wneud hyn o'u dewis eu hunain! A gwyddai hefyd y byddai'n lwcus iawn i fyw drwy ymosodiad arall.

Roedd y tarw wedi aros ym mhen pellaf y cylch. Ysgydwodd ei ben, a chwipiodd stribedi o boer o bob ochr i'w geg. Roedd y gwylwyr yn dal i guro dwylo. Gwelodd Alecs Yassen Gregorovich yn eistedd yn eu canol. Ef oedd yr unig un llonydd, yr unig un nad oedd yn ymuno yn y cymeradwyo. Yn benderfynol, gollyngodd Alecs y clogyn am yr eildro, gan feddwl tybed sawl munud oedd wedi mynd heibio. Roedd ei synnwyr o amser wedi diflannu.

Gallai deimlo'r dorf yn dal ei gwynt wrth i'r tarw ymosod am yr ail dro. Roedd yn symud hyd yn oed yn gyflymach y tro hwn, ei garnau'n dyrnu ar y tywod. Unwaith eto roedd y cyrn yn anelu amdano. Petaen nhw'n ei daro, bydden nhw'n ei dorri yn ei hanner.

Ar yr eiliad olaf un, camodd Alecs i'r ochr, gan ailadrodd y symudiad roedd wedi'i wneud o'r blaen. Ond y tro yma roedd y tarw'n disgwyl amdano. Er ei fod yn symud yn rhy gyflym i newid cyfeiriad, taflodd ei ben a theimlodd Alecs boen yn saethu ar hyd ochr ei stumog. Cafodd ei daflu oddi ar ei draed, gan fynd din dros ben wysg ei gefn a glanio'n swp ar y tywod. Ffrwydrodd gwaedd o'r dorf. Arhosodd Alecs i'r tarw droi a'i dwlcio. Ond roedd yn ffodus. Doedd y tarw heb ei weld yn syrthio. Roedd wedi dal i redeg i ochr draw'r arena, gan adael llonydd iddo.

Cododd Alecs ar ei draed a rhoi ei law ar ei stumog. Roedd y siaced wedi'i rhwygo, a phan edrychodd ar ei law roedd gwaed coch llachar ar y cledr. Roedd wedi colli'i wynt ac wedi'i ysgwyd, a theimlai ochr ei gorff fel pe bai ar dân. Ond doedd y toriad ddim yn rhy ddwfn. Mewn ffordd, teimlai Alecs yn siomedig. Pe bai wedi'i anafu'n fwy difrifol, byddai raid iddyn nhw stopio'r ornest.

Gwelodd symudiad o gil ei lygad. Roedd Yassen wedi codi ac yn cerdded allan. Oedd y deng munud wedi mynd heibio, ynteu oedd y Rwsiad wedi penderfynu bod y difyrrwch ar ben ac nad oedd pwrpas mewn aros i weld y diweddglo gwaedlyd? Edrychodd Alecs o gwmpas yr arena. Roedd Raoul yn gadael hefyd, ond roedd Franco'n dal yn ei sedd. Roedd o yn y rhes flaen, dim ond rhyw ddeg metr i ffwrdd. Ac roedd yn gwenu. Roedd Yassen wedi'i dwyllo. Roedd Franco'n mynd i aros yno. Hyd yn oed pe byddai Alecs yn llwyddo i osgoi'r tarw, byddai Franco'n estyn ei ddryll ac yn gorffen y dasg ei hun.

Pwysodd Alecs i lawr yn llesg a chodi'r clogyn. Roedd y defnydd wedi'i rwygo yn yr ymosodiad diwethaf, a rhoddodd hynny syniad i Alecs. Roedd popeth yn y lle priodol: y clogyn, y tarw, y *banderilla*, Franco.

Gan anwybyddu'r boen yn ei ochr, dechreuodd redeg. Mwmiodd y gynulleidfa, yna dechreuodd pawb weiddi am na allen nhw gredu'r peth. Gwaith y tarw oedd ymosod ar y matador, ond yn sydyn, o flaen eu llygaid, roedd popeth yn digwydd o chwith, yn ôl pob golwg. Roedd hyd yn oed y tarw wedi synnu, gan lygadu Alecs fel pe bai o wedi anghofio rheolau'r gêm neu wedi penderfynu twyllo. Cyn iddo gael cyfle i symud, taflodd Alecs y clogyn. Roedd coes fer bren wedi'i gwnïo i mewn i'r defnydd a phwysau honno'n gyrru'r holl beth ymlaen gan wneud iddo lanio'n berffaith – dros lygaid yr anifail. Ymdrechodd y tarw i ysgwyd y defnydd yn rhydd, ond roedd un o'i gyrn wedi mynd drwy'r twll. Rhochiodd yn flin a churo'r llawr â'i garnau. Ond arhosodd y clogyn yn ei le.

Roedd pawb yn gweiddi erbyn hyn. Roedd hanner y gynulleidfa wedi codi ar ei thraed, a'r llywydd yn edrych o'i amgylch yn ddiymadferth. Rhedodd Alecs a chodi'r *banderilla* gan sylwi ar y bachyn hyll, wedi'i staenio'n goch â gwaed y tarw diwethaf. Mewn un symudiad trodd hi mewn cylch a'i thaflu.

Nid y tarw oedd ei darged. Roedd Franco wedi dechrau codi o'i sedd cyn gynted ag y sylweddolodd beth oedd Alecs am ei wneud; roedd ei law eisoes yn ymbalfalu am ei ddryll. Ond roedd yn rhy hwyr. Un ai roedd Alecs wedi bod yn ffodus, neu roedd anobaith wedi perffeithio'i anelu. Trodd y *banderilla* unwaith yn yr awyr, yna claddodd ei hun yn ysgwydd Franco. Sgrechiodd Franco. Doedd y pigyn ddim yn ddigon hir i'w ladd, ond roedd y bachyn cam yn cadw'r *banderilla* yn ei lle, a'i gwneud yn amhosib i'w thynnu allan. Ymledodd gwaed hyd lawes ei siwt.

Roedd yr arena gyfan yn ferw gwyllt. Doedd y dyrfa erioed wedi gweld dim byd tebyg i hyn. Daliodd Alecs i redeg. Gwelodd y tarw'n ysgwyd ei hun yn rhydd o'r clogyn coch. Roedd yn chwilio am ei brae, yn benderfynol o ddial.

Mi gei di ddial ryw ddiwrnod arall, meddyliodd Alecs. Does gen i ddim byd yn dy erbyn di.

Roedd wedi cyrraedd y *barrera* a neidiodd i fyny, gan afael yn y top a'i dynnu'i hun drosodd.

Roedd Franco wedi synnu gormod ac mewn gormod o boen i ymateb; p'un bynnag, roedd wedi'i amgylchynu gan wylwyr oedd yn ceisio'i helpu. Fyddai o byth wedi gallu estyn ei ddryll ac anelu. Roedd pawb fel petaen nhw ar fin mynd i banic. Gwnaeth y llywydd arwyddion ffyrnig a dechreuodd y band chwarae eto, ond doedd neb yn chwarae'r un alaw nac yn cydsymud.

Rasiodd un o'r dynion mewn jîns a chrys du tuag at Alecs, gan weiddi rhywbeth mewn Ffrangeg. Chymerodd Alecs ddim sylw. Glaniodd ar y llawr a dechrau rhedeg.

Ar yr union adeg pan saethodd Alecs allan i'r nos, torrodd y storm. Syrthiodd y glaw fel cefnfor wedi'i daflu o'r awyr. Ergydiodd ar y dref, tasgu oddi ar y palmentydd a chreu afonydd newydd oedd yn rasio ar hyd y gwteri ac yn boddi'r draeniau. Doedd dim taranau, dim ond y llif aruthrol o ddŵr oedd yn bygwth boddi'r byd.

Rhedodd Alecs yn ei flaen. Ymhen eiliadau roedd ei wallt yn wlyb diferol. Rhedai dŵr yn nentydd i lawr ei wyneb fel mai prin y gallai weld. Wrth redeg rhwygodd i ffwrdd rannau uchaf gwisg y matador – yr het yn gyntaf, yna'r siaced a'r tei – gan daflu pob darn i ffwrdd.

Ar yr ochr chwith iddo roedd y môr, y dŵr yn ddu ac yn berwi wrth gael ei daro gan y glaw.

Trodd Alecs oddi ar y ffordd a theimlo tywod dan ei draed. Roedd ar y traeth – yr un traeth lle bu'n gorwedd gyda Sabina pan ddechreuodd hyn i gyd. Tu draw roedd y morglawdd a'r lanfa.

Neidiodd ar y morglawdd a dringo'r meini anferth. Hongiai ei grys allan o'i drowsus; roedd o'n diferu o ddŵr, ac yn glynu am ei frest.

Roedd cwch hwylio Yassen wedi mynd.

Allai Alecs ddim bod yn sicr, ond credai iddo weld siâp aneglur yn diflannu i'r tywyllwch a'r glaw. Rhaid ei fod wedi'i fethu o eiliadau. Stopiodd i gael ei wynt ato. Beth oedd ar ei feddwl, p'un bynnag? Petai'r *Fer de Lance* yn dal yno, fyddai o mewn gwirionedd wedi dringo ar y bwrdd unwaith eto? Na fyddai, siŵr. Roedd wedi bod yn ffodus i ddod drwy'r cynnig cyntaf yn fyw. Roedd wedi dod yma jest mewn pryd i'w gweld yn gadael, a heb dddysgu dim.

Na.

Roedd yna rywbeth.

Safodd Alecs yna am rai eiliadau eto, a'r glaw'n llifo i lawr ei wyneb, yna trodd a cherdded yn ôl i gyfeiriad y dref.

Daeth o hyd i giosg ffôn ar stryd yn union y tu ôl i'r brif eglwys. Doedd ganddo ddim arian, felly byddai'n rhaid iddo wneud galwad trosglwyddo'r gost a meddyliodd tybed a fyddai'n cael ei derbyn. Deialodd y teleffonydd a rhoi'r rhif roedd wedi dod o hyd iddo a'i ddysgu ar ei gof yn ffôn symudol Yassen.

'Pwy sy'n siarad?' gofynnodd y teleffonydd.

Petrusodd Alecs. Yna … 'Fy enw i ydi Yassen Gregorovich,' meddai.

Bu distawrwydd hir wrth i'r cysylltiad gael ei wneud. Fyddai rhywun yn ateb, hyd yn oed? Roedd Prydain awr ar ôl Ffrainc, ond roedd hi'n dal yn hwyr y nos.

Roedd y glaw erbyn hyn yn ysgafnach, yn pitran ar do gwydr y ciosg ffôn. Arhosodd Alecs. Yna daeth llais y teleffonydd eto.

'Mae'ch galwad wedi ei derbyn, *monsieur*. Ewch ymlaen, os gwelwch yn dda …'

Tawelwch eto. Wedyn llais a ynganodd ddau air yn unig.

'Damian Cray.'

Ddwedodd Alecs 'run gair.

Siaradodd y llais eto. 'Helô? Pwy sy 'na?'

Roedd Alecs yn crynu. Fallai mai'r glaw oedd ar fai; fallai mai adwaith oedd y cryndod i bob dim oedd wedi digwydd. Allai o ddim siarad. Clywai'r dyn yn anadlu ar ben arall y llinell.

Yna clywyd clic ac aeth y ffôn yn farw.

CEIR Y GWIR

Teimlai Alecs fel pe bai Llundain yn ei groesawu fel hen ffrind dibynadwy. Bysys coch, tacsis du, plismyn mewn iwnifform las, a chymylau llwyd … ble arall y gallai o fod? Wrth gerdded ar hyd King's Road, teimlai ei fod filiwn o filltiroedd o'r Camargue – nid jest adre, ond yn ôl yn y byd go iawn. Roedd ochr ei stumog yn dal yn glwyfus, a gallai deimlo'r bandais yn tynnu ar ei groen, ond fel arall roedd Yassen a'r ymladd tarw eisoes yn llithro i'r gorffennol pell.

Stopiodd y tu allan i siop lyfrau oedd, fel llawer o rai tebyg, yn ei hysbysebu'i hun â chwa o arogl coffi. Oedodd am eiliad, yna aeth i mewn.

Buan iawn y daeth o hyd i'r hyn roedd yn chwilio amdano. Roedd tri llyfr am Damian Cray yn yr adran fywgraffiadau. Prin bod dau o'r rhain yn llyfrau o gwbl – llyfrynnau sgleiniog oedden nhw, wedi'u cyhoeddi gan gwmnïau recordiau er mwyn hyrwyddo'r dyn oedd wedi ennill ffortiwn iddyn nhw. Teitl y llyfr cyntaf oedd *Damian Cray – yn Fyw!* Nesaf ato roedd *Cray! Bywyd ac Amserau Damian Cray*. Syllai'r un wyneb oddi ar y cloriau. Gwallt du fel y frân wedi'i dorri'n gwta fel bachgen ysgol. Wyneb crwn, llawn, bochau amlwg a llygaid gwyrdd gloyw. Trwyn bach, wedi'i osod reit ar ganol ei wyneb. Gwefusau llydan a dannedd gwyn perffaith.

Roedd y trydydd llyfr wedi'i sgrifennu rai blynyddoedd yn ddiweddarach. Roedd yr wyneb chydig yn hŷn, a'r llygaid wedi'u cuddio y tu ôl i sbectol â lensys glas; roedd y Damian Cray yma'n dringo allan o Rolls-Royce gwyn, wedi'i wisgo mewn siwt a thei Versace. Dangosai deitl y llyfr beth arall oedd wedi newid: *Syr Damian Cray: Y Gŵr, Ei Gerddoriaeth, Ei Gyfoeth.* Taflodd Alecs gipolwg ar y dudalen gyntaf, ond buan y diflasodd ar y testun trwm, cymhleth. Roedd fel pe bai wedi'i sgwennu gan rywun oedd yn debygol o ddarllen y *Financial Times* o ran hwyl.

Yn y diwedd, phrynodd o 'run o'r llyfrau. Roedd o isio gwybod mwy am Cray, ond doedd o ddim yn meddwl y byddai'n dysgu dim mwy o'r llyfrau yma nag a wyddai'n barod. Gan gynnwys yn sicr y rheswm pam roedd wedi cael hyd i'w rif ffôn preifat ar ffôn symudol llofrudd proffesiynol.

Cerddodd Alecs yn ôl drwy Chelsea, gan droi i mewn i'r stryd ddeniadol a'i rhes o dai gwynion, lle roedd ei ewythr, Ian Rider, wedi byw. Erbyn hyn roedd Alecs yn rhannu'r tŷ â Jac

Starbright, merch ifanc o America oedd wedi bod yn howscipar yno ond a oedd ers hynny wedi dod yn warcheidwad cyfreithiol arno a'i ffrind agosaf. Hi oedd y rheswm pam bod Alecs wedi cytuno i weithio i MI6 yn y lle cyntaf. Roedd wedi cael ei anfon yn y dirgel i ysbïo ar Herod Sayle a'i gyfrifiaduron Tarandon. Am iddo wneud hynny roedd hi wedi derbyn fisa oedd yn caniatáu iddi aros yn Llundain a gofalu amdano.

Roedd hi'n aros amdano yn y gegin pan gyrhaeddodd. Roedd Alecs wedi cytuno i fod yn ôl erbyn un, ac roedd hi wedi paratoi cinio iddyn nhw ill dau. Roedd Jac yn gogyddes dda, ond gwrthodai wneud dim byd a gymerai fwy na deng munud i'w baratoi. Roedd yn wyth ar hugain oed, yn fain, gyda gwallt coch crychlyd a'r math o wyneb na allai fod ond yn siriol – hyd yn oed pan nad oedd hi mewn hwyliau da.

'Bore go lew?' gofynnodd wrth iddo ddod i mewn.

'Do. Iawn.' Eisteddodd Alecs yn araf, gan afael yn ei ochr.

Sylwodd Jac, ond ddwedodd hi 'run gair. 'Gobeitho bod whant bwyd arnot ti,' meddai wedyn.

'Be sy 'na i ginio?'

'*Stir-fry.*'

74

'Ogla da arno fo.'

'Hen rysáit Tsieineaidd. O leia, dyna mae'n ddweud ar y paced. Helpa dy hunan i'r Coke tra mod i'n gweini'r bwyd.'

Roedd y bwyd yn dda a cheisiodd Alecs fwyta, ond y gwir oedd nad oedd fawr o archwaeth arno a rhoddodd y gorau iddi'n fuan. Ddwedodd Jac 'run gair wrth iddo gario'i blât hanner llawn draw at y sinc, ond yna fe drodd ato'n sydyn.

'Alecs, fedri di ddim beio dy hun am beth ddigwyddodd yn Ffrainc.'

Er bod Alecs ar fin gadael y gegin, daeth yn ei ôl at y bwrdd.

'Mae'n hen bryd i ti a finne siarad am hyn,' meddai Jac wedyn. 'A gweud y gwir, mae'n bryd inni siarad am bopeth!' Gwthiodd ei phlataid bwyd ei hun i ffwrdd ac aros i Alecs eistedd. 'O'r gore. Felly mae'n amlwg nad oedd dy wncwl Ian ddim yn rheolwr banc. Sbïwr oedd e. Wel, fydde hi wedi bod yn braf 'tai e wedi crybwyll y peth wrtha i, ond mae'n rhy ddiweddar nawr, oherwydd mae e wedi llwyddo i gael ei ladd, sy'n 'y ngadel i'n sdyc yn fan hyn, yn dy garco di.' Cododd un llaw yn gyflym. 'Nago'n i'n golygu 'na. Rwy'i wrth 'y modd yma. Rwy'i wrth 'y modd yn Llunden.

Rwy'i hyd yn oed wrth 'y modd 'da ti.

'Ond nagwyt ti'n sbïwr, Alecs. Ti'n gwbod 'na. Hyd yn oed os oedd 'da Ian ryw syniad gwallgo ynghylch dy hyfforddi di. Tair gwaith nawr ti wedi cymryd amser bant o'r ysgol, a phob tro ti'n dod 'nôl wedi cael clatsien neu ddwy yn rhagor. Sai'n moyn clywed dim obeutu dy helyntion di, ond yn bersonol mae becso amdanat ti wedi'n hala fi'n dost!'

'Ddim 'y newis i oedd o ...' meddai Alecs.

"Na'r pwynt yn gwmws. Sbïwyr a bwledi a dynon gwallgo sy'n moyn rheoli'r byd – smo hynna'n ddim byd i neud 'da ti. Felly roeddet ti'n iawn i gerdded bant yn Saint-Pierre. Fe wnest ti'r peth iawn.'

Ysgydwodd Alecs ei ben. 'Mi ddylswn i fod wedi gwneud rhywbeth. Unrhyw beth. Wedyn, fasa tad Sabina byth wedi –'

'Smo ti'n gwybod 'nny. Hyd yn oed petait ti wedi galw'r cops, beth allen nhw fod wedi'i wneud? Cofia – doedd neb yn gwybod am y bom. Doedd neb yn gwybod pwy oedd y targed. Sai'n credu y bydde fe wedi gwneud unrhyw wahaniaeth o gwbl. Ac os nad oes ots 'da ti mod i'n gweud, Alecs, roedd mynd ar ôl y boi Yassen 'ma dy hunan bach, mewn gwirionedd, yn ... wel, roedd e'n beryglus iawn. Rwyt ti'n lwcus na

76

chefest ti dy ladd.'

Roedd hi'n berfaith iawn, wrth gwrs. Meddyliodd Alecs am yr arena a gwelodd unwaith eto gyrn a llygaid gwaedgoch y tarw. Estynnodd am ei wydryn a chymryd llymaid o Coke. 'Mae 'na rywbeth mae'n rhaid i mi wneud,' meddai. 'Roedd Edward Pleasure yn sgwennu erthygl am Damian Cray. Rhywbeth ynghylch cyfarfod cyfrinachol ym Mharis. Falla 'i fod o'n prynu cyffuriau neu rywbeth.'

Ond hyd yn oed wrth iddo ddweud y geiriau, gwyddai Alecs na allen nhw fod yn wir. Roedd yn gas gan Cray gyffuriau. Roedd 'na nifer o ymgyrchoedd hysbysebu – posteri a theledu – yn defnyddio'i enw a'i wyneb. Roedd ei albwm diweddaraf – *Llinellau Gwyn* – yn cynnwys pedair cân wrthgyffuriau. Roedd Cray wedi gwneud y peth yn fater personol. 'Falla fod ganddo fo ddiddordeb mewn porn,' cynigiodd yn llipa.

'Beth bynnag yw e, mae'n mynd i fod yn anodd ei brofi, Alecs. Mae'r byd i gyd yn caru Damian Cray.' Ochneidiodd Jac. 'Falle dylet ti fynd i siarad gyda Mrs Jones.'

Teimlodd Alecs ei galon yn suddo. Roedd y syniad o fynd yn ôl i MI6 a chyfarfod y ddynes oedd yn ddirprwy bennaeth ar y Gweithrediadau

Arbennig yn ei lenwi ag ofn. Ond gwyddai fod Jac yn iawn. O leiaf byddai Mrs Jones yn gallu edrych i mewn i'r peth. 'Mi faswn i'n medru mynd i'w gweld hi, am wn i,' meddai.

'Iawn. Ond gwna di'n siŵr nad yw hi'n dy dynnu di i mewn i'r peth. Os oes gan Damian Cray rywbeth i'w gwato, ei busnes hi yw hynny – nage dy fusnes di.'

Canodd y ffôn.

Cododd Jac y derbynnydd. Gwrandawodd am foment, yna rhoddodd y ffôn i Alecs. 'I ti mae e,' meddai. 'Sabina.'

* * *

Ar ôl cyfarfod y tu allan i Tower Records yn Piccadilly Circus, cerddodd y ddau i Starbucks gerllaw. Gwisgai Sabina drowsus llwyd a jyrsi lac. Roedd Alecs wedi disgwyl iddi fod yn wahanol mewn rhyw ffordd ar ôl y cyfan oedd wedi digwydd, ac yn wir, roedd hi'n edrych yn iau, yn llai hyderus. Roedd hi'n amlwg wedi blino a phob arlliw o'i lliw haul De Ffrainc wedi diflannu.

'Mae Dad yn mynd i ddod drwyddi,' meddai wrth iddyn nhw eistedd gyda'i gilydd â photelaid o sudd ffrwythau bob un. 'Mae'r meddygon yn eitha sicr o hynny. Mae e'n gryf ac wedi gofalu amdano'i hunan. Ond ...' Crynodd ei llais. 'Mae'n mynd i gymryd amser hir, Alecs. Mae e'n dal i fod yn anymwybodol – ac fe gafodd ei losgi'n ddifrifol.' Stopiodd ac yfed chydig o'i diod. 'Roedd yr heddlu'n dweud taw nwy yn gollwng oedd achos y ffrwydrad. Beth feddyli di o hynna? Mae Mam yn dweud ei bod hi am ddod ag achos yn eu herbyn nhw.'

'Achos? Yn erbyn pwy?'

'Y bobl wnaeth logi'r tŷ inni. Y bwrdd nwy. Y wlad i gyd. Mae hi'n lloerig ...'

Ddwedodd Alecs 'run gair. Nwy yn gollwng. Dyna roedd yr heddlu wedi'i ddweud wrtho yntau.

Ochneidiodd Sabina. 'Fe wedodd Mam y dylen i dy weld ti. Gwedodd hi y byddet ti am gael gwybod am Dad.'

'Newydd ddod i lawr o Baris oedd dy dad, yntê?' Doedd Alecs ddim yn siŵr ai dyma'r amser iawn i ofyn, ond roedd yn rhaid iddo gael wybod. 'Soniodd o am yr erthygl roedd o'n ei sgwennu?'

Edrychodd Sabina'n syn arno. 'Na. Fydde fe byth yn siarad am ei waith. Ddim gyda Mam. Ddim gyda neb.'

'Ble oedd o wedi bod?'

'Yn sefyll gyda ffrind. Ffotograffydd.'

'Wyt ti'n gwybod ei enw fo?'

'Marc Antonio. Pam wyt ti'n gofyn yr holl gwestiyne 'ma am Dad? Pam wyt ti'n moyn gwybod?'

Anwybyddodd Alecs y cwestiynau. 'Ble mae o rŵan?' gofynnodd.

'Yn yr ysbyty yn Ffrainc. Dyw e ddim digon cryf i deithio. Mae Mam yn dal i fod mas yna gydag e. Fe wnes i hedfan yn ôl fy hunan.'

Meddyliodd Alecs am foment. Doedd hyn ddim yn syniad da. Ond roedd yn rhaid iddo ddweud rhywbeth. Roedd o'n gwybod gormod i hynny. 'Dwi'n credu y dylai'r heddlu fod yn ei warchod o,' meddai.

'Beth?' Syllodd Sabina arno. 'Pam? Gweud rwyt ti … taw nage nwy yn gollwng oedd achos y ffrwydrad?'

Ddwedodd Alecs 'run gair.

Edrychodd Sabina arno'n ofalus cyn dechrau siarad. 'Ti wedi bod yn gofyn yr holl gwestiynau 'ma,' meddai. 'Fy nhro i yw hi nawr. Sai'n gwybod beth sy'n mynd mlaen mewn gwirionedd, ond fe wedodd Mam wrtha i dy fod ti wedi rhedeg bant o'r tŷ ar ôl y ffrwydrad.'

'Sut oedd hi'n gwybod?'

'Yr heddlu wedodd wrthi. Fe wedon nhw dy

fod ti wedi cael rhyw syniad bod rhywun wedi trio lladd Dad ... a bod hwnnw'n berson oeddet ti'n nabod. Ac yna fe wnest ti ddiflannu. Roedden nhw'n whilo ymhobman amdanot ti.'

'Mi es i i'r orsaf heddlu yn Saint-Pierre,' meddai Alecs.

'Ond hanner nos oedd hynny. Roeddet ti'n wlyb at dy groen, roeddet ti wedi cael anaf, ac yn gwisgo rhyw ddillad od ...'

Roedd Alecs wedi cael ei holi am awr pan ymddangosodd o'r diwedd yn y *gendarmerie*. Roedd meddyg wedi pwytho'r clwyf a rhoi bandais amdano. Wedyn roedd plismon wedi dod â dillad glân iddo. Cafodd ei holi'n ddi-baid nes i'r dyn o swyddfa'r conswl Prydeinig yn Lyons gyrraedd. Roedd y dyn, oedd yn oedrannus ac yn effeithlon, fel petai'n gwybod popeth am Alecs. Roedd wedi danfon Alecs yn ei gar i faes awyr Montpellier i ddal yr awyren gyntaf y bore wedyn. Doedd ganddo ddim diddordeb yn yr hyn oedd wedi digwydd. Roedd yn ymddangos mai ei unig ddymuniad oedd cael Alecs allan o'r wlad.

'Beth oeddet ti'n wneud?' gofynnodd Sabina. 'Rwyt ti'n gweud bod Dad angen cael ei garco. Oes 'da ti ryw wybodaeth?'

'Fedra i ddim dweud wrthot ti –' dechreuodd

Alecs.

'Stwffa 'na!' meddai Sabina. 'Wrth gwrs y gelli di weud 'tho i!'

'Alla i ddim. Fasat ti ddim yn 'y nghredu fi.'

'Os na wedi di wrtho i, Alecs, fe fydda i'n cerdded mas o fan hyn a weli di mohono i byth 'to. Beth wyddost ti am Dad?'

Yn y diwedd fe ddwedodd wrthi. Doedd hi ddim wedi rhoi unrhyw ddewis iddo. Ac mewn ffordd roedd yn falch. Roedd y gyfrinach wedi bod ganddo'n rhy hir, ac wrth ei chario ar ei ben ei hun teimlai ei bod yn pwyso'n drwm arno.

Dechreuodd wrth sôn am farwolaeth ei ewythr, cael ei gyflwyno i MI6, ei hyfforddiant a'i gyfarfod cyntaf â Yassen Gregorovich yn ffatri gyfrifiaduron Tarandon yng Nghernyw. Disgrifiodd, mor gryno ag y gallai, fel y cafodd ei orfodi ddwywaith wedyn i weithio i MI6 – yn Alpau Ffrainc a ger arfordir America. Wedyn dwedodd wrthi sut y teimlai yr eiliad y gwelodd Yassen ar y traeth yn Saint-Pierre, fel roedd wedi'i ddilyn i'r bwyty, a pham yn y diwedd nad oedd wedi gwneud unrhyw beth.

Teimlai fel petai wedi brysio drwy'r cyfan, ond mewn gwirionedd roedd wedi siarad am hanner awr cyn sôn am ddod wyneb yn wyneb â Yassen ar fwrdd y *Fer de Lance*. Roedd wedi osgoi edrych ar Sabina y rhan fwyaf o'r amser wrth siarad, ond pan gyrhaeddodd yr ymladd teirw, a disgrifio'r ffordd roedd wedi cael ei wisgo fel matador a gorfod cerdded allan o flaen tyrfa o fil o bobl, cododd ei ben ac edrych i fyw ei llygaid. Edrychai hi arno fel pe bai'n ei weld am y tro cyntaf. Bron fel petai'n ei gasáu.

'Mi ddeudis i fod y peth yn anghredadwy,' meddai'n gloff.

'Alecs ...'

'Dwi'n gwybod bod yr holl beth yn swnio'n wallgof. Ond dyna be ddigwyddodd. Mae'n ddrwg iawn gen i am dy dad. Mae'n ddrwg iawn gen i mod i wedi methu rhwystro'r cyfan rhag digwydd. Ond o leia dwi'n gwybod pwy oedd yn gyfrifol.'

'Pwy?'

'Damian Cray.'

'Y seren bop?'

'Roedd dy dad yn sgwennu erthygl amdano fo. Ddois o hyd i damaid ohoni yn ymyl y tŷ. Ac roedd ei rif ffôn o yn ffôn symudol Yassen.'

'Felly roedd Damian Cray isie lladd Dad.'

'Oedd.'

Bu tawelwch hir. Rhy hir, meddyliodd Alecs.

O'r diwedd, siaradodd Sabina eto. 'Mae'n flin 'da fi, Alecs,' meddai. 'Chlywes i eriod yn fy myw shwd gyment o gaca.'

'Sab, mi ddeudais i wrthat ti –'

'Do, wedest ti na fydden i'n gallu credu'r peth. Ond jest am dy fod ti wedi gweud, dyw hynny ddim yn ei wneud e'n wir!' Ysgydwodd ei phen. 'Shwd gelli di ddishgwl i unrhyw un gredu stori fel honna? Pam na elli di weud y gwir wrtha i?'

'Dyna *ydi'r* gwir, Sab.'

Yn sydyn, gwyddai beth oedd yn rhaid iddo'i wneud.

'Ac mi fedra i brofi hynny hefyd.'

Teithiodd y ddau ar y Tiwb ar draws Llundain i orsaf Liverpool Street, a cherdded ar hyd y stryd at yr adeilad lle roedd canolfan Adran Gweithrediadau Arbennig MI6. Safodd y ddau o flaen drws uchel wedi'i beintio'n ddu, y math oedd wedi'i gynllunio i greu argraff ar y bobl oedd yn dod i mewn ac allan. Wrth ochr y drws, wedi'i sgriwio i'r wal, roedd plât pres ac arno'r geiriau:

> ## ROYAL & GENERAL
> ## BANK PLC
>
> ## LONDON

Roedd Sabina wedi gweld yr arwydd. Edrychodd ar Alecs yn llawn amheuaeth.

'Paid â phoeni,' meddai Alecs. 'Dydi banc y Royal & General ddim yn bodoli. Dim ond yr arwydd maen nhw'n ei roi ar y drws ydi hwnna.'

Aethant i mewn. Roedd y cyntedd yn fawr ac oer, y nenfwd yn uchel a'r llawr wedi'i wneud o farmor brown. Ar un ochr roedd soffa ledr; cofiodd Alecs iddo eistedd arni'r tro cyntaf iddo fod yno, yn aros i fynd i fyny i swyddfa'i ewythr ar y pymthegfed llawr. Cerddodd yn syth draw at ddesg wydr y dderbynfa; yno, roedd dynes ifanc yn eistedd â meicroffon wrth ochr ei cheg, yn derbyn galwadau ac yn cyfarch ymwelwyr ar yr un pryd. Nesaf ati eisteddai swyddog diogelwch hŷn mewn iwnifform a chap pig.

'Alla i'ch helpu chi?' gofynnodd y ddynes, gan wenu ar Alecs a Sabina.

'Gallwch,' meddai Alecs. 'Mi hoffwn i weld Mrs Jones.'

'Mrs Jones?' Crychodd y ddynes ei thalcen. 'Wyddoch chi ym mha adran mae hi'n gweithio?'

'Mae hi'n gweithio efo Mr Blunt.'

'Mae'n ddrwg gen i ...' Trodd at y swyddog diogelwch. 'Ydach chi'n nabod rhyw Mrs Jones?'

'Mae 'na Miss Johnson yma,' cynigiodd y

85

swyddog. 'Ariannwr yw hi.'

Edrychodd Alecs o'r naill i'r llall. 'Dach chi'n gwybod yn iawn pwy dwi'n feddwl,' meddai. 'Jest dwedwch wrthi fod Alecs Rider yma –'

'Does yna'r un Mrs Jones yn gweithio yn y banc yma,' meddai'r derbynnydd ar ei draws.

'Alecs ...' dechreuodd Sabina.

Ond roedd Alecs yn gwrthod rhoi i mewn. Pwysodd ymlaen er mwyn cael siarad yn gyfrinachol. 'Dwi'n gwybod nad banc ydi hwn,' meddai. 'Gweithrediadau Arbennig MI6 ydi o. Plis fedrwch chi –'

'Whare castie o ryw fath y'ch chi, ife?' Y dyn diogelwch oedd yn siarad y tro yma. 'Beth yw'r holl ddwli 'ma obeutu MI6?'

'Alecs, dere inni fynd o'r lle 'ma,' meddai Sabina.

'Na!' Allai Alecs ddim credu beth oedd yn digwydd. Wyddai o ddim yn iawn beth *oedd* yn digwydd. Camgymeriad, mae'n rhaid. Roedd y bobl yma'n staff newydd. Neu fallai fod angen rhyw gyfrinair cyn gallu ei adael i mewn i'r adeilad. Wrth gwrs. Bob tro roedd wedi bod yma o'r blaen, roedd wedi cyrraedd pan oedden nhw'n ei ddisgwyl. Un ai hynny neu roedd wedi cael ei arwain yma yn erbyn ei ewyllys. Y tro hwn roedd wedi cyrraedd yn annisgwyl. Dyna pam nad oedd yn cael mynd i mewn.

'Gwrandwch,' meddai Alecs. 'Dwi'n deall pam na fyddech chi isio gadael i rywun-rywun ddod i mewn, ond nid jest rhywun ydw i. Fi ydi Alecs Rider. Dwi'n gweithio efo Mr Blunt a Mrs Jones. Plis wnewch chi roi gwybod iddi hi mod i yma?'

'Does yna 'run Mrs Jones yn gweithio yma,' meddai'r derbynnydd eto'n ddiymadferth.

'A sai'n nabod unrhyw Mr Blunt chwaith,' ychwanegodd y swyddog diogelwch.

'Alecs. Plîs …' Roedd Sabina'n swnio'n fwy a mwy cynhyrfus. Roedd hi ar bigau'r drain am gael mynd oddi yno.

Trodd Alecs ati. 'Dweud celwydd maen nhw, Sabina,' meddai. 'Mi ddangosa i iti.'

Cydiodd yn ei braich a'i thynnu draw at y lifft. Estynnodd ei law a gwasgu'r botwm galw.

'Aros di'n fanna!' Cododd y dyn diogelwch ar ei draed.

Estynnodd y debynnydd ei llaw a phwyso botwm i alw am help, meddyliodd Alecs.

Ddaeth y lifft ddim.

Gwelodd Alecs y swyddog yn dod tuag ato. Dim lifft eto. Edrychodd o'i amgylch a sylwi ar goridor yn arwain i ffwrdd, a phâr o ddrysau troi yn y pen draw. Fallai y byddai grisiau neu set arall o lifftiau rywle arall yn yr adeilad. Gan dynnu Sabina ar ei ôl, cychwynnodd Alecs ar hyd y coridor. Clywodd y swyddog diogelwch yn dod yn nes. Cyflymodd, gan chwilio am ffordd i fyny.

Rhuthrodd drwy'r drysau dwbl.

A stoplo'n stond.

Roedd mewn neuadd fancio anferth, ac iddi nenfwd siâp cromen a hysbysebion ar y waliau yn cynnig morgeisi, cynlluniau cynilo a benthyciadau personol. Roedd saith neu wyth o ffenestri gwydr mewn rhes ar un ochr, gydag arianwyr yn stampio dogfennau a thalu sieciau i mewn, tra oedd rhyw ddwsin o gwsmeriaid – pobl gyffredin o'r stryd – yn sefyll mewn ciw. Roedd dau ymgynghorydd personol, dynion ifanc mewn siwtiau trwsiadus, yn eistedd y tu ôl i ddesgiau yn y rhan cynllun-agored. Roedd un yn trafod cynlluniau pensiwn gyda phâr oedrannus. Clywodd Alecs y llall yn ateb ei ffôn.

'Helô, dyma fanc y Royal & General, Liverpool Street. Sut alla i helpu?'

Fflachiodd golau ymlaen uwchben un o'r ffenestri. Rhif pedwar. Camodd dyn mewn siwt smart tuag ati, a symudodd y ciw ymlaen.

Roedd hyn i gyd yn amlwg i Alecs ar un edrychiad. Taflodd gipolwg ar Sabina. Roedd hi'n syllu yn ei blaen, ei hwyneb yn gymysgedd o deimladau.

Ac yna roedd y swyddog diogelwch wrth eu hymyl. 'Smo chi fod i ddod i mewn i'r banc ffordd hyn,' meddai. 'Mynedfa i'r staff yw hon. Nawr, wy am ichi adel cyn ichi gael eich hunen mewn helynt go iawn. Sai'n moyn gorfod galw'r heddlu, ond dyna'n jobyn i.'

'Ry'n ni'n mynd,' meddai Sabina'n bendant mewn llais oer.

'Sab –'

'Ry'n ni'n mynd nawr.'

'Fe ddylech chi gadw llygad ar eich ffrind,' meddai'r swyddog diogelwch. 'Falle 'i fod e'n credu taw tamed o sbort yw peth fel hyn, ond dyw e ddim.'

Aeth Alecs allan – neu'n hytrach gadawodd i Sabina'i arwain allan. Aethant drwy ddrws troi ac allan i'r stryd. Pendronodd dros beth oedd wedi digwydd. Pam nad oedd erioed wedi gweld y banc o'r blaen? Yna sylweddolodd. Roedd yr adeilad mewn gwirionedd wedi'i osod rhwng dwy stryd ac roedd blaen a chefn y lle yn hollol ar wahân. Bob tro roedd e wedi dod i mewn o'r ochr arall.

'Gwranda –' dechreuodd.

'Na. Gwranda di! Sai'n gwbod beth sy'n mynd mlaen yn dy ben di. Falle taw'r rheswm yw nad oes rhieni 'da ti. Rwyt ti'n gorfod tynnu sylw atat dy hunan drwy greu'r … ffantasi yma! Ond gwranda arnat ti dy hunan, Alecs! Dweud y gwir, mae'r cyfan braidd yn wallgo. Bechgyn ysgol yn ysbïwyr, llofruddion o Rwsia, a'r holl ddwli 'na …'

'Does a wnelo fo ddim byd â'm rhieni i,' meddai Alecs, gan deimlo ei fod ar fin colli'i dymer.

'Ond mae a wnelo fe bopeth â'm rhieni i. Mae 'nhad yn cael ei anafu mewn damwain –'

'Nid damwain oedd hi, Sab.' Roedd yn rhaid iddo esbonio. 'Wyt ti wir yn ddigon dwl i feddwl y baswn i'n dychmygu hyn i gyd?'

'Dwl? Ti'n fy ngalw i'n ddwl?'

'Ro'n i'n meddwl ein bod ni'n ffrindiau. Ro'n i'n meddwl dy fod ti'n fy nabod i …'

'O'n! Ro'n i'n meddwl mod i'n dy nabod di. Ond nawr mae'n amlwg mod i wedi gwneud camgymeriad. Weda i wrthot ti beth sy'n ddwl. Roedd gwrando arnat ti yn y lle cynta'n beth dwl. Roedd dod i dy weld ti'n beth ddwl. Hyd yn oed dod i dy nabod di … hwnna oedd y peth mwyaf dwl o'r cyfan.'

Trodd Sabina a cherdded i ffwrdd i gyfeiriad yr orsaf. Ymhen eiliadau roedd hi wedi diflannu ynghanol y dyrfa.

'Alecs …' meddai llais cyfarwydd y tu ôl iddo.

Safai Mrs Jones ar y palmant. Roedd hi wedi

gweld a chlywed y cyfan.

'Gad iddi fynd,' meddai. 'Dwi'n credu bod angen i ni'n dau gael sgwrs.'

DERYN PUR

Edrychai'r swyddfa yr un fath yn union ag o'r blaen. Yr un dodrefn cyffredin, cyfoes; yr un olygfa, yr un dyn y tu ôl i'r un ddesg. Nid am y tro cyntaf, cafodd Alecs ei hun yn pendroni ynghylch Alan Blunt, pennaeth Gweithrediadau Arbennig MI6. Pa fath o siwrnai gafodd o i'r gwaith heddiw, tybed? Oedd yna dŷ yn un o'r maestrefi, a gwraig ddymunol, wengar a dau blentyn yn codi llaw wrth iddo gychwyn i ddal y Tiwb? Oedd ei deulu'n gwybod y gwir amdano? Oedd o wedi dweud wrthyn nhw erioed nad oedd o'n gweithio i fanc na chwmni yswiriant na dim byd o'r fath, a'i fod yn cario gydag o – fallai mewn bag lledr smart, wedi'i roi iddo ar ei ben blwydd – ffeiliau a dogfennau'n llawn marwolaeth?

Ceisiodd Alecs weld y bachgen ifanc yn y dyn mewn siwt lwyd. Rhaid bod Blunt yr un oed ag yntau un tro. Byddai wedi mynd i'r ysgol, wedi chwysu dros arholiadau, chwarae pêl-droed, profi'i sigarét gyntaf, a diflasu ar y penwythnosau fel pawb arall. Ond doedd dim arwydd o unrhyw blentyn yn y llygaid llwyd gwag, y gwallt di-liw, y croen tyn, yn smotiau i gyd. Felly pa bryd digwyddodd y newid? Beth oedd wedi'i droi'n was sifil, yn feistr ysbïwyr, yn oedolyn nad oedd, yn ôl pob golwg, yn teimlo unrhyw beth nac yn difaru dim.

Ac yna meddyliodd Alecs tybed a fyddai'r un peth yn digwydd iddo yntau ryw ddydd? I ddechrau, roedden nhw wedi'i droi yn ysbïwr; y cam nesaf fyddai ei droi'n un ohonyn nhw. Fallai fod ganddyn nhw swyddfa'n disgwyl amdano'n barod, a'i enw ar y drws. Roedd y ffenestri ar gau ac roedd hi'n gynnes yn y stafell, ond teimlodd ei hun yn crynu. Camgymeriad oedd dod yma efo Sabina. Roedd y swyddfa yn Liverpool Street yn wenwyn pur, a'r naill ffordd neu'r llall byddai'n ei ddinistrio os na fyddai'n cadw draw.

'Allen ni ddim gadael iti ddod â'r ferch 'na yma, Alecs,' meddai Blunt. 'Rwyt ti'n gwybod yn iawn na elli di ddim jest dangos dy hun i dy ffrindiau pryd bynnag –'

'Ddim dangos 'yn hun o'n i,' meddai Alecs, gan dorri ar ei draws. 'Bron iawn i'w thad hi gael ei ladd gan fom yn Ne Ffrainc.'

'Mi wyddon ni'r cyfan am yr helynt yn Saint-Pierre,' mwmiodd Blunt.

'Wyddoch chi mai Yassen Gregorovich osododd y bom?'

Ochneidiodd Blunt yn annifyr. 'Dydi hynny'n gwneud dim gwahaniaeth. Dydi o'n ddim o dy fusnes di. Ac yn sicr does a wnelo fo ddim oll â ni!'

Syllodd Alecs arno mewn anghrediniaeth. 'Newyddiadurwr ydi tad Sabina,' meddai. 'Roedd o'n sgwennu erthygl am Damian Cray. Os oedd Cray isio'i weld o'n farw, mae'n rhaid bod 'na reswm. Ddim eich job chi ydi ffeindio be ydi'r rheswm hwnnw?'

Cododd Blunt ei law i ofyn am dawelwch. Doedd ei lygaid, fel bob amser, yn datgelu dim byd o gwbl. Meddyliodd Alecs yn sydyn, pe bai'r dyn yma'n marw, yn eistedd wrth ei ddesg, na fyddai neb yn sylwi bod dim yn wahanol.

'Rydw i wedi derbyn adroddiad gan yr heddlu yn Montpellier, a hefyd gan y gonswliaeth Brydeinig,' meddai Blunt. 'Dyma'r drefn arferol pan fo a wnelo'r peth ag un o'n pobl ni.'

'Dydw i ddim yn un o'ch pobl chi,' mwmiodd Alecs.

'Mae'n ddrwg gen i fod tad dy … ffrind wedi cael ei anafu. Ond mae'n iawn iti gael gwybod bod heddlu Ffrainc wedi gwneud ymholiadau – ac rwyt ti'n gywir. Nid nwy yn gollwng oedd yr achos.'

'Dyna be o'n i'n drio'i ddweud wrthoch chi.'

'Mae'n ymddangos bod mudiad brawychol lleol – y CST – wedi hawlio cyfrifoldeb.'

'Y CST?' Roedd pen Alecs yn troi. 'Pwy ydyn nhw?'

'Maen nhw'n grŵp newydd iawn,' eglurodd Mrs Jones. 'Mae CST'n sefyll am Camargue Sans Touristes. Yn eu hanfod, cenedlaetholwyr o Ffrancwyr ydyn nhw sydd isio rhoi diwedd ar yr arfer o werthu tai lleol yn y Camargue i dwristiaid ac fel ail gartrefi.'

'Does a wnelo fo ddim byd â'r CST,' mynnodd Alecs. 'Yassen Gregorovich oedd ar fai. Mi welais i o, ac mi wnaeth o gyfadde'r cyfan. Ac mi ddwedodd o wrtha i mai'r targed go iawn oedd Edward Pleasure. Pam na wnewch chi wrando arna i? Yr erthygl roedd Edward yn ei sgwennu. Rhywbeth am ryw gyfarfod ym Mharis. Damian Cray oedd isio iddo fo gael ei ladd.'

Ddwedodd neb air am chydig. Edrychodd Mrs Jones ar ei bòs fel pe bai angen ei ganiatâd i siarad. Nodiodd yntau'n gynnil.

'Soniodd Yassen am Damian Cray?' gofynnodd Mrs Jones.

'Naddo. Ond mi ffeindiais ei rif ffôn preifat o yn ffôn Yassen. Mi wnes i ei ffonio fo ac mi glywais i ei lais o.'

'Fedri di ddim bod yn sicr mai Damian Cray oedd o.'

'Wel, dyna oedd yr enw roddodd o.'

95

'Mae hyn yn nonsens llwyr.' Blunt oedd yn siarad, a synnodd Alecs o'i weld wedi gwylltio. Hwn oedd y tro cyntaf i Alecs erioed ei weld yn dangos unrhyw emosiwn o gwbl, a meddyliodd nad oedd llawer o bobl fyddai'n meiddio anghytuno â phrif weithredwr y Gweithrediadau Arbennig. Ddim wyneb yn wyneb, yn sicr.

'Pam ei fod o'n nonsens?'

'Oherwydd dy fod ti'n siarad am un o'r diddanwyr mwyaf poblogaidd ac uchaf ei barch yn y wlad. Dyn sydd wedi codi miliynau ar filiynau o bunnau i elusennau. Oherwydd dy fod ti'n siarad am Damian Cray!' Suddodd Blunt yn ôl yn ei gadair. Am foment edrychai fel pe bai rhwng dau feddwl. Yna nodiodd yn gynnil. 'O'r gorau,' meddai. 'Gan dy fod ti wedi bod o ryw ddefnydd inni yn y gorffennol, a chan fy mod i isio cau pen y mwdwl ar y busnes yma unwaith ac am byth, mi ddweda i wrthot ti bob dim rydan ni'n 'i wybod am Cray.'

'Mae ganddon ni ffeiliau cynhwysfawr arno,' meddai Mrs Jones.

'Pam?'

'Rydan ni'n cadw ffeiliau cynhwysfawr ar bawb sy'n enwog.'

'Ewch ymlaen.'

Nodiodd Blunt eto, a chymerodd Mrs Jones yr

awenau. Roedd fel pe bai'n gwybod yr holl ffeithiau ar ei chof. Un ai roedd hi wedi darllen y ffeiliau'n ddiweddar iawn neu, yn fwy tebygol, roedd ganddi'r math o feddwl nad oedd byth yn anghofio unrhyw beth.

'Ganwyd Damian Cray yng ngogledd Llundain ar Hydref 5ed 1950,' dechreuodd. 'Nid dyna'i enw iawn, gyda llaw. Cafodd ei fedyddio'n Harold Eric Lunt. Ei dad oedd Syr Arthur Lunt, a wnaeth ei ffortiwn yn adeiladu meysydd parcio aml-lawr. Yn blentyn, roedd gan Harold lais canu rhyfeddol, ac yn un ar ddeg oed enillodd le yn y Royal Academy of Music yn Llundain. Fel y digwyddodd, byddai'n canu'n gyson yno gyda bachgen arall a ddaeth yn enwog hefyd. Elton John oedd hwnnw.

'Ond pan oedd yn dair ar ddeg oed, bu damwain echrydus. Cafodd ei rieni eu lladd mewn damwain car od iawn.'

'Beth oedd yn od yn ei chylch?

'Mi syrthiodd y car ar eu pennau nhw. Mi rowliodd oddi ar lawr uchaf un o'u meysydd parcio nhw. Fel y gelli di ddychmygu, roedd Harold bron â drysu. Gadawodd y Royal Academy a mynd i deithio'r byd. Newidiodd ei enw a throi at Fwdhaeth am gyfnod. Hefyd mi drodd yn llysieuwr, a hyd yn oed heddiw fydd o byth yn cyffwrdd â chig. Mae'r tocynnau ar gyfer ei gyngherddau wedi'u gwneud o bapur wedi'i ailgylchu. Mae ganddo fo safonau a gwerthoedd uchel iawn, ac mae'n glynu wrthyn nhw.

'P'un bynnag, mi ddaeth yn ôl i Brydain yn y saithdegau a ffurfio band – Slam! Roedden nhw'n llwyddiant dros nos. Dwi'n siŵr y bydd gweddill yr hanes yn gyfarwydd iawn iti, Alecs. Ar ddiwedd y saithdegau chwalodd y band, a dechreuodd Cray ar yrfa fel unawdydd, a'i gwnaeth yn fwy enwog fyth. Mi aeth ei albwm cyntaf, *Firelight*, yn blatinwm. Ar ôl hynny roedd yn y siartiau yma ac yn America bron yn ddibaid. Enillodd bum Grammy a gwobr yr Academy am y gân wreiddiol orau. Yn 1986 teithiodd i Affrica a phenderfynu gwneud rhywbeth i helpu'r bobl yno. Mi drefnodd gyngerdd yn stadiwm Wembley, gyda'r holl elw'n mynd i elusennau. *Chart Attack* – dyna oedd yr enw arno. Roedd o'n llwyddiant ysgubol, a'r Nadolig hwnnw mi ryddhaodd record sengl: "Something for the Children". Mi werthodd honno bedair miliwn o gopïau ac mi roddodd o bob ceiniog o'r elw i elusennau.

'Dim ond y dechrau oedd hynny. Ar ôl llwyddiant *Chart Attack*, mae Cray wedi ymgyrchu'n ddiflino ar bob math o faterion byd-eang. Achub y fforestydd glaw; gwarchod yr haen osôn; rhoi diwedd ar ddyledion byd. Mae o wedi adeiladu'i ganolfannau adfer ei hun i helpu pobl ifainc sy'n ymhél â chyffuriau, ac mi frwydrodd am ddwy flynedd i drefnu cau rhyw labordy am eu bod nhw'n arbrofi ar anifeiliaid yno.

'Yn 1989 mi berfformiodd ym Melffast, ac mae llawer yn credu bod y cyngerdd yma, oedd yn rhad ac am ddim, yn gam ymlaen ar y llwybr at heddwch yng Ngogledd Iwerddon. Flwyddyn yn ddiweddarach ymwelodd â Phalas Buckingham ddwywaith. Roedd yno ar ryw ddydd Iau i chwarae unawd ar ben blwydd y Dywysoges Diana; ac ar y dydd Gwener roedd yn ei ôl i gael ei urddo'n farchog gan y Frenhines.

'Mor ddiweddar â'r llynedd roedd ei lun ar glawr y cylchgrawn *Time*. "Man of the Year. Saint or Singer?" Dyna oedd y pennawd. A dyna pam fod dy gyhuddiadau di'n chwerthinllyd, Alecs. Mae pawb drwy'r byd i gyd yn gwybod bod Damian Cray fwy neu lai y peth agosaf sydd ganddon ni at sant byw.'

'Ond ei lais o oedd ar y ffôn,' meddai Alecs.

'Mi glywaist ti lais rywun yn rhoi ei enw o. Dwyt ti ddim yn gwybod i sicrwydd mai fo oedd yno.'

'Dwi jest ddim yn deall y peth.' Erbyn hyn, teimlai Alecs yn ddig ac yn gymysglyd. 'O'r gorau, mae pawb ohonon ni'n hoff o Damian Cray. Mi wn I ei fod o'n enwog. Ond os oes 'na unrhyw bosibilrwydd fod a wnelo fo rywbeth â'r bom, pam na wnewch chi o leia drefnu ymchwiliad?'

'Am na allwn ni ddim.' Blunt oedd yn siarad, a daeth ei eiriau allan yn drwm ac yn ddienaid. Carthodd ei wddf. 'Mae Damian Cray yn filiwnydd sawl gwaith trosodd. Mae ganddo dŷ anferth ar lannau afon Tafwys a lle arall i lawr yn Swydd Wiltshire, heb fod ymhell o Gaerfaddon.'

'Ac felly?'

'Mae gan bobl gyfoethog gysylltiadau, ac mae gan bobl gyfoethog iawn gysylltiadau arbennig o dda. Ers y nawdegau mae Cray wedi bod yn buddsoddi arian mewn nifer o fentrau masnachol. Mi brynodd ei orsaf deledu ei hun a gwneud nifer o raglenni sydd erbyn hyn yn cael eu dangos dros bedwar ban byd. Wedyn mi aeth i faes gwestai – ac yn ddiweddar i faes gêmau cyfrifiadur. Mae o ar fin lansio system gêmau newydd, y Gameslayer, ac yn ôl pob golwg mi fydd honno'n taflu'r systemau eraill – PlayStation2, GameCube, beth bynnag – i gyd i'r cysgodion.'

'Ond pam –'

'Mae'n gyflogwr o bwys, Alecs, yn ddyn â dylanwad enfawr. A hefyd, petai hynny'n gwneud gwahaniaeth, mi gyflwynodd rodd o filiwn o bunnau i'r llywodraeth chydig cyn yr etholiad diwethaf. Wyt ti'n deall rŵan? Petai rhywun yn clywed ein bod ni'n cynnal ymchwiliad, a hynny dim ond ar dy air di, mi fyddai 'na sgandal anferthol. Dydi'r prif weinidog ddim yn hoff ohonon ni, p'un bynnag. Mae o'n casáu unrhyw beth na all o mo'i reoli. Byddai hyd yn oed yn gallu defnyddio ymosodiad ar Damian Cray fel esgus i'n cau ni i lawr.'

'Roedd Cray ar y teledu heddiw,' meddai Mrs Jones. Cododd y teclyn rheoli. 'Edrych ar hwn ac yna dweda wrtha i beth wyt ti'n feddwl.'

Goleuodd sgrin deledu yng nghornel y stafell, a chafodd Alecs ei hun yn gwylio recordiad o raglen newyddion canol y bore. Roedd yn debygol, meddyliodd, fod Mrs Jones yn recordio'r newyddion bob dydd. Trodd y tâp ymlaen yn gyflym, yna'i osod ar y cyflymder cywir.

A dyna lle roedd Damian Cray. Roedd ei wallt wedi'i gribo'n daclus a gwisgai siwt dywyll, ffurfiol, crys gwyn a thei sidan lliw porffor golau.

Roedd yn sefyll y tu allan i lysgenhadaeth America yn Grosvenor Square, Llundain.

Trodd Mrs Jones y sain yn uwch.

'... Damian Cray, y cyn-ganwr pop, sydd bellach yn ymgyrchydd diflino ar nifer o bynciau amgylcheddol a gwleidyddol. Roedd yn Llundain i gwrdd ag arlywydd yr Unol Daleithiau, sydd newydd gyrraedd yma i dreulio rhan o'i wyliau haf.'

Neidiodd y llun i ddangos awyren yn glanio ym maes awyr Heathrow, yna torrodd i mewn yn agosach i ddangos yr arlywydd yn sefyll yn y drws agored, yn codi'i law a gwenu.

'Cyrhaeddodd yr arlywydd faes awyr Heathrow ar Air Force One, yr awyren arlywyddol. Trefnwyd cinio canol dydd ffurfiol ar ei gyfer heddiw gyda'r prif weinidog yn rhif deg, Downing Street ...'

Torri eto. Nawr roedd yr arlywydd yn sefyll wrth ochr Damian Cray, y ddau'n ysgwyd llaw, gan ddal ati er mwyn y camerâu oedd yn fflachio o'u cwmpas. Roedd Cray wedi cydio yn llaw'r arlywydd â'i ddwy law ei hun ac yn edrych fel pe bai'n anfodlon gollwng ei afael. Dwedodd rywbeth, a chwarddodd yr arlywydd.

'... ond yn gyntaf fe gwrddodd â Cray am sgwrs anffurfiol yn llysgenhadaeth America yn

Llundain. Mae Cray yn llefarydd dros fudiad Greenpeace a bu'n arwain yr ymgyrch i rwystro drilio am olew yn anialdiroedd Alasga, oherwydd y difrod amgylcheddol y gallai hyn ei greu. Er na wnaeth unrhyw addewidion pendant, cytunodd yr arlywydd i astudio'r adroddiad mae Greenpeace …'

Diffoddodd Mrs Jones y teledu.

'Wyt ti'n gweld? Mae'r dyn mwyaf dylanwadol yn y byd yn torri ar draws ei wyliau i gyfarfod â Damian Cray. Ac mae'n gweld Cray hyd yn oed cyn ymweld â'r prif weinidog! Mi ddylai hynny roi rhyw syniad iti o bwysigrwydd y dyn. Felly dweda wrtha i – pa reswm ar y ddaear allai fod ganddo fo i ffrwydro tŷ, a fallai ladd teulu cyfan?'

'Dyna dwi isio i chi ffeindio allan.'

Sniffiodd Blunt. 'Rydw i'n credu y dylen ni aros i heddlu Ffrainc gysylltu'n ôl efo ni,' meddai. 'Maen nhw'n edrych i mewn i'r CST. Byddai'n well inni aros i weld beth maen nhw wedi'i ddarganfod.'

'Felly dydach chi ddim am wneud dim byd!'

'Dwi'n meddwl ein bod ni wedi egluro, Alecs.'

'Iawn.' Cododd Alecs ar ei draed, heb wneud unrhyw ymdrech i guddio'i dymer. 'Dach chi wedi gwneud imi edrych fel lembo llwyr o flaen Sabina; dach chi wedi gwneud imi golli un o'm

103

ffrindiau gorau. Fedra i ddim credu'r peth. Pan dach chi f'angen i, dach chi jest yn fy halio i allan o'r ysgol a ngyrru fi i ben draw'r byd. Ond pan dwi eich angen chi, mond yr un tro yma, dach chi'n cogio nad ydach chi ddim hyd yn oed yn bodoli a jest yn 'y nhaflu fi allan ar y stryd ...'

'Rwyt ti'n bod yn or-emosiynol,' meddai Blunt.

'Na, dydw i ddim. Ond mi ddweda i hyn wrthoch chi. Os nad ewch chi ar ôl Cray, mi wna i. Ella'i fod o'n gyfuniad o Siôn Corn, y Fam Teresa a'r Pab, ond ei lais o oedd ar y ffôn, ac mi wn i fod a wnelo fo rywbeth rhywsut â'r hyn ddigwyddodd yn Ne Ffrainc. Dwi'n benderfynol o brofi'r peth ichi.'

Heb aros i glywed yr un gair arall, trodd Alecs a gadael y stafell.

Bu saib hir.

Estynnodd Blunt ysgrifbin a sgrifennu ychydig o nodiadau ar ddalen o bapur. Yna trodd i edrych ar Mrs Jones. 'Wel?' meddai.

'Fallai y dylen ni fynd drwy'r ffeiliau unwaith eto,' cynigiodd Mrs Jones. 'Wedi'r cyfan, roedd Herod Sayle yn cymryd arno ei fod yn ffrind i Brydain, ac oni bai am Alecs ...'

'Gwnewch chi fel y mynnwch,' meddai Blunt. Gwnaeth gylch am y frawddeg olaf roedd wedi'i sgrifennu. Gallai Mrs Jones weld y geiriau

Yassen Gregorovich ben i waered ar y ddalen. 'Rhyfedd iddo daro ar Yassen am yr eildro,' mwmiodd Blunt.

'A rhyfeddach fyth na wnaeth Yassen ei ladd pan gafodd o'r cyfle.'

'Fyddwn i ddim yn dweud hynny, o ystyried popeth.'

Nodiodd Mrs Jones. 'Fallai y dylen ni ddweud wrth Alecs am Yassen,' awgrymodd.

'Ddim ar unrhyw gyfrif.' Cododd Blunt y darn papur a'i wasgu'n belen. 'Gorau po leiaf y bydd Alecs Rider yn ei wybod am Yassen Gregorovich. Rydw i'n mawr obeithio na ddaw'r ddau wyneb yn wyneb eto.' Gollyngodd y belen bapur i'r bin dan ei ddesg. Ar ddiwedd y dydd, byddai popeth yn y bin yn cael ei losgi'n ulw.

'A dyna'r peth,' meddai, 'wedi'i setlo.'

Teimlai Jac yn bryderus.

Roedd Alecs wedi dod yn ôl o Liverpool Street â'i ben yn ei blu, a phrin roedd o wedi dweud gair wrthi wedyn. Roedd wedi dod i mewn i'r lolfa lle roedd hi'n darllen llyfr; llwyddodd i gael gwybod ganddo nad oedd y cyfarfod gyda Sabina wedi mynd yn dda ac na fyddai Alecs yn ei gweld hi eto. Ond yn ystod y pnawn roedd hi wedi llwyddo i dynnu mwy a mwy o'r hanes ohono nes, o'r diwedd, roedd wedi cael y darlun cyfan.

'Ffyliaid ydyn nhw i gyd!' ebychodd Alecs. 'Dwi'n gwybod mai fi sy'n iawn, ond jest am fy mod i'n iau na nhw, wnân nhw ddim gwrando arna i.'

'Rwy'i wedi gweud wrthot ti o'r blaen, Alecs. Ddylet ti ddim bod yn ymhél â nhw.'

'Wna i ddim. Byth eto. Dydyn nhw'n malio cythraul o ddim amdana i.'

Canodd cloch y drws.

'Mi a' i,' meddai Alecs.

Tu allan roedd fan wen wedi'i pharcio. Roedd dau ddyn yn agor y cefn, a gwyliodd Alecs nhw'n dadlwytho beic newydd sbon, gan ei wthio i lawr a draw at y tŷ. Taflodd Alecs olwg drosto. Cannondale Bad Boy oedd y beic lliw arian – beic mynydd oedd wedi'i addasu ar gyfer y ddinas â ffrâm ysgafn o alwminiwm ac olwynion modfedd o led. Yn ôl pob golwg roedd wedi cyrraedd gyda'r holl atodiadau y gallai fod wedi'u dymuno: goleuadau Digital Evolution, pwmp-mini Blackburn ... pob dim o'r radd flaenaf. Yr unig beth a edrychai'n henffasiwn ac yn amhriodol oedd y gloch arian ar un o'r cyrn. Rhedodd Alecs ei law dros y sêt ledr â'i chynllun troellog Celtaidd ac yna ar hyd y ffrâm, gan edmygu'r crefftwaith. Doedd dim golwg o unrhyw waith asio. Roedd y beic wedi'i wneud â llaw ac yn werth cannoedd o bunnau.

Daeth un o'r dynion draw ato. 'Alecs Rider?' gofynnodd.

'Ia. Ond mae'n amlwg bod 'na ryw gamgymeriad. Dydw i ddim wedi archebu beic.'

'Anrheg ydi o. Dyma ti …'

Roedd y dyn arall wedi gadael y beic yn pwyso ar y rheilins. Cafodd Alecs ei hun yn cydio mewn amlen drwchus. Daeth Jac i'r golwg ar y stepen y tu ôl iddo. 'Beth sy'n bod?' gofynnodd.

'Mae 'na rywun wedi rhoi beic yn anrheg imi.'

Agorodd Alecs yr amlen. Tu mewn roedd llawlyfr, a llythyr yn sownd wrtho.

Annwyl Alecs,

Mae'n siŵr y ca i gerydd am hyn, ond rwy'n casáu meddwl amdanat ti'n cychwyn mas ar ben dy hun heb ddim byd yn gefn iti. Dyma rywbeth rwy'i wedi bod yn gweitho arno fe ar dy gyfer di, a llawn cystal iti ei gael e nawr. Gobeitho y bydd o fudd iti.

Cymer ofal ohonot dy hunan, machgen annwyl i. Bydden i'n grac iawn os clywaf fod unrhyw beth erchyll wedi digwydd iti.

Hwyl fawr,
Smithers
ON Bydd y llythyr hwn yn ei ddifa'i hunan
ymhen deg eiliad ar ôl dod i gyffyrddiad â'r
aer, felly rwy'n gobeitho dy fod wedi'i ddarllen
yn glou!

Dim ond digon o amser gafodd Alecs i ddarllen y frawddeg olaf cyn i'r llythrennau ar y ddalen golli'u lliw ac i'r papur ei hun grino a throi'n lludw gwyn. Symudodd ei ddwylo a chwythodd olion y papur i ffwrdd ar yr awel. Yn y cyfamser, roedd y ddau ddyn wedi dringo'n ôl i mewn i'r fan a gyrru i ffwrdd gan adael Alecs â'r beic. Byseddodd drwy dudalennau cyntaf y llyfr cyfarwyddiadau.

PWMP BEIC – LLEN FWG
PRIF LAMP FLAEN FFLACH MAGNESIWM
CORN SAETHU TAFLEGRYN
JYRSI TRAILRIDER (GWRTH-FWLEDI)
CLIPIAU BEIC MAGNETIG

'Pwy yw Smithers?' gofynnodd Jac. Doedd Alecs erioed wedi sôn wrthi amdano.

'Mi wnes i gamgymeriad,' meddai Alecs. 'Ro'n i'n meddwl nad oedd gen i 'run ffrind yn MI6.

Ond mae'n edrych yn debyg fod gen i un.'

Gwthiodd y beic i mewn i'r tŷ. Dan wenu, caeodd Jac y drws.

Y GROMEN BLESER

Dim ond yng ngoleuni oer y bore y dechreuodd
Alecs sylweddoli pa mor amhosib oedd y dasg
roedd wedi'i gosod iddo'i hun. Sut yn y byd y
gallai ymchwilio i ddyn fel Cray? Roedd Blunt
wedi sôn bod ganddo gartrefi yn Llundain a
swydd Wiltshire, ond doedd o ddim wedi rhoi
unrhyw gyfeiriadau. Doedd Alecs ddim yn
gwybod hyd yn oed a oedd Cray yn dal i fod ym
Mhrydain.

Ond fel y digwyddodd, clywodd Alecs ar y
newyddion y bore hwnnw ble gallai ddechrau.

Roedd Jac yn darllen y papur newydd dros ei
hail baned o goffi pan ddaeth Alecs i'r gegin.
Edrychodd hi arno, yna llithro'r papur ato dros y
bwrdd. 'Wneith hyn ddim gwella blas dy greision
ŷd di', meddai.

Edrychodd Alecs ar y papur – ac ar dudalen
dau roedd llun o Damian Cray, yn syllu arno.
Roedd pennawd dan y llun:

CRAY YN LANSIO GAMESLAYER GWERTH £100M

DYMA'R LLE I FOD! Heddiw yn Llundain, ar ôl hir ddisgwyl, caiff chwaraewyr gyfle i weld y Gameslayer, a ddatblygwyd gan Cray Software Technology, cwmni wedi'i leoli yn Amsterdam. Yn ôl pob sôn, costiodd y Gameslayer dros gan miliwn o bunnau. Bydd y system gêmau, y ddiweddaraf o'i math, yn cael ei harddangos gan Syr Damian Cray ei hun o flaen cynulleidfa o wahoddedigion yn cynnwys newyddiadurwyr, cyfeillion, enwogion ac arbenigwyr y diwydiant.

Bydd y lansiad moethus yn cychwyn am un o'r gloch, a bydd yn cynnwys bwffe siampên helaeth y tu mewn i'r Gromen Bleser a godwyd gan Cray yn Hyde Park. Dyma'r tro cyntaf i un o'r parciau brenhinol gael ei ddefnyddio ar gyfer menter gwbl fasnachol, a

bu peth beirniadu pan roddwyd caniatâd yn gynharach eleni.

Ond nid gŵr busnes cyffredin mo Damian Cray. Mae e eisoes wedi datgan y bydd yn cyfrannu ugain y cant o elw'r Gameslayer i elusen, y tro hwn i helpu plant anabl drwy Brydain. Cafodd Cray gyfarfod ddoe gydag arlywydd yr Unol Daleithiau i drafod drilio am olew yn Alasga. Dywedir fod y Frenhines ei hun wedi rhoi sêl ei bendith i godi'r Gromen Bleser, adeilad dros-dro sy'n defnyddio alwminiwm a defnydd PTFE (yr un defnydd ag sydd yng Nghromen y Mileniwm). Mae ei gynllun blaengar yn sicr wedi codi aeliau Llundeinwyr wrth iddynt gerdded heibio.

111

Gorffennodd Alecs ddarllen. 'Mae'n rhaid inni fynd,' meddai.

'Ti'n moyn dy wyau wedi'u sgramblo ynte wedi'u berwi?'

'Jac ...'

'Alecs. Dim ond gwahoddedigion sy'n cael mynd i mewn. Beth wnewn ni?'

'Mi feddylia i am rywbeth.'

Gwgodd Jac. 'Wyt ti'n hollol sicr am hyn?'

'Wn i, Jac. Damian Cray ydi o. Mae pawb yn meddwl y byd ohono fo. Ond dyma iti rywbeth na ddaru nhw ddim sylwi arno fo, fallai.' Plygodd y papur a'i roi'n ôl iddi. 'Enw'r grŵp brawychwyr wnaeth hawlio cyfrifoldeb am y bom yn Ffrainc oedd Camargue Sans Touristes.'

'Ie, wn i.'

'Ac mae'r gêm gyfrifiadur newydd yma wedi cael ei datblygu gan Cray Software Technology.'

'Beth am hynny, Alecs?'

'Fallai mai dim ond cyd-ddigwyddiad arall ydi o. Ond CST ... Yr un llythrennau ydyn nhw.'

Nodiodd Jac. 'O'r gore,' meddai. 'Felly shwd awn ni i mewn?'

Aethant ar y bws i Knightsbridge a chroesi i mewn i Hyde Park. Hyd yn oed cyn iddo fynd

112

drwy'r gatiau ac i mewn i'r parc ei hun, gallai Alecs weld cymaint o arian oedd wedi'i fuddsoddi yn y lansiad. Roedd cannoedd o bobl yn llifo ar hyd y palmentydd, yn dod allan o dacsis a limwsîns, yn ymdroi mewn tyrfa oedd fel petai'n cuddio pob blewyn o laswellt. Roedd plismyn ar droed ac ar gefn ceffylau yn sefyll ar bob cornel, yn rhoi cyfarwyddiadau ac yn ceisio cael pobl i ffurfio llinellau trefnus. Rhyfeddai Alecs fod y ceffylau'n gallu aros mor ddigynnwrf ynghanol cymaint o ddryswch.

Ac yn y canol roedd y Gromen Bleser ei hun, fel rhyw long ofod anhygoel wedi glanio ynghanol y llyn yn Hyde Park. Roedd fel pe bai'n arnofio ar wyneb y dŵr – adeilad fel llong fawr, yn sefyll mewn fframwaith alwminiwm gloyw, a ffyn arian yn cris-croesi mewn patrwm disglair. Troellai a siglai'r llu o sbotoleuadau glas a choch, y pelydrau'n fflachio hyd yn oed yng ngolau dydd. Ymestynnai un bont fetel o'r lan draw at y fynedfa, ond roedd dwsin a mwy o ddynion diogelwch yn rhwystro unrhyw un heb docyn rhag ei chroesi. Y'bont oedd yr unig ffordd i mewn i'r Gromen Bleser.

Bloeddiai cerddoriaeth o uchelseinyddion cudd: Cray'n canu cân oddi ar ei albwm ddiweddaraf, *White Lines*. Cerddodd Alecs i lawr at ymyl y dŵr. Clywai sŵn gweiddi, a hyd yn oed yng ngolau haul tesog y pnawn bu bron iddo gael ei ddallu gan gannoedd o fylbiau fflach yn tanio ar yr un pryd. Roedd maer Llundain newydd gyrraedd, ac yn chwifio'i law ar y llu o newyddiadurwyr oedd wedi ymgasglu mewn corlan ger y bont. Edrychodd Alecs o'i gwmpas a sylweddoli bod sawl wyneb cyfarwydd ymhlith y dorf oedd yn tyrru tua'r Gromen Bleser. Roedd yna actorion, cyflwynwyr teledu, modelau, troellwyr disgiau, gwleidyddion … pob un yn chwifio'u gwahoddiad ac yn ciwio i gael mynd i mewn. Roedd hyn yn fwy na dim ond lansiad system gêmau newydd. Hwn oedd y parti mwyaf ecsgliwsif a welwyd erioed yn Llundain.

A rywsut neu'i gilydd roedd yn rhaid i Alecs fynd i mewn.

Anwybyddodd rhyw blismon oedd yn ceisio'i symud allan o'r ffordd a dal i gerdded yn hyderus i gyfeiriad y bont, fel pe bai ganddo wahoddiad. Roedd Jac gam neu ddau i ffwrdd a nodiodd arni.

Ian Rider, wrth gwrs, oedd wedi ei ddysgu sut i bigo pocedi. Ar y pryd, dim ond gêm oedd hi, chydig ar ôl pen blwydd Alecs yn ddeg oed, pan oedd y ddau ym Mhrâg gyda'i gilydd. Roedden nhw'n sgwrsio am *Oliver Twist,* a'i ewythr yn

114

egluro technegau'r Artful Dodger, gan hyd yn oed roi enghraifft fach iddo. Dim ond yn llawer ddiweddarach y sylweddolodd Alecs mai elfen arall ar ei hyfforddiant oedd hyn; fod ei ewythr drwy gydol yr amser wedi bod yn ei droi, yn ddistaw bach, i fod yn rhywbeth nad oedd erioed wedi dymuno'i fod.

Ond fe fyddai ei wybodaeth yn ddefnyddiol nawr.

Roedd Alecs yn agos at y bont. Gallai weld y gwahoddiadau'n cael eu harchwilio gan y dynion ysgwyddog yn eu lifrai diogelwch: cardiau lliw arian gyda logo Gameslayer wedi'i stampio ar y cefn. Roedd gwasgfa naturiol yma wrth i'r dyrfa gyrraedd y man culaf a'i threfnu'i hun yn llinell unigol er mwyn croesi'r bont. Taflodd Alecs gipolwg olaf ar Jac. Roedd hi'n barod.

Safodd Alecs yn stond.

'Mae rhywun wedi dwyn fy nhocyn i!'' gwaeddodd.

Hyd yn oed a'r gerddoriaeth yn dyrnu o'i gwmpas, roedd ei lais yn ddigon cryf i gael ei glywed gan y bobl o'i gwmpas. Tric clasurol y pigwr pocedi oedd hwn. Doedd neb yn gofidio amdano fo, ond yn sydyn roedden nhw'n poeni am eu tocynnau'u hunain. Gwelodd Alecs un dyn yn agor ei siaced a thaflu cipolwg ar ei boced fewnol. Nesaf ato agorodd dynes ei bag llaw am eiliad a'i gau eto. Estynnodd llawer o bobl eu tocynnau a'u dal yn dynn yn eu llaw. Estynnodd un dyn barfog, llond ei groen, ei law a thapio poced ôl ei jîns. Gwenodd Alecs. Roedd yn gwybod bellach ble roedd pawb yn cadw'u tocynnau.

Gwnaeth arwydd ar Jac. Y dyn barfog, tew oedd ei ddewis. Roedd mewn lle perffaith, dim ond cam neu ddau o flaen Alecs. Ac roedd cornel ei docyn yn y golwg hyd yn oed, yn ei boced ôl. Byddai Jac yn chwarae rhan y tynnwr sylw, ac Alecs yn pigo'i boced. Roedd popeth yn ei le.

Cerddodd Jac ymlaen a rhoi'r argraff ei bod yn nabod y dyn barfog. 'Harri!' ebychodd, gan daflu'i breichiau amdano.

'Nid y fi yw ...' dechreuodd y dyn.

Yr eiliad honno, cymerodd Alecs ddau gam ymlaen, gan fynd heibio dynes oedd yn lled-gyfarwydd fel actores mewn cyfres ddrama deledu. Sleifiodd y tocyn allan o boced y dyn a'i osod yn gyflym dan ei siaced ei hun, gan ei ddal yn ei le gydag ochr ei fraich. Roedd y cyfan drosodd mewn llai na thair eiliad heb i Alecs fod yn arbennig o ofalus, hyd yn oed. Dyma oedd y gwir syml am bigo pocedi. Roedd yn galw am drefnusrwydd yn ogystal â gallu. Roedd y dyn yn canolbwyntio'n llwyr ar Jac, wrth iddi ei gofleidio. Wnaiff rhywun sydd â rhywun yn pinsio'i fraich ddim sylwi os byddwch, ar yr un pryd, yn cyffwrdd â'i goes. Dyna roedd Ian Rider wedi'i ddysgu i Alecs sawl blwyddyn yn ôl.

Roedd Jac yn ebychu, 'Dy'ch chi ddim yn fy nghofio i? Fe gwrddon ni yn y Savoy!'

'Na. Sori. Ry'ch chi wedi cael y boi anghywir.'

Roedd Alecs eisoes yn gwthio heibio, ar ei ffordd tuag at y bont. Ymhen eiliad neu ddwy byddai'r dyn yn estyn am ei docyn a sylweddoli ei fod ar goll, ond hyd yn oed pe bai'n gafael yn Jac a'i chyhuddo, fyddai ganddo dim prawf. Byddai Alecs a'r tocyn wedi diflannu.

Dangosodd y tocyn i un o'r dynion diogelwch a chamu ar y bont. Roedd rhan ohono'n teimlo'n euog am wneud y fath beth, a gobeithiai y byddai'r dyn barfog yn gallu perswadio'r dynion diogelwch i'w adael i mewn. Rhegodd Damian Cray dan ei wynt am ei droi'n lleidr. Ond gwyddai hefyd, o'r foment roedd Cray wedi ateb ei alwad yn Ne Ffrainc, nad oedd modd iddo droi'n ôl.

Aeth dros y bont a chyflwyno'r tocyn ar yr ochr draw. O'i flaen roedd mynedfa siâp

117

trionglog. Camodd Alecs i mewn i'r gromen: llecyn anferth yn cynnwys goleuadau o'r math diweddaraf, a llwyfan uchel yn dal sgrin blasma anferth yn dangos y llythrennau CST. Roedd rhyw bum cant o westeion yno eisoes, yn yfed siampên a bwyta *canapés*. Symudai gweision o amgylch yn cario poteli a hambyrddau. Roedd awyrgylch gynhyrfus yn llenwi'r lle.

Distawodd y gerddoriaeth. Newidiodd y goleuadau ac aeth y sgrin yn wag. Yna daeth sŵn hymian isel o rywle a dechreuodd cymylau o iâ sych lifo ar y llwyfan. Ymddangosodd un gair – GAMESLAYER – ar y sgrin a chynyddodd y sŵn hymian. Chwalodd y llythrennau Gameslayer wrth i ffigur wedi'i animeiddio ymddangos – rhyfelwr Ninja, wedi'i wisgo mewn du o'i gorun i'w sawdl, yn glynu wrth y sgrin fel fersiwn bychan o Spiderman. Roedd yr hymian erbyn hyn yn fyddarol, fel sŵn rhuo gwynt y diffeithwch gyda cherddorfa rywle yn y cefndir. Rhaid eu bod yn defnyddio ffaniau cudd, oherwydd chwythodd gwynt cryf go iawn yn sydyn drwy'r gromen, gan chwalu'r mwg a dadorchuddio Damian Cray – mewn siwt wen a thei llydan gyda streipiau pinc ac arian – yn sefyll ar ei ben ei hun ar y llwyfan. Roedd llun ohono wedi'i chwyddo'n fawr, ar y sgrin y tu ôl iddo.

Llifodd y gynulleidfa tuag ato, gan gymeradwyo'n frwd. Cododd Cray ei law i ofyn am dawelwch.

'Croeso, croeso!' meddai.

Cafodd Alecs ei hun yn cael ei dynnu tuag at y llwyfan fel pawb arall. Roedd yn awyddus i fynd mor agos ag y gallai at Cray. Roedd eisoes yn profi'r teimlad hynod yna o fod, mewn gwirionedd, yn yr un stafell â dyn roedd wedi'i nabod ar hyd ei oes … ond dyn nad oedd erioed wedi'i gyfarfod. Roedd Damian Cray yn llai o ran corff yn y byd go iawn nag a edrychai mewn ffotograffau. Dyna ddaeth i feddwl Alecs gyntaf. Ac eto, roedd Cray wedi bod yn seren o'r radd flaenaf ers deng mlynedd ar hugain. Roedd ei bresenoldeb yn enfawr, a hyder a rheolaeth yn disgleirio ohono.

'Heddiw yw'r diwrnod rwyf yn lansio'r Gameslayer, fy nghonsol gêmau newydd,' meddai Cray wedyn, gydag arlliw o acen Americanaidd ar ei lais. 'Hoffwn ddiolch ichi i gyd am ddod. Ond os oes yma rywun o Sony neu Nintendo, mae arna i ofn fod gen i newyddion drwg ichi.' Oedodd a gwenu. 'Rydych chi'n hen hanes.'

Dechreuodd y gynulleidfa chwerthin a chymeradwyo. Sylweddolodd Alecs ei fod ef ei hun, hyd yn oed, yn gwenu. Roedd gan Cray ffordd o gynnwys pobl, fel pe bai'n nabod pob unigolyn yn y dyrfa.

'Mae Gameslayer yn cynnig ansawdd a manylder graffig gwell na'r un system arall ar y blaned,' meddai Cray wedyn. 'Mae'n gallu creu bydoedd, cymeriadau a ffugiadau corfforol cymhleth mewn amser go iawn, diolch i nerth prosesu pwynt-symudol y system, sydd, mewn gair, yn enfawr. Mae systemau eraill yn cynnig doliau plastig yn ymladd â siapiau cardfwrdd. Gyda Gameslayer, mae gwallt, llygaid, lliw croen, dŵr, coed, metel a mwg i gyd yn edrych fel y peth go iawn. Rydyn ni'n ufuddhau i reolau disgyrchiant a ffrithiant. Ar ben hynny, rydyn ni wedi adeiladu rhywbeth i mewn i'r system; ein henw ni arno yw poen benthyg. Beth yw ystyr hynny? Cewch weld yn y man ...'

Cymeradwyodd y gynulleidfa eto.

'Cyn imi symud ymlaen at yr arddangosiad, tybed a oes gan unrhyw un o'r newyddiadurwyr gwestiwn?'

Cododd dyn yn agos i'r blaen ei law. 'Sawl gêm y'ch chi'n bwriadu'u rhyddhau eleni?'

'Ar hyn o bryd does ganddon ni ddim ond yr un gêm,' atebodd Cray. 'Ond fe fydd yna ddwsin arall yn y siopau erbyn y Nadolig.'

'Beth ydi enw'r gêm gyntaf?' holodd rhywun.

'Sarff Bluog.'

'Gêm saethu'n-farw yw hi?' gofynnodd rhyw ddynes.

'Wel, ie. Gêm ladradaidd yw hi,' cyfaddefodd Cray.

'Felly mae'n cynnwys saethu?'

'Ydi.'

Gwenodd y ddynes, ond nid yn ysgafn. Roedd hi yn ei phedwar degau, ei gwallt yn frith, a golwg athrawes ddifrifol arni. 'Mae'r ffaith nad ydych yn hoffi trais yn hysbys,' meddai. 'Felly shwd y'ch chi'n gallu cyfiawnhau gwerthu gêmau treisgar i blant?'

Rhedodd ton o anesmwythder drwy'r gynulleidfa. Fallai mai newyddiadures oedd y ddynes, ond teimlai sawl un nad oedd yn briodol, rywsut, i gwestiynu Cray fel hyn. Ddim tra oedd rhywun yn yfed ei siampên ac yn bwyta'i fwyd.

Ond doedd y cwestiwn, yn ôl pob golwg, yn tarfu dim ar Cray. 'Mae hwnna'n gwestiwn da,' atebodd yn ei lais meddal, melodaidd. 'Ac fe ddweda i wrthoch chi, pan ddechreuon ni weithio ar y Gameslayer, fe wnaethon ni ddatblygu gêm lle roedd yr arwr yn gorfod casglu blodau o wahanol liwiau a'u trefnu nhw

121

mewn jygiau. Roedd 'na bwnis a brechdanau wy yn y gêm hefyd. Ond wyddoch chi beth? Fe ddarganfu'n tîm ymchwil ni nad oedd arddegwyr yr oes hon ddim isie'i chwarae hi. Allwch chi ddychmygu'r peth? Fe ddwedon nhw wrtha i na fydden ni ddim yn gwerthu'r un copi!'

Cododd pwl o chwerthin o'r gynulleidfa. Bellach y newyddiadures oedd yn edrych yn anghyfforddus.

Cododd Cray ei law eto. 'Mewn gwirionedd, mae eich pwynt chi'n un digon teg,' meddai. 'Mae'n berffaith wir – rwy'n casáu trais. Trais gwirioneddol … rhyfel. Ond, wyddoch chi, mae gan blant yr oes yma lawer o dreisgarwch ynddyn nhw. Dyna'r gwirionedd. Y natur ddynol sy'n gyfrifol am hynny, am wn i. Ac rwy'i wedi dod i'r casgliad ei bod yn well iddyn nhw waredu'r treisgarwch yna wrth chwarae gêmau cyfrifiadur diniwed, fel fy ngêm i, na gwneud hynny allan yn y stryd.'

'Ond mae'ch gêmau chi'n hybu trais yr un fath!' mynnodd y dynes.

Gwgodd Damian Cray. 'Rwy'n credu fy mod i wedi ateb eich cwestiwn. Felly fallai y dylech chi roi'r gorau i gwestiynu fy ateb,' meddai.

Cafwyd rhagor o gymeradwyaeth, ac oedodd Cray nes i bobman dawelu. 'Ond nawr, digon o siarad,' meddai. 'Rwy'i am ichi weld Gameslayer drosoch eich hunain, a'r ffordd orau i wneud hynny yw trwy ei chwarae. Tybed a oes rhywun yn ei arddegau yn y gynulleidfa, er nad oes cof gen i, erbyn meddwl, imi wahodd yr un ...'

'Dyma ni un!' gwaeddodd rhywun, a theimlodd Alecs ei hun yn cael ei wthio ymlaen. Yn sydyn roedd pawb yn edrych arno a Cray ei hun yn craffu arno o'r llwyfan.

'Na ...' protestiodd Alecs.

Ond roedd y gynulleidfa'n curo dwylo'n frwd, yn ei annog ymlaen. Agorodd llwybr o'i flaen, ac ymhen eiliadau roedd Alecs yn dringo ar y llwyfan. Teimlai'n benysgafn. Troellodd sbotolau ato a'i ddallu. A dyna hi.

Roedd yn sefyll ar y llwyfan gyda Damian Cray.

SARFF BLUOG

Alla Alecs fyth fod wedi dychmygu y byddai'r fath beth yn digwydd iddo.

Roedd wyneb yn wyneb â'r dyn oedd – os oedd yn gywir – wedi rhoi'r gorchymyn i ladd tad Sabina. Ond *oedd* o'n gywir? Am y tro cyntaf, gallai graffu'n agos ar Cray. Roedd y profiad yn rhyfedd o anghysurus.

Wyneb Cray oedd un o'r wynebau mwyaf adnabyddus yn y byd. Roedd Alecs wedi'i weld ar gloriau CDs, ar bosteri, mewn papurau newydd a chylchgronau, ar y teledu ... hyd yn oed ar gefn pacedi grawnfwyd. Ac eto, teimlai ryw siom wrth sylweddoli bod Cray, yn y cnawd, rywsut yn llai real na'r holl ddelweddau roedd wedi'u gweld.

Edrychai Cray'n annisgwyl o ifanc, o feddwl ei fod eisoes yn ei bumdegau, ond roedd rhyw dyndra a sglein ar ei groen oedd yn awgrymu llawdriniaeth gosmetig. A lliw potel oedd yn gyfrifol am y gwallt taclus, du fel y glo. Roedd hyd yn oed y llygaid gwyrdd gloyw yn ymddangos yn farwaidd rywsut. Dyn bychan iawn oedd Cray. Atgoffai Alecs o ddol mewn siop deganau. Roedd ei statws fel seléb a'i ffortiwn enfawr, wedi'i droi'n gopi plastig ohono'i hun.

Ac eto …

Roedd Cray wedi'i groesawu i'r llwyfan, a gwenai'n llydan arno fel pe bai'n hen ffrind. Roedd yn ganwr. Ac fel roedd wedi'i esbonio, roedd yn gwrthwynebu trais. Roedd arno isio achub y byd, nid ei ddinistrio. Roedd MI6 wedi casglu ffeiliau amdano a heb ddarganfod unrhyw beth yn ei erbyn. Roedd Alecs yma oherwydd iddo glywed llais – gair neu ddau wedi'u dweud ar ben arall y ffôn. Roedd yn dechrau difaru ei fod yma o gwbl.

Roedd fel petai'r ddau wedi bod yn sefyll yno am oesoedd, i fyny ar y llwyfan, a channoedd o bobl yn aros i weld yr arddangosiad. Mewn gwirionedd, dim ond ychydig eiliadau oedd wedi mynd heibio. Yna estynnodd Cray ei law. 'Beth yw dy enw?' gofynnodd.

'Alecs Rider.'

'Wel, mae'n grêt cwrdd â ti, Alecs Rider. Damian Cray ydw i.'

Ysgydwodd y ddau ddwylo. Allai Alecs ddim peidio â meddwl bod miliynau o bobl fyddai'n rhoi'r byd i gyd yn grwn am gyfle i gael sefyll ble roedd o.

'Faint yw dy oed di, Alecs?' gofynnodd Cray.

'Pedair ar ddeg.'

'Rwy'n ddiolchgar iawn iti am ddod. Diolch am gytuno i helpu.'

Roedd y geiriau'n cael eu chwyddo drwy'r gromen. O gil ei lygad, gwelodd Alecs fod ei lun ei hun wedi ymuno â llun Cray ar y sgrin anferth. 'Rydyn ni'n ffodus iawn fod ganddon ni arddegyn yma yn y cnawd,' meddai Cray wedyn, wrth y gynulleidfa. 'Felly dewch inni weld pa hwyl gaiff ... Alecs ... gyda lefel gyntaf Gameslayer Un: Sarff Bluog.'

Wrth i Cray siarad, cerddodd tri thechnegydd ar y llwyfan gan gario monitor teledu, consol gêmau, bwrdd a chadair. Sylweddolodd Alecs y byddai gofyn iddo chwarae'r gêm o flaen y gynulleidfa – a'i ymdrechion yn cael eu taflunio ar y sgrin blasma.

'Mae Sarff Bluog wedi'i seilio ar ddiwylliant yr Asteciaid,' eglurodd Cray wrth y gynulleidfa. 'Daeth yr Asteciaid i Fecsico yn 1195, ond mae rhai'n mynnu eu bod nhw mewn gwirionedd wedi dod o blaned arall. Ar y blaned yma mae Alecs ar fin ei gael ei hun. Ei dasg yw dod o hyd i'r pedwar haul coll. Ond i ddechrau mae'n rhaid iddo fynd i mewn i deml Tlaloc, ymladd ei ffordd drwy bum siambr ac yna'i daflu'i hun i'r pwll fflamau cysegredig. Fe aiff hynny ag e i'r lefel nesaf.'

Roedd pedwerydd technegydd wedi dod i'r

llwyfan, yn cario gwe-gamera. Safodd o flaen Alecs a'i sganio'n gyflym, pwyso botwm ar ochr y camera a cherdded i ffwrdd. Arhosodd Cray nes ei fod wedi mynd.

'Fallai eich bod chi'n pendroni am y ffigur bach mewn siwt ddu welsoch chi ar y sgrin,' meddai Cray, gan unwaith eto rannu cyfrinach â'r gynulleidfa. 'Ei enw yw Omni, a fe fydd yr arwr ym mhob un o'r gêmau Gameslayer. Fallai eich bod yn ei weld braidd yn ddiflas a diddychymyg. Ond Omni yw pob bachgen a merch ym Mhrydain. Ef yw bob plentyn yn y byd … a nawr fe ddangosa i ichi pam!'

Aeth y sgrin yn wag, yna ffrwydrodd yn drobwll digidol o liwiau. Clywyd ffanffer fyddarol – nid wedi'i chynhyrchu gan drwmpedi ond gan ryw offeryn electronig cyfatebol – ac ymddangosodd gatiau teml ag wyneb Astecaidd anferth wedi'i dorri i mewn i'r pren. Gwyddai Alecs ar unwaith fod manylder graffig y Gameslayer yn well nag unrhyw beth roedd wedi'i weld erioed, ond yr eiliad wedyn ebychodd y gynulleidfa mewn syndod a deallodd Alecs y rheswm pam. Roedd bachgen wedi cerdded ar y sgrin, gan sefyll o flaen y gatiau'n aros am ei orchymyn. Omni oedd y bachgen. Ond roedd wedi newid. Nawr roedd yn gwisgo'r un dillad yn union ag Alecs. Roedd yn edrych fel Alecs. Yn fwy na hynny, Alecs *oedd* y bachgen hyd at ei lygaid brown a'r cudynnau o wallt golau'n disgyn dros ei dalcen.

Ffrwydrodd cymeradwyaeth drwy'r stafell. Gallai Alecs weld newyddiadurwyr yn sgriblan yn eu llyfrau nodiadau neu'n siarad yn gyflym i'w ffonau symudol, yn y gobaith o fod y rhai cyntaf i rannu'r sgŵp anghredadwy yma. Roedd y bwyd a'r siampên wedi mynd yn angof. Roedd technoleg Cray wedi creu afatar, copi electronig o Alecs, gan ei gwneud yn bosib i unrhyw chwaraewr nid yn unig chwarae'r gêm ond i ddod yn rhan ohoni. Y funud honno, gwyddai Alecs y byddai'r Gameslayer yn gwerthu dros y byd i gyd, a byddai Cray yn gwneud ffortiwn.

Ac allan o hynny, atgoffodd ei hun, byddai ugain y cant yn mynd i elusen.

Allai'r dyn yma mewn gwirionedd fod yn elyn iddo?

Arhosodd Cray nes bod pawb yn dawel, ac yna trodd at Alecs. 'Amser chwarae,' meddai.

Eisteddodd Alecs o flaen sgrin y cyfrifiadur a osodwyd gan y technegwyr. Cydiodd yn y rheolydd a phwyso â'i fawd chwith. O'i flaen ac ar y sgrin blasma anferth, cerddodd ef ei hun arall i'r dde. Stopiodd a'i droi'i hun y ffordd arall.

Roedd y rheolwr yn ymateb yn anhygoel o sensitif. Teimlai Alecs bron fel duw Astecaidd, yn rheoli tynged ei hunan cnawdol yn llwyr.

'Does dim ots os cei di dy ladd ar dy gynnig cyntaf,' meddai Cray. 'Mae'r consol yn gyflymach nag unrhyw beth sydd ar y farchnad ac fe all gymryd amser iti ddod i arfer. Ond rydyn ni i gyd y tu ôl iti, Alecs. Felly – dere i chwarae Sarff Bluog! Dere inni weld pa mor bell y medri di fynd!'

Agorodd gatiau'r deml.

Pwysodd Alecs y botwm, ac ar y sgrin cerddodd ei afatar ymlaen ac i mewn i amgylchfyd gêm oedd yn estron, yn gwbl bisâr ac wedi'i greu i safon anghredadwy. Roedd y deml yn gyfuniad o gelf gyntefig a ffuglen wyddonol, â cholofnau aruchel, ffaglau'n llosgi, hieroglyffau cymhleth a cherfluniau Astecaidd ar eu cwrcwd. Ond arian oedd y llawr, nid carreg. Troellai grisiau metel a choridorau hynod o amgylch ardal y deml. Neidiai golau trydan y tu ôl i ffenestri a barrau cryf. Dilynai camerâu cylch cyfyng bob symudiad a wnâi.

'Mae'n rhaid iti gychwyn drwy ddod o hyd i ddau arf yn y siambr gyntaf,' cynghorodd Cray, gan bwyso dros ysgwydd Alecs. 'Fallai bydd eu hangen arnat ti maes o law.'

Roedd y siambr gyntaf yn anferth, gyda cherddoriaeth organ yn chwarae'n dawel a ffenestri lliw'n dangos caeau ŷd, cylchoedd cnydau a llongau gofod yn hofran. Daeth Alecs o hyd i'r arf cyntaf yn ddigon hawdd. Roedd cleddyf yn hongian yn uchel ar un o'r waliau. Ond deallodd yn fuan fod trapiau ymhobman. Chwalodd darn o'r wal wrth iddo ddringo, ac wrth iddo estyn ei law am y cleddyf taniwyd taflegryn a saethodd allan o rywle, gan anelu am yr afatar. Bwmerang dwbl gyda llafnau fel rasel oedd y taflegryn, a hwnnw'n troelli fel mellten. Gwyddai Alecs, pe bai'n cael ei daro, y câi ei dorri yn ei hanner.

Gwthiodd i lawr â'i fodiau ac aeth ei hunan bach i lawr yn ei gwrcwd. Chwyrlïodd y bwmerang heibio. Ond ar ei ffordd, daliodd un o'r llafnau yr afatar yn ei fraich. Ebychodd y gynulleidfa. Roedd staen fach o waed wedi ymddangos ar lawes y ffigur bychan ac roedd ei wyneb – wyneb Alecs – wedi'i ystumio, fel arwydd o boen. Roedd y profiad mor real fel bod Alecs bron â theimlo'r angen i edrych ar ei fraich real ei hun. Roedd yn rhaid iddo'i atgoffa'i hun mai dim ond yr afatar oedd wedi'i glwyfo.

'Poen benthyg!' meddai Cray eto, ei lais yn atseinio dros y Gromen Bleser. 'Ym myd

Gameslayer, rydyn ni i gyd yn rhannu emosiynau'r arwr. A phe bai Alecs yn marw, bydd yr uned brosesu ganolog yn gofalu'n bod ninnau'n teimlo'i farwolaeth.'

Roedd Alecs wedi dringo'n ôl i lawr gan chwilio am yr ail arf. Roedd y clwyf bach yn gwella'n barod, a llif y gwaed yn arafu. Llwyddodd i osgoi bwmerang arall a saethodd heibio'i ysgwydd. Ond roedd yn dal i fethu dod o hyd i'r ail arf.

'Chwilia y tu ôl i'r iorwg,' meddai Cray mewn sibrwd llwyfan, a gwenodd y gynulleidfa, wedi'u gogleisio bod angen help mor fuan ar Alecs.

Roedd croesfwa wedi'i guddio mewn alcof. Ond doedd Cray heb ddweud wrth Alecs bod yr iorwg oedd yn cuddio'r alcof yn cario ergyd drydanol o ddeng mil o foltiau. Cafodd wybod yn ddigon buan. Yr eiliad y cyffyrddodd ei afatar â'r iorwg, daeth fflach las a chafodd ei daflu'n ôl gan sgrechian, ei lygaid yn agored led y pen. Doedd yr afatar ddim wedi'i ladd, ond roedd wedi cael ei anafu'n ddifrifol.

Gorffwysodd Cray ei law ar ysgwydd Alecs. 'Bydd raid iti fod yn fwy gofalus na hynna,' meddai.

Lledodd gwefr drwy'r gynulleidfa. Doedden nhw erioed wedi gweld dim byd fel hyn o'r blaen.

131

A dyna pryd y penderfynodd Alecs. Yn sydyn, roedd MI6, Yassen, Saint-Pierre ... y cyfan wedi'i anghofio. Roedd Cray wedi gwneud iddo gyffwrdd â'r eiddew drwy dwyll. Roedd wedi'i anafu'n fwriadol. Wrth gwrs, dim ond gêm oedd hi. Dim ond yr afatar gafodd ei anafu. Ond fo gafodd ei fychanu – ac yn sydyn roedd yn benderfynol o guro'r Sarff Bluog. Doedd o ddim am gael ei drechu. Doedd o ddim am rannu'i farwolaeth â neb.

Yn benderfynol, cododd y croesfwa a gyrru'r afatar yn ei flaen, ymhellach i mewn i fyd yr Astec.

Yn yr ail siambr roedd twll anferth yn y llawr. Pwll oedd o mewn gwirionedd, pum deg metr o ddyfnder, gyda phileri cul yn ymestyn yr holl ffordd i'r brig. Yr unig ffordd i fynd o'r naill ochr i'r llall oedd neidio o un piler i'r nesaf. Pe bai'n baglu neu'n colli'i gydbwysedd, byddai'n syrthio i'w dranc – ac i wneud pethau'n anoddach roedd hi'n tywallt y glaw y tu mewn i'r siambr, gan wneud y llawr yn llithrig. Roedd y glaw ei hun yn rhyfeddol. Fel yr esboniodd Cray wrth y gynulleidfa, roedd technoleg ddelweddau Gameslayer yn caniatáu cyfleu pob diferyn unigol o law. Roedd yr afatar yn wlyb diferol, ei ddillad yn socian a'i wallt yn glynu wrth ei ben.

Clywyd gwawch electronig sydyn. Roedd creadur gydag adenydd iâr fach yr haf a wyneb a chrafangau draig yn plymio i lawr, gan geisio taro'r afatar oddi ar ei safle. Cododd Alecs y croesfwa a'i saethu, yna cymerodd y tair naid olaf i gyrraedd ochr bellaf y pwll.

'Rwyt ti'n gwneud yn dda iawn,' meddai Damian Cray. 'Ond tybed wnei di lwyddo i fynd trwy'r drydedd siambr?'

Teimlai Alecs yn hyderus. Roedd Sarff Bluog wedi'i chynllunio'n gelfydd, y mapiau gwead a'r cefndiroedd yn berffaith. Doedd gan yr un gêm arall gymeriad hanner cystal ag Omni. Ond er hyn i gyd, dim ond gêm gyfrifiadur arall oedd hi, yn debyg i'r rhai roedd Alecs wedi'u chwarae ar Xbox a Playstation 2. Roedd yn gwybod beth i'w wneud. Gallai ennill.

Aeth drwy'r drydedd adran yn hawdd: coridor cul, uchel a wynebau wedi'u cerfio ar bob ochr. Saethodd degau o waywffyn a saethau allan o'r cegau pren, ond ddaeth yr un ohonynt yn agos at yr afatar wrth iddo wyro a gwau ei ffordd rhyngddynt gan redeg yn ei flaen drwy'r amser. Roedd afon fyrlymog o asid yn troelli ar hyd y coridor. Neidiodd yr afatar drosti fel pe bai'n nant ddiniwed.

Nesaf daeth at jyngl dan-do anhygoel, ac yma

roedd y bygythiad mwyaf; ynghanol y coed a'r gwinwydd roedd neidr robotig anferth, yn bigau drosti i gyd. Roedd y creadur yn edrych yn arswydus. Doedd Alecs erioed wedi gweld gwell gwaith graffig. Ond chafodd yr afatar ddim trafferth i'w hosgoi, gan adael y neidr o'i ôl mor gyflym fel mai prin y cafodd y gynulleidfa gyfle i'w gweld.

Doedd wyneb Cray ddim wedi newid, ond erbyn hyn roedd yn pwyso dros Alecs, ei lygaid ar y sgrin, ac un llaw'n pwyso ar ysgwydd Alecs. Roedd ei figyrnau bron yn wyn.

'Rwyt ti'n gwneud i'r cyfan edrych yn rhy hawdd,' mwmiodd. Er bod y geiriau wedi'u dweud yn ddigon ysgafn, roedd tyndra i'w glywed yn ei lais.

Erbyn hyn, roedd y gynulleidfa'n cefnogi Alecs. Roedd miliynau o bunnau wedi'u gwario ar ddatblygu meddalwedd y Sarff Bluog, ond roedd yr arddegyn cyntaf i'w chwarae hi yn ennill. Wrth i Alecs osgoi neidr robotig arall, dechreuodd rhywun chwerthin. Tynhaodd y llaw ar ei ysgwydd.

Daeth at y bumed siambr. Drysfa o ddrychau oedd hon, yn llawn o fwg ac wedi'i hamddiffyn gan ddwsin o dduwiau Astecaidd wedi'u lapio mewn plu, gemwaith a mygydau aur. Unwaith eto, roedd pob un o'r duwiau'n gampwaith o gelfyddyd graffeg. Ond er eu bod yn anelu ergyd at yr afatar, roedden nhw'n methu o hyd ac o hyd. Yn sydyn, roedd mwy o'r bobl yn y gynulleidfa'n chwerthin ac yn curo dwylo, gan annog Alecs yn ei flaen.

Un duw arall, un â chrafangau a chynffon aligator, oedd yn sefyll rhwng Alecs a'r pwll tân fyddai'n ei arwain i'r lefel nesaf. Y cyfan oedd yn rhaid iddo'i wneud oedd mynd heibio iddo. Dyna pryd y gwnaeth Cray ei symudiad. Roedd yn ofalus. Fyddai neb yn gweld beth ddigwyddodd, ac os bydden nhw byddai'n edrych fel pe bai cynnwrf y gêm wedi mynd yn drech nag ef. Ond roedd yn hollol bwrpasol. Symudodd ei law'n sydyn ar fraich Alecs, gan wasgu'n dynn a'i thynnu i ffwrdd oddi ar y rheolydd. Am chydig eiliadau, collodd Alecs reolaeth. Roedd yn ddigon. Estynnodd y duw Astecaidd ymlaen a thynnu'i grafangau ar draws stumog yr afatar. Clywodd Alecs sŵn ei grys yn cael ei rwygo; bu bron iddo deimlo'r boen wrth i'r waed lifo. Syrthiodd ei afatar ar ei liniau, yna syrthiodd ymlaen a gorwedd yn llonydd. Rhewodd y sgrin a gwelwyd y geiriau GÊM DROSODD mewn llythrennau coch.

Roedd y gynulleidfa'n dawel.

135

'Dyna drueni, Alecs,' meddai Cray. 'Mae arna i ofn nad oedd hi lawn cyn hawsed ag roeddet ti'n feddwl.'

Daeth chydig o guro dwylo o'r gynulleidfa. Roedd hi'n anodd dweud a oedden nhw'n cymeradwyo technoleg y gêm, ynteu'r ffordd roedd Alecs wedi derbyn yr her a bron wedi ennill. Ond hefyd roedd rhyw deimlad o anesmwythder. Fallai bod Sarff Bluog yn rhy realistig. Mewn gwirionedd, roedd fel pe bai rhan o Alecs wedi marw yno, ar y sgrin.

Trodd Alecs i wynebu Cray. Teimlai'n ddig. Fo oedd yr unig un oedd yn gwybod bod Cray wedi twyllo. Ond roedd Cray'n gwenu unwaith eto.

'Fe wnest ti'n wych,' meddai. 'Fe ofynnais i am arddangosiad a wir, fe roist ti un inni. Gwna di'n siŵr dy fod ti'n gadael dy gyfeiriad gydag un o nghynorthwywyr. Bydda i'n anfon system Gameslayer atat ti yn rhad ac am ddim, a'r pecyn cyntaf o gêmau hefyd.'

Clywodd y gynulleidfa hyn a chymeradwyo'n fwy gwresog. Am yr ail dro, daliodd Cray ei law allan. Oedodd Alecs am eiliad, yna cydiodd ynddi. Mewn ffordd, doedd dim bai ar Cray. Allai'r dyn ddim gadael i'r gêm droi'n destun sbort ar ei dangosiad cyntaf. Roedd yn rhaid iddo amddiffyn ei fuddsoddiad. Ond eto, meddyliodd Alecs, doedd yr hyn oedd wedi digwydd ddim yn beth braf.

'Braint cwrdd â ti, Alecs. Da iawn ti ...'

Dringodd i lawr o'r llwyfan. Cafwyd rhagor o arddangos a mwy o sgyrsiau gan aelodau o staff Cray. Wedyn cafodd pawb ginio. Ond fwytodd Alecs 'run briwsionyn. Roedd wedi gweld digon. Gadawodd y Gromen Bleser a chroesi'r dŵr, gan gerdded yn ôl drwy'r parc a'r holl ffordd i lawr i'r King's Road.

Roedd Jac yn disgwyl amdano pan gyrhaeddodd adref.

'A shwd aeth pethe?' gofynnodd hi.

Dwedodd Alecs yr hanes wrthi.

'Wel dyna beth yw cafflo!' gwgodd Jac. 'Ond cofia di hyn, Alecs. Mae sawl dyn cefnog yn gollwr gwael, ac mae Cray'n gefnog tu hwnt. Wyt ti'n credu go iawn bod hyn yn brawf o unrhyw beth?'

'Wn i ddim, Jac.' Teimlai Alecs yn gymysglyd. Roedd yn rhaid iddo'i atgoffa'i hun: byddai swm sylweddol iawn o elw'r Gameslayer yn mynd i elusen. Swm enfawr. A doedd ganddo ddim prawf. Gair neu ddau ar y ffôn. Oedd hynny'n ddigon i gysylltu Cray â'r hyn ddigwyddodd yn Saint-Pierre? 'Fallai dylen ni fynd i Baris,' meddai. 'Dyna ble dechreuodd hyn i gyd. Roedd

137

'na gyfarfod. Roedd Edward Pleasure yno, yn gweithio efo ffotograffydd. Mi ddwedodd Sabina'i enw o wrtha i. Marc Antonio.'

'Gydag enw fel yna, fe ddyle fod yn eitha hawdd i'w ffindo fe,' meddai Jac. 'Ac wy'n dwlu ar Baris.'

'Mi allai fod yn wastraff amser yr un fath,' ochneidiodd Alecs. 'Do'n i ddim yn licio Damian Cray. Ond rŵan mod i wedi'i gyfarfod o ...' Yna aeth yn ei flaen. 'Diddanwr ydi o. Mae o'n dyfeisio gêmau cyfrifiaduron. Doedd o ddim yn edrych y math o ddyn fyddai isio brifo neb.'

'Ti ŵyr ore, Alecs.'

Ysgydwodd Alecs ei ben. 'Dwi ddim yn gwybod, Jac. Dwi jest ddim yn gwybod ...'

Roedd hanes lansiad y Gameslayer ar y newyddion y noson honno. Yn ôl yr adroddiadau, roedd pawb yn y diwydiant yn rhyfeddu at ansawdd graffig a grym prosesu'r system newydd. Doedd dim sôn am y rhan roedd Alecs wedi'i chwarae yn yr arddangosiad. Ond roedd yna sôn am rywbeth arall, fodd bynnag.

Digwyddodd rhywbeth a daflodd gwmwl dros beth fyddai fel arall wedi bod yn ddiwrnod perffaith. Roedd rhywun wedi marw. Fflachiodd llun ar y sgrin, wyneb dynes, ac ar unwaith roedd Alecs yn ei nabod. Hi oedd y ddynes oedd yn edrych fel athrawes, yr un oedd wedi gwneud pethau'n anodd i Cray drwy ofyn cwestiynau annifyr am drais. Eglurodd rhyw blismon fod car wedi'i tharo wrth iddi fynd o Hyde Park. Doedd y gyrrwr ddim wedi stopio.

Y bore wedyn aeth Alecs a Jac i orsaf Waterloo a phrynu dau docyn ar gyfer yr Eurostar.

Erbyn amser cinio roedden nhw ym Mharis.

RUE BRITANNIA

'Wyt ti'n sylweddoli, Alecs,' meddai Jac, 'bod Picasso'n arfer eistedd yn gwmws ble ry'n ni'n eistedd nawr? A Chagall. A Salvador Dalí ...'

'Wrth yr union fwrdd yma?'

'Yn yr union gaffi yma. Byddai'r arlunwyr mawr i gyd yn dod yma.'

'Be wyt ti'n drio'i ddweud, Jac?'

'Wel, meddwl o'n i tybed fyddet ti'n fodlon anghofio'r holl fusnes antur yma a dod gyda fi i Amgueddfa Picasso. Mae shwd gyment o hwyl i'w gael ym Mharis. Ac rwy'i bob amser wedi cael llawer mwy o bleser wrth ddisgwyl ar lunie na chael rhywun yn saethu ata i.'

'Does 'na neb yn saethu aton ni.'

'Ddim eto.'

Roedd diwrnod cyfan wedi mynd heibio er pan gyrhaeddon nhw Baris a threfnu i aros mewn gwesty bach y gwyddai Jac amdano, gyferbyn â Notre-Dame. Roedd Jac yn hen gyfarwydd â'r ddinas. Roedd hi wedi treulio blwyddyn unwaith yn y Sorbonne yn astudio celf. Oni bai am farwolaeth Ian Rider a'i gofal dros Alecs, gallai'n hawdd fod wedi mynd i fyw yno.

Roedd hi'n iawn am un peth. Gwaith digon hawdd oedd darganfod ble roedd Marc

Antonio'n byw. Dim ond tair asiantaeth roedd hi wedi gorfod eu ffonio cyn dod o hyd i'r un oedd yn cynrychioli'r ffotograffydd, er bod angen llond trol o eiriau siwgraidd – mewn Ffrangeg digon rhydlyd – i berswadio'r ferch ar y switsfwrdd i ddatgelu'i rif ffôn. Roedd trefnu i'w gyfarfod, fodd bynnag, yn fwy anodd fyth.

Roedd hi wedi ffonio'r rhif ddwsin o weithiau yn ystod y bore cyn i rywun ateb. Llais dyn oedd yno. Na, nid Marc Antonio oedd yn siarad. Ie, tŷ Marc Antonio oedd hwn, ond doedd ganddo ddim syniad ble roedd e. Roedd y llais yn llawn amheuaeth. Roedd Alecs wedi bod yn gwrando, gan rannu'r derbynnydd â Jac. Yn y diwedd cymerodd Alecs drosodd.

'Gwrandwch,' meddai. Roedd ei Ffrangeg bron cystal ag un Jac, gan ei fod wedi dechrau dysgu'r iaith yn dair oed. 'Fy enw i ydi Alecs Rider. Rydw i'n ffrind i Edward Pleasure. Mae o'n newyddiadurwr–'

'Rwy'n gwybod pwy yw e.'

'Wyddoch chi be ddigwyddodd iddo fo?'

Saib. 'Ewch ymlaen.'

'Mae'n rhaid imi siarad efo Marc Antonio. Mae gen i wybodaeth o bwys.' Meddyliodd Alecs am foment. A ddylai ddweud wrth y dyn yma beth oedd yn ei wybod? 'Ynglŷn â Damian Cray mae o,' meddai.

Cafodd yr enw effaith, meddyliodd Alecs. Daeth saib arall, un hirach y tro yma. Yna …

'Dewch i la Palette. Caffi ar y rue de Seine yw e. Fe gwrdda i â chi yno am un o'r gloch.'

Diffoddodd y dyn ei ffôn.

Erbyn hyn roedd hi'n ddeng munud wedi un. Caffi bach prysur oedd la Palette ar gornel sgwâr, gydag orielau celf ar bob ochr iddo. Llithrai dynion gweini mewn barclodau llaes, gwyn i mewn ac allan, yn cario hambyrddau'n llawn diodydd yn uchel uwch eu pennau. Er mor brysur oedd y lle, llwyddodd Alecs a Jac i gael bwrdd ar yr ochr, ble bydden nhw'n fwyaf amlwg. Roedd Jac yn yfed gwydraid o gwrw a chymerodd Alecs sudd ffrwythau coch llachar – *sirop de grenadine* – gydag iâ. Dyna oedd ei hoff ddiod pan oedd yn Ffrainc.

Roedd yn dechrau amau a fyddai'r dyn roedd wedi siarad ag o ar y ffôn yn dod i'r golwg. Neu fallai ei fod yno'n barod? Sut gallen nhw ddod o hyd i'w gilydd yn y dyrfa yma? Yna sylwodd ar ddyn yn eistedd ar feic modur Piaggio 125cc blêr yr ochr draw i'r stryd; dyn ifanc, yn gwisgo siaced ledr, ei wallt yn ddu a modrwyog, a'i wyneb heb ei eillio. Roedd wedi cyrraedd yno rai munudau ynghynt, ond roedd wedi aros ar gefn y beic, fel pe bai'n disgwyl rhywun. Daliodd Alecs ei lygad; cafwyd fflach o gysylltiad. Edrychai'r dyn ifanc chydig yn ddryslyd, ond yna daeth oddi ar ei feic a cherdded draw, gan symud yn wyliadwrus fel petai'n ofni trap.

'Chi yw Alecs Rider?' gofynnodd. Siaradai Saesneg ag acen ddeniadol, fel actor mewn ffilm.

'Ie.'

'Do'n i ddim yn disgwyl bachgen ifanc.'

'Pa wahaniaeth mae hynny'n ei wneud?' gofynnodd Jac, gan ddod i mewn i amddiffyn Alecs. 'Chi yw Marc Antonio?'

'Na. Robert Guppy yw fy enw i.'

'Wyddoch chi ble mae e?'

'Mae e wedi gofyn imi fynd â chi ato.' Taflodd Guppy olwg yn ôl at y Piaggio. 'Ond dim ond lle i un sydd gyda fi.'

'Wel, anghofiwch y peth, 'te. Dwi ddim am adael i Alecs fynd ar ei ben ei hun.'

'Mae'n iawn, Jac,' meddai Alecs ar ei thraws. Gwenodd arni. 'Mi gei di fynd i weld Amgueddfa Picasso wedi'r cwbl.'

Ochneidiodd Jac. Yna nodiodd arno. 'Iawn,' meddai. 'Ond bydd di'n garcus.'

Gyrrodd Robert Guppy trwy Baris fel rhywun oedd yn hen gyfarwydd â'r ddinas – neu rhywun oedd isio marw ynddi. Troellai i mewn ac allan o'r traffig, gan anwybyddu goleuadau coch a rasio ar draws croesffyrdd i gyfeiliant canu croch cyrn ceir ar bob ochr. Cafodd Alecs ei hun yn gafael yn dynn am ei fywyd. Doedd ganddo ddim syniad i ble roedden nhw'n mynd, ond sylweddolodd fod rheswm dros yrru peryglus Guppy. Roedd yn sicrhau nad oedd neb yn eu dilyn.

Arafodd y beic ar ôl iddyn nhw groesi afon Seine, ar gwr y Marais, yn agos at y Forum des Halles. Roedd Alecs yn gyfarwydd â'r ardal. Y tro diwethaf roedd o yma, roedd yn galw'i hun yn Alecs Friend ac roedd yng nghwmni'r erchyll Mrs Stellenbosch ar y ffordd i Academi Pic Blanc. Nawr dyma nhw'n arafu a stopio mewn stryd o dai nodweddiadol o Baris – chwe llawr o uchder gyda drysau solet yr olwg a ffenestri uchel o wydr barugog. Sylwodd Alecs ar arwydd ar y wal: rue Britannia. Doedd y stryd ddim yn arwain i unman ac roedd hanner yr adeiladau'n edrych yn wag ac angen gwaith trwsio. Yn wir, roedd y rhai ar y pen pellaf yn cael eu dal i fyny gan sgaffaldiau, ac o'u cwmpas roedd sawl berfa, cymysgwyr sment, a chafn plastig i arllwys rwbel ac offer adeiladu. Ond doedd dim gweithwyr yn y golwg yn unman.

Daeth Guppy oddi ar y beic a phwyntio at un o'r drysau. 'Ffordd hyn,' meddai. Taflodd olwg i fyny ac i lawr y stryd am y tro olaf, yna arweiniodd Alecs i mewn.

Tu draw i'r drws roedd cowrt mewnol gyda hen ddodrefn a phentwr o feiciau rhydlyd mewn un gornel. Aeth Alecs ar ôl Guppy i fyny chydig o risiau a thrwy ddrws arall. Roedd mewn stafell fawr â nenfwd uchel, y waliau'n wyn, ffenestri ar y ddwy ochr a llawr o bren tywyll. Stiwdio ffotograffydd oedd y lle. Roedd yno sgriniau, lampau cymhleth ar goesau metel, ac ambarelau lliw arian. Ond hefyd roedd rhywun yn byw yma. Ar un ochr roedd rhyw fath o gegin gyda phentwr o duniau a phlatiau budron yn y sinc.

Caeodd Robert Guppy'r drws a daeth dyn i'r golwg o'r tu ôl i un o'r sgriniau. Roedd yn droednoeth, yn gwisgo fest a jîns di-siâp. Dyfalodd Alecs ei fod oddeutu hanner cant oed. Roedd yn fain, heb eillio, a'i wallt llawn clymau'n gymysgedd o ddu ac arian. Yn annisgwyl, doedd ganddo ond un llygad; roedd gorchudd dros y llall. Ffotograffydd ag un llygad? Roedd y peth yn bosibl, mae'n debyg.

145

Edrychodd y dyn arno'n chwilfrydig, yna siaradodd â'i ffrind.

'C'est lui qui a téléphoné?'

'Oui ...'

'Chi ydi Marc Antonio?' gofynnodd Alecs.

'Ie. Rwyt ti'n dweud dy fod ti'n ffrind i Edward Pleasure. Wyddwn i ddim fod Edward yn treulio amser gyda phlant.'

'Dwi'n nabod ei ferch o. Ro'n i'n aros efo nhw yn Ffrainc pan ...' Petrusodd Alecs. 'Dach chi'n gwybod be ddigwyddodd iddo fo?'

'Wrth gwrs mod i'n gwbod beth ddigwyddodd iddo fe. Pam wyt ti'n meddwl mod i'n cwato fan hyn?' Edrychodd yn goeglyd ar Alecs, gan ei fesur a'i bwyso'n araf â'i un llygad iach. 'Fe wedest ti ar y ffôn y byddet ti'n gallu gweud rhywbeth wrtho i ambeutu Damian Cray. Wyt ti'n 'i nabod e?'

'Wnes i 'i gyfarfod o ddau ddiwrnod yn ôl. Yn Llundain.'

'Smo Cray yn Llunden erbyn hyn.' Robert Guppy siaradodd, gan bwyso yn erbyn ffrâm y drws. 'Mae gydag e ffatri feddalwedd, yn Sloterdijk, jest tu fas i Amsterdam.Gyrhaeddodd e yno'r bore 'ma.'

'Sut gwyddoch chi?'

'Ry'n ni'n cadw golwg agos ar Mr Cray.'

Trodd Alecs at Marc Antonio. 'Rhaid ichi ddweud wrtha i be wnaethoch chi ac Edward Pleasure ddarganfod amdano fo,' meddai. 'Be oedd y stori roeddech chi'n gweithio arni? Be oedd y cyfarfod cyfrinachol gafodd o yma?'

Meddyliodd y ffotograffydd am chydig, yna gwenodd yn gam gan ddangos ei ddannedd a'u staeniau nicotîn. 'Alecs Rider,' mwmiodd, 'rwyt ti'n grwtyn od. Ti'n dweud bod gyda ti wybodaeth i'w rhoi imi, ond rwyt ti'n dod yma a gwneud dim ond gofyn cwestiyne. Un ewn wyt ti. Ond rwy'n hoffi hynna.' Estynnodd sigarét – Gauloise – a'i rhoi yn ei geg. Taniodd hi a chwythu mwg glas i'r awyr. 'O'r gore. Mae'n mynd yn groes i'r graen 'da fi. Ond fe ddweda i beth wy'n wybod.'

Yn y gegin roedd dwy stôl uchel. Eisteddodd ar un a gwahodd Alecs i eistedd ar y llall. Arhosodd Robert Guppy wrth y drws.

'Doedd a wnelo'r stori roedd Ed yn gweitho arni ddim oll â Damian Cray,' meddai. 'O leia, ddim ar y dechre. Fu erioed ddiddordeb gydag Ed yn y busnes adloniant. Na. Roedd e'n gweitho ar rywbeth llawer pwysicach … stori am yr NSA. Ti'n gwybod beth yw hwnnw? Asiantaeth Ddiogelwch Genedlaethol America. Mae'n sefydliad sy'n ymwneud â gwrthfrawychiaeth, ysbïo a gwarchod

147

gwybodaeth. Mae'r rhan fwyaf o'i waith yn hollol gyfrinachol. Dyfeiswyr côd. Torrwyr côd. Ysbïwyr ac ati …

'Roedd gan Ed ddiddordeb mewn dyn o'r enw Charlie Roper, swyddog uchel iawn yn yr NSA. Roedd wedi cael ar ddeall – wn i ddim o ble – bod y dyn yma, Roper, fallai wedi troi'n fradwr. Roedd gydag e ddyledion mawr. Dibyniaeth …'

'Cyffuriau?' gofynnodd Alecs.

Ysgydwodd Marc Antonio'i ben. 'Gamblo. Mae hynny'n gallu bod lawn mor ddinistriol. Fe glywodd Ed fod Roper ym Mharis ac roedd yn credu 'i fod wedi dod yma i werthu cyfrinache – un ai i'r Tseineaid, neu'n fwy tebygol i Ogledd Corea. Fe gwrddodd â fi chydig dros wythnos yn ôl. Roedden ni'n dau wedi cydweitho'n aml. Fe'n cael y storïe, finne'n cael y llunie. Roedden ni'n dîm da. Yn fwy na hynny – roedden ni'n ffrindie.' Cododd Marc Antonio ei ysgwyddau. 'Ta beth, fe gawson ni wybod ble roedd Roper yn sefyll a'i ddilyn e o'i westy. Doedd gyda ni ddim clem 'da pwy oedd e'n mynd i gwrdd, a taset ti wedi dweud wrtha i fydden i byth wedi dy gredu di.'

Tawelodd a thynnu ar ei Gauloise. Gloywodd ei blaen yn goch. Llifodd mwg i fyny o flaen ei lygad iach.

'Aeth Roper am ginio i dŷ bwyta o'r enw la

Tour d'Argent, un o'r bwytai drutaf ym Mharis. A Damian Cray oedd yn talu'r bil. Fe welson ni'r ddau ohonyn nhw gyda'i gilydd. Mae'r bwyty ar lawr uchel, ond mae ffenestri mawr gwydr yno gyda golygfeydd eang dros Baris. Dynnes i lunie ohonyn nhw gyda lens delesgopig. Fe roddodd Cray amlen i Roper. Rwy'n credu taw arian oedd ynddi, ac os felly roedd e'n dipyn go lew o arian, oherwydd roedd yr amlen yn drwchus iawn.'

'Rhoswch funud,' meddai Alecs ar ei draws. 'Be fyddai canwr pop isio efo rhywun o'r NSA?'

'Dyna'n gwmws oedd Ed yn moyn gwybod,' atebodd y ffotograffydd. 'Fe ddechreuodd e ofyn cwestiyne. Mae'n rhaid ei fod e wedi gofyn gormod. Achos y peth nesa glywes i, roedd rhywun wedi trio'i ladd e yn Saint-Pierre, a'r un diwrnod fe ddaethon nhw ar 'yn ôl i. Yn fy achos i roedd y bom yn fy nghar i. Tasen i wedi troi'r allwedd, fydden i ddim yma'n siarad â ti nawr.'

'Pam na wnaethoch chi?'

'Rwy'n ddyn carcus. Sylwes i ar weiren.' Diffoddodd y sigarét. 'Hefyd fe dorrodd rhywun i mewn i'm fflat a dygwyd llawer o offer, gan gynnwys fy nghamera a'r cyfan o'r llunie ro'n i wedi'u tynnu ger la Tour d'Argent. Nage cyd-ddigwyddiad oedd y peth.'

149

Meddyliodd am ychydig eiliadau.

'Ond pam wy'n dweud hyn i gyd wrthot ti, Alecs Rider? Dy dro di yw hi nawr i weud 'tho i beth wyt ti'n wybod.'

'Ro'n i ar wyliau yn Saint-Pierre–' dechreuodd Alecs.

Chafodd o ddim cyfle i ddweud rhagor.

Roedd car wedi stopio rywle tu allan i'r adeilad. Doedd Alecs ddim wedi'i glywed yn dod. Dim ond pan ddiffoddodd yr injan y daeth yn ymwybodol ohono. Camodd Robert Guppy ymlaen, gan godi'i law. Trodd Marc Antonio'i ben yn sydyn. Bu eiliad o ddistawrwydd – a gwyddai Alecs ei fod y math anghywir o ddistawrwydd. Roedd yn wag. Yn derfynol.

Ac yna daeth ffrwydrad o fwledi; chwalodd y ffenestri, un ar ôl y llall, y gwydr yn disgyn yn slabiau mawr i'r llawr. Lladdwyd Robert Guppy'n syth, wedi'i daflu oddi ar ei draed â rhes o dyllau coch wedi'u pwytho ar draws ei frest. Trawyd bylb golau a ffrwydrodd; disgynnodd talpiau o blaster oddi ar y waliau. Rhuthrodd yr aer i mewn, gan gario sŵn dynion yn gweiddi a sŵn traed yn dyrnu dros y cowrt.

Marc Antonio ddaeth ato'i hun gyntaf. Ac yntau'n eistedd yn ymyl y gegin, roedd allan o gyrraedd y saethu, a chafodd o mo'i daro.

Roedd Alecs hefyd wedi'i ddychryn ond heb ei anafu.

'Ffordd hyn!' gwaeddodd y ffotograffydd gan wthio Alecs ar draws y stafell wrth i'r drws chwalu'n rhacs. Cafodd Alecs ddim mwy na chipolwg ar ddyn wedi'i wisgo mewn du a dryll peiriant yn ei ddwylo. Yna cafodd ei dynnu y tu ôl i un o'r sgriniau roedd wedi sylwi arnynt. Roedd ffordd arall allan yn fan hyn – nid drws, ond twll blêr yn y wal. Roedd Marc Antonio eisoes wedi dringo drwyddo. Aeth Alecs ar ei ôl.

'Lan!' Gafaelodd Marc Antonio yn Alecs a'i wthio o'i flaen. 'Dyna'r unig ffordd!'

Roedd yno hen risiau pren, oedd yn ôl pob golwg heb eu defnyddio ers amser, ac wedi'u gorchuddio â llwch plaster. Dechreuodd Alecs ddringo … tri llawr, pedwar, â Marc Antonio wrth ei sodlau. Roedd un drws ar bob llawr ond roedd Marc Antonio'n ei annog ymlaen. Gallai glywed y dyn â'r dryll peiriant. Roedd rhywun arall wedi dod ato. Roedd y ddau lofrudd yn eu dilyn i fyny.

Cyrhaeddodd dop y grisiau. Roedd drws arall yn cau eu ffordd. Estynnodd a throi'r dwrn, a'r eiliad honno daeth rhagor o saethu. Ebychodd Marc Antonio a phlygu i'r ochr, gan syrthio wysg ei gefn. Roedd Alecs yn gwybod ei fod wedi marw. Drwy drugaredd, roedd y drws o'i flaen wedi agor. Gwthiodd drwyddo, gan ddisgwyl unrhyw eiliad deimlo'r bwledi'n taro'i ysgwyddau. Ond roedd y ffotograffydd wedi'i achub wrth syrthio rhwng Alecs a'i ddilynwyr. Roedd Alecs wedi cyrraedd to'r adeilad. Ciciodd â'i sawdl, gan glepian y drws ynghau y tu ôl iddo.

Roedd yng nghanol ffenestri to a simneiau, tanciau dŵr ac erialau teledu. Rhedai'r toeau yr holl ffordd ar hyd rue Britannia, gyda waliau isel a phibelli trwchus yn gwahanu'r tai. Beth oedd bwriad Marc Antonio'n dod i fyny fan hyn? Roedd chwe llawr yn uwch na lefel y stryd. Oedd yna ddihangfa dân? Grisiau'n arwain i lawr?

Doedd gan Alecs ddim amser i chwilio. Saethodd y drws yn agored a daeth y ddau ddyn drwyddo, gan symud yn arafach erbyn hyn, yn gwybod na allai ddianc. Sibrydodd llais yn ddwfn y tu mewn i Alecs – pam na allen nhw adael llonydd iddo fo? Chwilio am Marc Antonio oedden nhw, nid fo. Doedd a wnelo fo ddim â'r peth. Ond gwyddai y bydden nhw wedi derbyn gorchmynion. Lladd y ffotograffydd ac unrhyw un oedd â chysylltiad ag o. Doedd dim ots pwy oedd Alecs. Doedd yn ddim mwy na rhan o'r pecyn.

Ac yna fe gofiodd rywbeth roedd wedi'i weld wrth droi i mewn i rue Britannia, ac yn sydyn roedd yn rhedeg, heb fod yn sicr ei fod hyd yn oed yn mynd i'r cyfeiriad cywir. Clywodd sŵn dryll peiriant, a chwalodd teils du gentimetrau y tu ôl i'w draed. Mwy o saethu. Teimlodd gawod o fwledi'n mynd heibio'n agos, a chwalwyd tamaid o gorn simdde, gan daflu llwch drosto. Neidiodd dros wal isel. Roedd ymyl y to'n dod yn nes. Arhosodd y dynion y tu ôl iddo, gan feddwl nad oedd ganddo unman i fynd. Daliodd Alecs i redeg. Cyrhaeddodd yr ymyl a'i daflu'i hun i'r gwagle.

Rhaid bod y dynion â'r drylliau'n meddwl ei fod yn sicr wedi neidio i'w dranc ar y palmant chwe llawr oddi tanynt. Ond roedd Alecs wedi gweld y gwaith adeiladu: sgaffaldiau, cymysgwyr sment – a phibell oren wedi'i chynllunio i gario rwbel yr adeiladwyr i lawr i'r stryd.

Mewn gwirionedd, cyfres o bwcedi oedd y bibell, pob un heb waelod, yn cloi wrth ei gilydd fel cafn mewn pwll nofio. Doedd dim modd i Alecs gynllunio'i naid – ond bu'n ffodus. Am eiliad neu ddwy syrthiodd yn bendramwnwgl, ei goesau a'i freichiau'n mynd i bob cyfeiriad. Yna fe welodd geg y bibell a llwyddo i'w gyfeirio'i hun tuag ati. Yn gyntaf aeth ei goesau syth, yna'i gluniau a'i ysgwyddau, i mewn i'r tiwb yn berffaith. Roedd y twnnel yn llawn o lwch sment a chafodd ei ddallu ganddo. Prin roedd yn gweld y waliau oren yn fflachio heibio. Roedd cefn ei ben, ei gluniau a'i ysgwyddau'n cael eu dyrnu'n ddidrugaredd. Câi drafferth i anadlu, a sylweddolodd gydag arswyd pe bai'r gwaelod wedi'i gau y byddai'n torri pob asgwrn yn ei gorff.

Roedd siâp y tiwb fel llythyren J hir. Wrth i Alecs gyrraedd y gwaelod, teimlai ei hun yn arafu. Yn sydyn cafodd ei boeri allan i olau dydd. Roedd tomen o dywod wrth ymyl un o'r cymysgwyr sment, a glaniodd ar honno gydag ergyd ysgytwol. Collodd ei wynt yn llwyr. Roedd ei geg yn llawn o dywod a sment. Ond roedd yn fyw.

Cododd ar ei draed yn ofalus ac edrych i fyny. Roedd y ddau ddyn ar y to o hyd, ymhell uwch ei ben. Roedden nhw wedi penderfynu yn erbyn ceisio efelychu'i gamp. Roedd y tiwb oren yn ddigon llydan o drwch blewyn i ddal Alecs. Bydden nhw wedi mynd yn sownd cyn cyrraedd hanner ffordd. Edrychodd Alecs i lawr y stryd. Roedd car wedi'i barcio y tu allan i'r fynedfa i stiwdio Marc Antonio. Ond doedd dim golwg o neb. Poerodd a thynnu cefn ei law dros ei wefusau; yna cerddodd i ffwrdd yn gloff ond yn gyflym. Roedd Marc Antonio wedi marw, ond roedd wedi rhoi darn arall o'r jig-so i Alecs. Ac roedd Alecs yn gwybod i ble roedd yn rhaid iddo fynd nesaf. Sloterdijk. Ffatri feddalwedd y tu allan i Amsterdam. Dim ond chydig oriau o Baris ar y trên.

Cyrhaeddodd ben pellaf rue Britannia a throi'r gornel, gan gerdded yn gynt ac yn gynt. Roedd wedi'i gleisio, yn fudr ac yn ffodus ei fod yn fyw. Y broblem fawr rŵan fyddai egluro'r cyfan i Jac.

ARIAN GWAED

Gorweddai Alecs ar ei stumog, yn gwylio'r gwarchodwyr wrth iddyn nhw archwilio'r car llonydd. Roedd ganddo flnocwlars system prism Bausch & Lomb gyda chwyddiad 30x, ac er ei fod dros gan metr i ffwrdd o'r brif gât, gallai weld popeth yn eglur ... hyd yn oed plât rhif y car a mwstás y gyrrwr.

Roedd wedi bod yma am fwy nag awr, yn gorwedd yn llonydd o flaen clwstwr o goed pin, wedi'i guddio gan resaid o lwyni bach. Gwisgai jîns llwyd, crys-T tywyll a siaced lliw caci, wedi'i phrynu yn yr un siop â'r binocwlars. Roedd y tywydd wedi troi unwaith eto; bellach roedd yn glawio'n ddi-dor, ac roedd Alecs yn wlyb hyd at ei groen. Roedd yn difaru erbyn hyn nad oedd wedi derbyn y fflasg thermos o siocled poeth roedd Jac wedi'i chynnig iddo. Ar y pryd roedd wedi meddwl ei bod yn ei drin fel plentyn – ond roedd hyd yn oed yr SAS yn gwybod am bwysigrwydd cadw'n gynnes. Roedd wedi dysgu cymaint â hynny pan oedd yn cael ei hyfforddi efo nhw.

Roedd Jac wedi dod gydag o i Amsterdam ac unwaith eto hi oedd wedi trefnu gwesty iddyn nhw, ar yr Herengracht y tro yma, un o'r tair prif gamlas. Roedd hi yno'r funud yma, yn disgwyl amdano. Wrth gwrs, roedd hi wedi mynnu dod. Ar ôl beth ddigwyddodd ym Mharis, roedd hi'n pryderu amdano'n fwy nag erioed. Ond roedd Alecs wedi'i pherswadio y byddai dau berson ddwywaith yn fwy tebygol o gael eu gweld nag un, ac mai prin y byddai'i gwallt fflamgoch yn helpu. Yn anfodlon, roedd hi wedi cytuno.

'Jest gwna di'n siŵr dy fod ti'n cyrraedd yn ôl i'r gwesty cyn nos,' meddai. 'Ac os digwyddi di weld siop yn gwerthu tiwlips, fe allet ti ddod â bwnshyn imi.'

Gwenodd Alecs wrth gofio'i geiriau. Symudodd ei bwysau, gan deimlo'r gwair yn wlyb dan ei benelinoedd. Pendronodd am yr hyn roedd wedi'i ddysgu dros yr awr ddiwethaf.

Roedd ynghanol ardal ddiwydiannol anghyffredin ar gyrion Amsterdam. Roedd Sloterdijk yn cynnwys cymysgedd ddi-drefn o ffatrïoedd, stordai a gweithfeydd prosesu. Adeiladau isel oedd y rhan fwyaf, wedi'u gwahanu gan lwybrau llydan o darmac, ond roedd yno hefyd glystyrau o goed a glaswellt fel pe bai rhywun wedi ceisio – a methu – harddu chydig ar y lle. Codai tair melin wynt y tu ôl i bencadlys ymerodraeth dechnolegol Cray. Ond nid rhai o gynllun Iseldiraidd traddodiadol oedden nhw, nid y math a welid ar gardiau post. Pileri modern anferth o goncrid llwyd oedd y rhain, a'u llafnau triphlyg yn tafellu'r aer yn ddiddiwedd. Roedden nhw'n fawr a bygythiol, fel goresgynwyr o blaned arall.

Roedd y cowrt ei hun yn atgoffa Alecs o farics milwrol ... neu fallai garchar. Roedd ffens ddwbl o'i amgylch, a weiren rasel ar ben y ffens allanol. Roedd tŵr gwarchod bob pum deg metr, a gwarchodwyr yn patrolio o amgylch y ffiniau. Yn yr Iseldiroedd, gwlad lle mae'r heddlu yn cario arfau, doedd Alecs yn synnu dim bod y gwarchodwyr wedi'u harfogi. Tu mewn, gallai weld wyth neu naw adeilad o frics gwyn, rhai isel o siâp petryal, gyda thoeau plastig technoleg-uwch. Roedd pobl yn symud o gwmpas, rhai mewn ceir trydan. Gallai Alecs glywed grwnan eu peiriannau, yn debyg i sŵn faniau llaeth. Roedd gan y cowrt ei ganolfan gyfathrebu'i hun, gyda phum dysgl loeren anferth wedi'u gosod tu allan. Ar wahân i hynny edrychai'r adeiladau eraill fel pe baen nhw'n labordai, swyddfeydd a llety. Ynghanol y cyfan roedd un adeilad yn sefyll allan: ciwb o ddur a gwydr, yn heriol o fodern ei gynllun. Gallai hwn yn hawdd fod y pencadlys, meddyliodd Alecs. Fallai y byddai'n dod o hyd i Damian Cray y tu mewn iddo.

Ond sut yn y byd y gallai fynd i mewn? Roedd wedi bod yn astudio'r fynedfa am yr awr ddiwethaf.

Roedd ffordd lled un cerbyd yn arwain at y gât, gyda goleuadau rheoli ar bob pen. Roedd yn broses gymhleth. Pan fyddai car neu dryc yn cyrraedd, byddai'n stopio ar waelod y ffordd ac yn aros. Dim ond pan fyddai'r golau rheoli cyntaf yn newid roedd yn cael caniatâd i fynd ymlaen at y gwarchoty o frics a gwydr nesaf at y gât. Yna byddai dyn mewn lifrai'n ymddangos ac yn cymryd dogfennau'r gyrrwr, er mwyn eu gwirio ar gyfrifiadur, mae'n debyg. Roedd dau ddyn arall yn archwilio'r cerbyd, gan wneud yn siŵr nad oedd neb arall y tu mewn. Ac nid dyna'r cyfan. Roedd camera diogelwch wedi'i osod yn uchel ar y ffens ac roedd Alecs wedi sylwi ar rywbeth oedd yn edrych fel darn o wydr cryf wedi'i osod yn wyneb y ffordd. Pan fyddai'r cerbydau'n stopio roedden nhw'n union uwch ei ben, a dyfalai Alecs fod camera arall oddi tanodd. Doedd dim modd o gwbl iddo sleifio i mewn i'r cowrt. Roedd Technoleg Meddalwedd Cray wedi meddwl am bopeth.

Roedd sawl tryc wedi mynd i mewn i'r cowrt tra oedd yn gwylio. Roedd Alecs wedi nabod ffigur Omni mewn dillad du wedi'i beintio – i'w faint naturiol – ar ochrau'r cerbydau fel rhan o logo Gameslayer. Meddyliodd tybed a fyddai modd sleifio i mewn i un o'r lorïau, fallai tra oedd honno'n aros wrth y set gyntaf o oleuadau. Ond roedd y ffordd yn rhy agored. Yn y nos byddai llifoleuadau arni. Sut bynnag, roedd o bron yn sicr y byddai'r drysau dan glo.

Doedd dim modd iddo ddringo'r ffens. Roedd y weiren rasel yn gwneud hynny'n amhosib. Doedd o ddim yn credu y gallai gloddio twnnel i fynd i mewn. Allai o rywsut newid ei ymddangosiad a chymysgu â staff y shifft nos? Na. Am unwaith, roedd ei daldra a'i oedran yn ei erbyn. Fallai y byddai Jac wedi gallu rhoi cynnig arni, gan ffugio cymryd lle un o'r glanhawyr neu'r technegwyr. Ond doedd ddim gobaith y byddai'n gallu mynd heibio'r gwarchodwyr, yn arbennig gan na allai siarad gair o Iseldireg. Roedd y warchodaeth yn rhy lym.

Ac yna gwelodd Alecs bosiblrwydd – reit o flaen ei lygaid.

Roedd tryc arall wedi stopio a'r gyrrwr yn cael ei holi tra oedd y staff yn archwilio'r caban. Oedd y peth yn bosib? Cofiodd am ei feic, oedd wedi'i glymu â chadwyn wrth bostyn lamp, gant neu ddau o fetrau i lawr y ffordd. Cyn cychwyn o Lundain roedd wedi darllen y llawlyfr a gafodd gyda'r beic, a chafodd ei synnu gan y nifer o ddyfeisiau roedd Smithers wedi llwyddo i'w cuddio o amgylch a thu mewn i rywbeth mor gyffredin. Roedd hyd yn oed y clipiau beic yn rhai magnetig! Gwyliodd Alecs wrth i'r gât lithro'n agored a'r tryc yn mynd yn ei flaen.

Byddai. Fe fyddai'n gweithio. Byddai'n rhaid iddo aros nes ei bod yn dywyll – ond roedd hyn yn rhywbeth na fyddai neb yn ei ddisgwyl. Yn sydyn, ar waethaf popeth, cafodd Alecs ei hun yn gwenu.

Gobeithiai y byddai'n ddigon ffodus i ddod o hyd i siop gwisgoedd ffansi yn Amsterdam.

Erbyn naw o'r gloch roedd hi'n dywyll, ond roedd y llifoleuadau o amgylch y cowrt wedi cael eu troi ymlaen yn llawer cynt, gan droi'r lle'n gyfuniad llachar o ddu a gwyn. Y gatiau, y weiren rasel, y gwarchodwyr a'u drylliau … gallai rhywun weld y cyfan o filltir i ffwrdd. Ond erbyn hyn roedden nhw'n taflu cysgodion trwm – pyllau o dywyllwch allai gynnig cuddfan i unrhyw un oedd yn ddigon dewr i fentro'n agos.

Roedd lori ar ei phen ei hun yn dod tua'r brif gât. Iseldirwr oedd y gyrrwr, ac roedd wedi teithio o borthladd Rotterdam. Doedd ganddo ddim syniad beth oedd cynnwys ei lwyth, a doedd dim ots ganddo. O'r diwrnod y dechreuodd weithio i gwmni Technoleg Meddalwedd Cray, gwyddai y byddai'n well peidio holi. Roedd y set gyntaf o oleuadau rheoli ar goch ac arafodd, yna stopio. Doedd dim un cerbyd arall yn y golwg ac roedd yn flin ei fod yn cael ei gadw, ond gwell fyddai peidio cwyno. Yn sydyn clywodd sŵn curo ac edrychodd drwy'r ffenest er mwyn cael cipolwg yn y drych ochr. Oedd yna rywun yn ceisio tynnu'i sylw? Ond doedd neb yno, a phan newidiodd y golau ymhen eiliad neu ddwy, dechreuodd y lori symud yn ei blaen unwaith eto.

Gyrrodd dros y panel gwydr ac agor ei ffenest. Roedd gwarchodwr yn sefyll y tu allan ac estynnodd ei gerdyn adnabod iddo – darn o blastig yn cynnwys ei lun, ei enw a'i rif cyflogai. Gwyddai'r gyrrwr y byddai gwarchodwyr eraill yn archwilio'i lori. Weithiau byddai'n meddwl tybed pam eu bod mor ofalus gyda'u systemau diogelwch. Wedi'r cyfan, dim ond cynhyrchu gêmau cyfrifiadur oedden nhw. Ond roedd wedi clywed am ysbïo diwydiannol ... cwmnïau'n lladrata cyfrinachau oddi ar ei gilydd. Roedd yn gwneud synnwyr, mae'n debyg, meddyliodd.

Roedd dau warchodwr yn cerdded o amgylch

y tryc wrth i'r gyrrwr eistedd yno'n hel meddyliau. Roedd trydydd dyn yn archwilio'r lluniau oedd yn cael eu trosglwyddo o'r camera oddi tanodd. Roedd y tryc wedi cael ei lanhau'n ddiweddar. Roedd y gair GAMESLAYER i'w weld yn glir ar yr ochr, gyda ffigur Omni yn ei gwrcwd nesaf ato. Estynnodd un o'r gwarchodwyr ei law a cheisio agor y drws yn y cefn. Roedd y drws, fel dylai fod, dan glo. Yn y cyfamser edrychodd y gwarchodwr arall i mewn drwy ffenest flaen y caban. Ond roedd yn amlwg fod y gyrrwr ar ei ben ei hun.

Roedd y broses ddiogelwch yn llyfn ac wedi'i hymarfer yn drwyadl. Doedd y camerâu ddim wedi dangos neb yn cuddio dan y tryc nac ar y to. Roedd y drws cefn wedi'i gloi. Roedd manylion y gyrrwr wedi'u gwirio. Gwnaeth un o'r gwarchodwyr arwydd ac agorwyd y gât gan swits electronig, gan lithro i'r ochr i adael i'r tryc fynd i mewn. Roedd y gyrrwr yn gwybod ble i fynd heb i neb ddweud wrtho. Ar ôl rhyw bum deg metr, fforchiodd i ffwrdd oddi ar ffordd y fynedfa gan ddilyn llwybr culach a ddaeth â'r lori i'r man dadlwytho. Roedd oddeutu dwsin o gerbydau eraill wedi'u parcio yno, a stordai ar bob ochr. Diffoddodd y gyrrwr yr injan, dringo i lawr a chloi'r drws. Roedd ganddo waith papur i'w wneud. Byddai'n trosglwyddo'r allweddi ac yn derbyn cerdyn wedi'i stampio â'i amser cyrraedd. Bydden nhw'n dadlwytho'r lori'r diwrnod canlynol.

Aeth y gyrrwr oddi yno. Doedd dim byd yn symud. Doedd neb arall o gwmpas.

Ond pe bai rhywun wedi cerdded heibio, mae'n bosib y byddai wedi gweld rhywbeth rhyfeddol. Ar ochr y tryc, trodd y ffigur Omni yn y wisg ddu ei ben. O leiaf, felly y byddai wedi ymddangos. Ond pe bai'r person hwnnw wedi edrych yn fanylach, byddai wedi sylweddoli bod dau ffigur ar y tryc. Roedd un wedi'i beintio; person byw oedd y llall, yn cydio'n dynn wrth y paneli metel yn yr un safiad yn union â'r darlun oddi tano.

Disgynnodd Alecs Rider yn ddi-sŵn i'r llawr. Roedd cyhyrau'i freichiau a'i goesau'n sgrechian, a meddyliodd tybed faint hirach y byddai wedi medru dal ei afael. Roedd Smithers wedi anfon pedwar clip magnetig cryf gyda'r beic, ac Alecs wedi'u defnyddio i'w gadw ei hun yn ei le: dau ar gyfer ei ddwylo, dau ar gyfer ei draed. Yn gyflym, tynnodd y siwt ninja ddu roedd wedi'i phrynu'r pnawn hwnnw yn Amsterdam, ei rholio a'i gwthio i mewn i fin sbwriel. Roedd wedi bod yng ngolwg y gwarchodwyr wrth i'r tryc yrru drwy'r gât. Ond doedden nhw ddim wedi craffu'n rhy agos. Roedden nhw wedi disgwyl gweld ffigur nesaf at y logo Gameslayer, a dyna'n union a welson nhw. Am unwaith, roedden nhw wedi gwneud camgymeriad wrth gredu'u llygaid.

Ystyriodd Alecs beth oedd o'i amgylch. Falla ei fod y tu mewn i'r cowrt, ond fyddai ei lwc dda ddim yn para am byth. Yn sicr, mi fyddai 'na warchodwyr eraill ar batrôl, a chamerâu eraill hefyd. Am beth yn union roedd o'n chwilio? Y peth rhyfedd oedd, doedd ganddo ddim syniad mewn gwirionedd. Ond roedd rhywbeth yn dweud wrtho os oedd Damian Cray'n trefnu lefel mor uchel o ddiogelwch, yna'r rheswm oedd fod ganddo rywbeth i'w guddio. Wrth gwrs, gallai Alecs fod yn anghywir a Cray'n gwbl ddiniwed. Roedd rhyw gysur yn y syniad hwnnw.

Aeth ymlaen drwy'r cowrt, gan anelu am y ciwb enfawr a safai yn ei ganol. Clywodd sŵn hymian, a dyciodd i'r cysgod dan ryw wal wrth i gar electronig brysuro heibio'n cario tri o deithwyr a merch mewn oferôl las wrth y llyw. Sylweddolodd fod rhyw weithgarwch yn digwydd rywle o'i flaen. Roedd llecyn agored, dan oleuadau llachar, yn ymestyn draw y tu ôl i un o'r storfeydd. Atseiniodd llais yn sydyn yn yr aer, wedi'i chwyddo gan uchelseinyddion. Roedd dyn yn siarad – ond mewn Iseldireg. Doedd Alecs ddim yn deall yr un gair. Gan symud yn gyflymach, brysiodd yn ei flaen, yn benderfynol o weld beth oedd yn digwydd.

Daeth ar draws rhyw lwybr cul rhwng dau adeilad a rhedodd ar ei hyd, yn falch o gael ei gysgodi gan y waliau. Yn y pen pellaf daeth at ddihangfa dân – grisiau metel yn troelli at i fyny – a thaflodd ei hun y tu ôl iddi i gael ei wynt ato. Gallai guddio yn y fan yma. Ond wrth edrych rhwng y grisiau, gallai weld yn glir beth oedd yn digwydd o'i flaen.

Roedd yno sgwâr o darmac du gyda swyddfeydd wedi'u hadeiladu o wydr a dur ar bob ochr. Y mwyaf o'r rhain oedd y ciwb roedd Alecs wedi'i weld o'r tu allan. Roedd Damian Cray'n sefyll o'i flaen, yn siarad yn frwd â dyn mewn côt wen, a thri dyn arall y tu ôl iddo. Hyd yn oed o bellter, roedd yn amhosib methu Cray. Ef oedd y person byrraf yno, wedi'i wisgo unwaith eto mewn siwt smart. Roedd wedi dod yno i wylio rhyw fath o arddangosiad. Safai oddeutu hanner dwsin o warchodwyr yn disgwyl, wedi'u lleoli yma ac acw o amgylch y sgwâr. Deuai golau gwyn llachar o'r lampau ar ddau dŵr metel nad oedd Alecs wedi sylwi

166

arnynt o'r blaen.

Wrth wylio drwy'r grisiau tân, gwelai Alecs fod awyren nwyddau ynghanol y sgwâr. Cymerodd rai eiliadau iddo gredu'r hyn roedd yn ei weld. Doedd dim modd i'r awyren fod wedi glanio yno. Dim ond digon mawr i gynnwys yr awyren oedd y sgwâr, a hyd y gwyddai doedd dim rhedfa awyrennau o fewn ffiniau'r cowrt. Rhaid ei bod wedi'i chario yno ar gefn lori, a fallai wedi'i rhoi at ei gilydd ar y safle. Ond beth oedd hi'n wneud yma? Awyren henffasiwn oedd hi, gyda phropelau yn hytrach nag injan jet, ac adenydd wedi'u gosod yn uchel, bron yn eistedd ar ben y prif gorff. Roedd y geiriau MILLENNIUM AIR wedi'u peintio mewn coch ar yr ochr a'r gynffon.

Edrychodd Cray ar ei oriawr. Yn fuan wedyn daeth yr uchelseinydd yn fyw eto â chyhoeddiad arall mewn Iseldireg. Tawodd pawb a syllu ar yr awyren. Llygadrythodd Alecs. Roedd tân wedi cynnau y tu mewn i'r brif gaban. Gallai weld y fflamau'n neidio y tu ôl i'r ffenestri. Dechreuodd mwg llwyd lifo allan o'r corff, ac yn sydyn aeth propelor ar dân. Roedd y tân i'w weld yn ymledu y tu hwnt i reolaeth mewn eiliadau, gan lyncu'r injan ac ymledu dros yr adain. Disgwyliai Alecs i rywun wneud rhywbeth. Os oedd unrhyw danwydd yn yr awyren, byddai'n sicr o ffrwydro unrhyw eiliad. Ond symudodd neb. Roedd Cray fel petai wedi nodio'i ben, meddyliodd.

Roedd y cyfan ar ben mor sydyn ag y dechreuodd. Siaradodd y dyn yn y gôt wen i mewn i ffôn radio a diffoddodd y tân. Digwyddodd hynny mor gyflym fel na fyddai Alecs wedi credu ei fod yno yn y lle cyntaf, oni bai ei fod wedi'i weld â'i lygaid ei hun. Ddefnyddiodd neb na dŵr nac ewyn. Doedd dim olion llosgi na dim mwg.

Un funud roedd yr awyren ar dân; y nesaf doedd hi ddim. Roedd y peth mor syml â hynny.

Treuliodd Cray a'r tri dyn arall rai eiliadau'n siarad, cyn troi a cherdded yn hamddenol yn ôl i mewn i'r ciwb. Martsiodd y gwarchodwyr yn y sgwâr i ffwrdd. Gadawyd yr awyren lle roedd hi. Meddyliodd Alecs tybed pa fath o sefyllfa wallgof roedd o wedi glanio ynddi. Doedd a wnelo hyn ddim oll â gêmau cyfrifiaduron. Doedd y peth ddim yn gwneud unrhyw synnwyr o gwbl.

Ond o leiaf roedd wedi cael golwg ar Damian Cray.

Arhosodd Alecs nes bod y gwarchodwyr wedi mynd, yna dringodd allan o'r tu ôl i'r ddihangfa dân. Aeth yn ei flaen mor gyflym ag y gallai o amgylch y sgwâr, gan gadw at y cysgodion.

Roedd Cray wedi gwneud camgymeriad. Gan fod torri i mewn i'r cowrt bron yn amhosib, roedd Cray wedi gofalu llai am ddiogelwch oddi mewn. Doedd Alecs ddim wedi gweld unrhyw gamerâu diogelwch, ac roedd y gwarchodwyr yn y tyrau'n edrych tuag allan yn hytrach nag i mewn. Roedd yn ddiogel – am ryw hyd, o leiaf.

Aeth Alecs ar ôl Cray i mewn i'r adeilad a chael ei hun yn croesi llawr marmor gwyn rhyw focs gwydr enfawr. Uwchben gallai weld awyr y nos a siapiau'r tair melin wynt yn y pellter. Doedd dim byd yn yr adeilad. Ond roedd un twll crwn mewn un cornel o'r llawr a grisiau'n arwain at i lawr.

Clywodd Alecs leisiau.

Sleifiodd i lawr y grisiau, oedd yn arwain yn syth i stafell fawr dan ddaear. Yn ei gwrcwd ar y ris isaf, wedi'i guddio gan y canllawiau dur trwchus, gwyliodd.

Stafell agored oedd hi, gyda llawr marmor gwyn a choridorau'n arwain i ffwrdd i sawl cyfeiriad. Roedd y cynllun yn gwneud iddo feddwl am ddaeargell mewn banc hynod fodern. Ond gallai'r carpedi gwych, y lle tân, y dodrefn Eidalaidd a'r piano Bechstein mewn gwyn llachar fod wedi dod o balas. Ar un ochr roedd desg fawr ac arni resaid o ffonau a sgriniau

169

cyfrifiadur. Roedd y goleuadau i gyd ar lefel y llawr, gan roi naws od, anghysurus i'r stafell, a'r cysgodion i gyd yn mynd i'r cyfeiriad anghywir. Roedd darlun o Damian Cray yn gafael mewn pwdl gwyn yn llenwi un wal gyfan.

Roedd y dyn ei hun yn eistedd ar soffa, yn sipian diod melyn llachar. Daliai geiriosen ar ffon goctel, a gwyliodd Alecs wrth iddo'i thynnu â'i ddannedd gwyn perffaith a'i bwyta'n araf. Roedd y tri dyn oedd yn y sgwâr yno gydag ef, a gwyddai Alecs ar unwaith ei fod yn iawn o'r cychwyn cyntaf – roedd Cray'n wir wrth graidd yr holl fusnes.

Yassen Gregorovich oedd un o'r dynion. Wedi'i wisgo mewn jîns a chrys gwddf polo, eisteddai ar y stôl biano â'i goesau wedi'u croesi. Safai'r ail ddyn wrth ei ymyl, yn pwyso yn erbyn y piano. Roedd hwnnw'n hŷn, ei wallt wedi troi'n arian, a chroen ei wyneb yn llac â chreithiau brech arno. Gwisgai blaser las a thei streipiog oedd yn gwneud iddo edrych yn debyg i ryw swyddog eilradd mewn banc neu glwb criced. Roedd ganddo sbectol fawr oedd wedi suddo i groen ei wyneb fel pe bai hwnnw'n glai llaith. Edrychai'n nerfus, y llygaid y tu ôl i'r gwydr yn blincio'n aml. Dyn pryd tywyll, golygus oedd y trydydd, yn ei bedwar degau hwyr, ei wallt yn ddu, y llygaid yn llwyd a'i ên yn sgwâr a difrifol. Roedd wedi'i wisgo mewn dillad hamdden – siaced ledr a chrys â gwddf agored – ac roedd i'w weld mewn hwyliau da.

Roedd Cray'n siarad gydag e. 'Rwy'n ddiolchgar iawn ichi, Mr Roper. I chi mae'r diolch fod Cyrch Eryr yn gallu mynd ymlaen ar amser.'

Roper! Hwn oedd y dyn roedd Cray wedi cyfarfod ag e ym Mharis. Cafodd Alecs y teimlad fod yr olwyn wedi troi mewn cylch cyfan. Ymdrechodd i glywed sgwrs y ddau ddyn.

'Hei – plîs. Galwch fi'n Charlie.' Siaradai'r dyn mewn acen Americanaidd. 'A does dim angen diolch imi, Damian. Mae wedi bod yn bleser gwneud busnes gyda chi.'

'Mae gen i gwestiwn neu ddau,' mwmiodd Cray, a sylwodd Alecs arno'n codi rhywbeth oddi ar fwrdd coffi wrth y soffa – capsiwl metel yr un siâp a maint â ffôn symudol. 'Fel rwy'n deall, mae'r côd aur yn newid bob dydd. Rwy'n cymryd bod y gyriant fflach ar hyn o bryd wedi'i raglennu â chodau heddiw. Ond pe bai Cyrch Eryr yn digwydd ymhen dau ddiwrnod ...'

'Dim ond ei blwgo fe mewn sy angen. Fe wnaiff y gyriant fflach ei ddiweddaru'i hun,' eglurodd Roper gan wenu. 'Dyna wychder y

171

peth. I ddechrau fe fydd yn twrio drwy'r systemau diogelwch. Yna fe fydd yn codi'r codau newydd ... fel dwgyd losin gan fabi. Y foment mae'r codau gyda chi, fe fyddwch chi'n eu darlledu nhw'n ôl drwy Milstar, a dyna fe — mor syml â hynny. Yr unig broblem all godi, fel dwedais i gynnau, yw mater bach y bys ar y botwm.'

'Wel, rydyn ni wedi datrys hynny'n barod,' meddai Cray.

'Os felly, cystal imi godi mhac.'

'Munud neu ddau'n rhagor o'ch amser gwerthfawr chi, os gwelwch yn dda Mr Roper ... Charlie ...' meddai Cray. Sipiodd ei goctel, llyfu'i wefusau a gosod ei wydryn i lawr. 'Sut galla i fod yn sicr y bydd y gyriant fflach yn gwneud ei waith yn iawn?'

'Rwy'i wedi rhoi ngair i chi,' meddai Roper. 'Ac ry'ch chi'n talu digon imi, heb amheuaeth.'

'Digon gwir. Hanner miliwn o ddoleri o flaendal. A dwy filiwn o ddoleri nawr. Ar y llaw arall ...' Crychodd Cray ei wefusau. 'Mae un mater bach arall yn peri gofid imi.'

Roedd coes Alecs wedi mynd yn ddiymadferth wrth iddo wylio'r olygfa yn ei gwrcwd o'r grisiau. Sythodd ei goes yn araf. Byddai'n dda ganddo pe bai'n gallu deall rhagor o'r sgwrs rhwng y ddau. Gwyddai mai math o ddyfais storio oedd gyriant fflach ar gyfer cyfrifiaduron. Ond pwy neu beth oedd Milstar? A beth oedd Cyrch Eryr?

'Beth yw'r broblem?' gofynnodd Roper yn ddidaro.

'Rwy'n ofni taw *chi* yw'r broblem, Mr Roper.' Yn sydyn, roedd y llygaid gwyrdd yn wyneb crwn, plentynnaidd Cray wedi troi'n galed. 'Dy'ch chi ddim mor ddibynadwy ag ro'n i wedi'i obeithio. Pan ddaethoch chi i Baris, fe gawsoch eich dilyn.'

'Dyw hynny ddim yn wir.'

'Roedd newyddiadurwr o Sais wedi cael gwybod am eich hoffter o gamblo. Roedd e a ffotograffydd wedi'ch dilyn chi i la Tour d'Argent.' Cododd Cray ei law rhag i Roper dorri ar ei draws. 'Rwyf wedi delio gyda'r ddau. Ond ry'ch chi wedi fy siomi, Mr Roper. Mae'n anodd gwybod a alla i ymddiried ynoch chi ai peidio.'

'Nawr gwrandwch chi arna i, Damian,' meddai Roper mewn llais blin. 'Roedd bargen gyda ni. Fe fues i'n gweithio yma gyda'ch criw technegol chi. Fe roddais i'r wybodaeth roedden nhw ei hangen i lwytho'r gyriant fflach, a dyna'n rhan i o'r gwaith wedi'i gyflawni. Shwd ych chi'n mynd i gael mynediad i'r lolfa VIP a shwd yr ewch chi ati i fywiogi'r system ... eich busnes chi yw hynny. Ond mae arnoch chi ddwy filiwn o ddoleri imi, a dyw'r newyddiadurwr yma – pwy bynnag oedd e – ddim yn gwneud unrhyw wahaniaeth o gwbl.'

'Arian gwaed,' meddai Cray.

'Beth?'

'Dyna maen nhw'n galw arian sy'n cael ei dalu i fradwyr.'

'Nage bradwr ydw i!' chwyrnodd Roper. 'Roedd arna i angen yr arian, dyna'r cyfan. Dwi ddim wedi bradychu ngwlad. Felly rhowch y gore i'r siarad twp yma, talwch beth sydd arnoch chi imi a gadewch imi gerdded mas o fan hyn.'

'Wrth gwrs mod i am dalu'r arian sy'n ddyledus i chi,' meddai Cray gan wenu. 'Bydd raid ichi fadde imi, Charlie. Dim ond meddwl yn uchel o'n i.' Gwnaeth ystum â'i law, gan adael iddi syrthio'n llipa. Trodd yr Americanwr i edrych a gwelodd Alecs fod alcof ar un ochr o'r stafell. Roedd yr un siâp â photel anferth, gyda wal fwaog y tu ôl a drws gwydr yn y blaen. Tu mewn roedd bwrdd, ac ar y bwrdd roedd bag lledr i ddal dogfennau.

'Mae'ch arian i mewn yn fan yna,' meddai Cray.

'Diolch.'

Doedd Yassen Gregorovich na'r dyn â'r sbectol wedi yngan gair drwy hyn i gyd, ond gwyliodd y ddau'n ofalus wrth i'r Americanwr nesáu at yr alcof. Rhaid bod synhwyrydd o ryw fath wedi'i osod yn y drws, oherwydd llithrodd ar agor ohono'i hun. Aeth Roper at y bwrdd ac agor y bag dogfennau. Clywodd Alecs y ddau glo'n clician ar agor.

Yna trodd Roper ei ben. 'Gobeitho nad eich syniad chi o jôc yw hyn,' meddai. 'Mae hwn yn wag.'

Gwenodd Cray arno o'r soffa. 'Peidiwch becso,' meddai. 'Fe wna i ei lanw fe.' Estynnodd ei law a phwyso botwm ar y bwrdd coffi o'i flaen. Clywyd sŵn hisian a llithrodd drws yr alcof ynghau.

'Hei!' gwaeddodd Roper.

Pwysodd Cray'r botwm am yr eildro.

Am eiliad ddigwyddodd dim byd. Sylweddolodd Alecs ei fod yn dal ei anadl. Roedd ei galon yn curo ddwywaith mor gyflym ag arfer. Yna syrthiodd rhywbeth gloyw, lliw arian, o rywle'n uchel i fyny yn y stafell gaeedig, gan lanio yn y bag. Estynnodd Roper ei law a chodi darn arian bach. Darn chwarter doler oedd o – pum sent ar hugain.

'Cray! Beth yw'r gêm?' gofynnodd.

Dechreuodd rhagor o ddarnau arian syrthio i mewn i'r bag. Welai Alecs ddim yn hollol beth oedd yn digwydd, ond dyfalai fod y stafell yn wirioneddol fel potel, wedi'i selio'n llwyr ar wahân i dwll rywle uwchben. Roedd y darnau arian yn syrthio drwy'r twll, a'r diferu'n troi'n rhaeadr. Ymhen eiliadau roedd y bag lledr yn llawn, ond daliai'r darnau arian i ddisgyn ar y pentwr, gan ymestyn dros y bwrdd ac ar y llawr.

Fallai bod gan Charlie Roper ryw syniad o'r hyn oedd ar fin digwydd. Brwydrodd drwy'r gawod arian a dyrnu'r drws gwydr. 'Stopiwch hyn!' gwaeddodd. 'Gadewch fi mas!"

'Ond dwi ddim eto wedi talu'r holl arian i chi, Mr Roper,' atebodd Cray. 'Ro'n i'n credu mod i wedi dweud fod arna i ddwy filiwn o ddoleri ichi.'

Yn sydyn trodd y rhaeadr yn genllif. Arllwysodd miloedd ar filoedd o ddarnau arian i'r stafell. Gwaeddodd Roper, gan godi'i fraich uwch ei ben i geisio'i amddiffyn ei hun. Gwnaeth Alecs y symiau'n gyflym. Dwy filiwn o ddoleri, pum sent ar hugain ar y tro. Roedd y taliad yn cael ei wneud â'r arian manaf posib. Sawl darn fyddai yna? Roedden nhw eisoes wedi gorchuddio pob modfedd o'r llawr, gan gyrraedd hyd at bengliniau'r Americanwr. Cynyddodd y llifeiriant. Erbyn hyn roedd y gawod ddarnau'n solet, a sŵn sgrechian Roper wedi'i foddi bron gan sŵn clecian metel ar fetel. Roedd Alecs isio edrych i ffwrdd, ond roedd ei lygaid wedi'u hoelio ar yr olygfa arswydus o'i flaen.

Prin y gallai weld y dyn erbyn hyn. Taranai'r darnau i lawr. Roedd Roper yn ceisio'u taro i'r naill ochr, fel pe baen nhw'n haid o wenyn. Gallai Alecs weld ambell gipolwg o'i freichiau a'i ddwylo, ond roedd ei wyneb a'i gorff wedi mynd o'r golwg. Anelodd â'i ddwrn a gwelodd Alecs staen gwaedlyd yn ymddangos ar y drws – ond gwrthodai'r gwydr caled dorri. Roedd y darnau arian yn dal i lifo, gan lenwi pob modfedd o wagle. Codent yn uwch ac yn uwch. Roedd Roper o'r golwg erbyn hyn, wedi'i selio i mewn yn y domen ddisglair. Os oedd yn dal i sgrechian, doedd dim modd ei glywed.

Ac yna'n sydyn roedd y cyfan ar ben. Syrthiodd y darnau olaf. Bedd o wyth miliwn o ddarnau chwarter doler. Crynodd Alecs wrth geisio dyfalu sut deimlad fyddai cael ei ddal yn sownd y tu mewn. Sut oedd yr Americanwr wedi marw? A oedd wedi cael ei fygu gan y darnau'n syrthio, ynteu ei wasgu dan eu pwysau? Doedd gan Alecs ddim amheuaeth nad oedd y dyn tu mewn yn farw. Arian gwaed! Allai jôc ffiaidd Cray ddim bod yn fwy cywir.

Chwarddodd Cray.

'Wel dyna hwyl!' meddai.

'Pam ddaru chi 'i ladd o?' Roedd y dyn â'r sbectol yn siarad am y tro cyntaf, a hynny mewn acen Iseldiraidd. Roedd cryndod yn ei lais.

'Am ei fod yn ddiofal, Henryk,' atebodd Cray. 'Allwn ni ddim fforddio gwneud camgymeriadau, ddim mor ddiweddar â hyn yn y dydd. All neb ddweud mod i wedi torri unrhyw addewid. Fe ddwedes i y byddwn i'n talu dwy filiwn o ddoleri iddo, ac os hoffech chi agor y drws a'i gyfrif, dwy filiwn o ddoleri'n gwmws fydd yno.'

'Peidiwch ag agor y drws!' ebychodd Henryk.

'Na. Fe fydde 'na dipyn o lanast.' Gwenodd Cray. 'Wel, dyna ni wedi gofalu am Roper. Mae'r gyriant fflach gyda ni. Felly pam na chymerwn ni ddiod bach arall?'

Ac yntau'n dal yn ei gwrcwd ar waelod y grisiau, gwasgodd Alecs ei ddannedd, gan ei orfodi ei hun i beidio panicio. Roedd ei holl reddf yn dweud wrtho am godi a rhedeg, ond gwyddai fod yn rhaid iddo gymryd gofal. Roedd yr hyn roedd newydd ei weld bron yn amhosib ei gredu – ond o leiaf roedd ei gynllun bellach yn glir. Roedd yn rhaid iddo ddianc o'r cowrt, o Sloterdijk, a theithio'n ôl i Lundain.

Hoffi neu beidio, roedd yn rhaid iddo fynd yn

ôl at MI6.

Gwyddai bellach mai fo oedd yn iawn ar hyd yr amser a bod Damian Cray'n ddyn gwallgof a drwg. Doedd ei holl safiadau – ei elusennau niferus a'i areithiau yn erbyn trais – yn ddim ond sioe, dim mwy na hynny. Roedd wrthi'n cynllunio rhywbeth roedd yn ei alw'n Cyrch Eryr, a byddai hwnnw – beth bynnag oedd o – yn digwydd ymhen dau ddiwrnod. Roedd yn cynnwys system ddiogelwch a lolfa VIP. Oedd Cray'n bwriadu torri i mewn i ryw lysgenhadaeth? Doedd dim ots. Rywsut neu'i gilydd byddai'n rhaid iddo wneud i Alan Blunt a Mrs Jones ei gredu. Roedd dyn o'r enw Charlie Roper wedi marw. Cysylltiad ag Asiantaeth Ddiogelwch Cenedlaethol America. Rhaid bod yr wybodaeth oedd gan Alecs yn ddigon i'w perswadio y dylai Cray gael ei restio.

Ond i ddechrau roedd yn rhaid iddo wneud ei ffordd allan.

Trodd mewn pryd i weld ffigur yn ymddangos uwch ei ben. Gwarchodwr oedd yno, yn dod i lawr y grisiau. Dechreuodd Alecs ymateb, ond roedd yn rhy hwyr. Roedd y gwarchodwr wedi'i weld. Roedd ganddo ddryll. Cododd Alecs ei ddwylo'n araf. Gwnaeth y gwarchodwr ystum a safodd Alecs, gan godi'n uwch na chanllaw'r grisiau. O'ochr arall yr ystafell, gwelodd Damian Cray ef. Goleuodd ei wyneb mewn llawenydd.

'Alecs Rider!' ebychodd. 'Ro'n i'n gobeitho dy weld *ti* eto. Dyna syrpréis hyfryd! Dere draw i gael diod – a gad imi ddweud wrthot ti shwd yn union rwyt ti'n mynd i farw.'

POEN BENTHYG

'Mae Yassen wedi dweud y cyfan wrtha i amdanat ti,' meddai Cray. 'Fe fuest ti'n gweithio i MI6, mae'n ymddangos. Rhaid imi ddweud, mae hynna'n syniad gwreiddiol iawn. Wyt ti'n dal i weithio iddyn nhw nawr? Wnaethon nhw dy hala di ar fy ôl i?'

Ddwedodd Alecs 'run gair.

'Os na fyddi di'n ateb fy nghwestiynau i, fallai bydd raid imi ddechrau meddwl am wneud pethau cas iti. Neu gael Yassen i'w gwneud nhw. Dyna pam rwy'n talu iddo fe. Pinnau a nodwyddau … y math yna o beth.'

'Dyw MI6 yn gwybod dim,' meddai Yassen.

Dim ond Cray ac yntau oedd yn y stafell gydag Alecs. Roedd y gwarchodwr a Henryk wedi mynd. Eisteddai Alecs ar y soffa yn dal gwydraid o laeth siocled roedd Cray wedi mynnu'i arllwys iddo. Roedd Cray erbyn hyn yn eistedd ar y stôl biano, ei goesau wedi'u croesi a golwg wedi ymlacio'n llwyr arno wrth iddo sipian coctel arall.

'Doedd dim modd i'r gwasanaethau cudd wybod unrhyw beth amdanon ni,' meddai Yassen wedyn. 'A hyd yn oed pe bydden nhw, fydden nhw ddim wedi gyrru Alecs yma.'

181

'Felly pam roedd e yn y Gromen Bleser? Pam mae e yma?' Trodd Cray at Alecs. 'Dwi ddim yn dychmygu am eiliad dy fod ti wedi dod yr holl ffordd yma jest i gael fy llofnod i. A dweud y gwir, Alecs, rwy'n eitha balch o'th weld ti. Ro'n i'n bwriadu dod o hyd iti ryw ddiwrnod ta beth. Fe wnest ti ddifetha lansiad fy Gameslayer i'n llwyr. Rhy glyfar o'r hanner! Ro'n i'n grac iawn gyda ti, ac er mod i braidd yn brysur ar hyn o bryd, ro'n i am drefnu damwain fach ...'

'Fel gwnaethoch chi i'r ddynes yna yn Hyde Park?' gofynnodd Alecs.

'Roedd hi'n bla, yn gofyn cwestiynau digywilydd. Mae'n gas 'da fi newyddiadurwyr, ac mae'n gas 'da fi gryts hollwybodus hefyd. Fel dwedes i, rwy'n falch dy fod ti wedi llwyddo i ddod yma. Mae'n gwneud fy mywyd i'n llawer haws.'

'Fedrwch chi ddim gwneud dim byd imi,' meddai Alecs. 'Mae MI6 yn gwybod mod i yma. Maen nhw'n gwybod y cyfan am Cyrch Eryr. Fallai fod y codau ganddoch chi, ond fyddwch chi byth yn medru'u defnyddio nhw. Ac os na wna i ffonio i mewn heno, mi fydd y lle 'ma wedi'i amgylchynu'n llwyr erbyn y bore ac mi fyddwch chi yn y carchar ...'

Edrychodd Cray ar Yassen. Ysgydwodd y

Rwsiad ei ben. 'Dweud celwydd mae e. Mae'n rhaid ei fod wedi'n clywed ni'n siarad o'r grisiau. Dyw e'n gwybod dim.'

Llyfodd Cray ei wefusau. Sylweddolodd Alecs ei fod yn mwynhau ei hun. Erbyn hyn gwelai'n union pa mor wallgof oedd Cray. Doedd y dyn ddim mewn cysylltiad â'r byd go iawn, ac roedd Alecs yn gwybod y byddai beth bynnag yr oedd yn ei gynllunio ar raddfa fawr – ac, mae'n debyg, yn farwol.

'Dyw hynny'n gwneud dim gwahaniaeth,' meddai Cray. 'Bydd Cyrch Eryr wedi digwydd ymhen llai na phedwar deg wyth awr o nawr. Rwy'n cytuno â ti, Yassen. Dyw'r crwt yn gwybod dim. Mae e'n amherthnasol. Fe alla i ei ladd e, a wnaiff hynny ddim gwahaniaeth o gwbl.'

'Does dim rhaid ichi'i ladd e,' meddai Yassen. Synnodd Alecs. Y Rwsiad oedd wedi lladd Ian Rider. Fo oedd gelyn pennaf Alecs. Ond dyma'r ail dro i Yassen geisio'i amddiffyn. 'Fe allwch chi jest ei roi e dan glo nes bod y cyfan ar ben.'

'Ti'n iawn,' meddai Cray. 'Does dim rhaid imi 'i ladd e. Ond mae'n rhywbeth rwy'n awyddus iawn i'w wneud.' Gwthiodd ei hun oddi ar y stôl biano a mynd draw at Alecs. 'Wyt ti'n cofio imi sôn wrthot ti am boen benthyg?' meddai. 'Yn

Llundain. Yr arddangosiad ... Mae poen benthyg yn gadael i chwaraewyr gêmau brofi teimladau'r arwr – pob un o'i deimladau, yn arbennig y rhai sy'n gysylltiedig â phoen a marwolaeth. Fallai dy fod ti'n ceisio dyfalu sut y llwyddais i'w raglennu e i mewn i'r meddalwedd. Yr ateb, fy annwyl Alecs, yw trwy ddefnyddio gwirfoddolwyr fel ti dy hun.'

'Wnes i ddim gwirfoddoli,' mwmiodd Alecs.

'Na'r lleill chwaith. Ond fe wnaethon nhw fy helpu i ta beth. Yn gwmws fel y gwnei di fy helpu. Dy wobr fydd cael diwedd ar y boen. Cysur a thawelwch marwolaeth ...' Edrychodd Cray i ffwrdd. 'Ewch ag e bant,' meddai.

Roedd dau warchodwr wedi dod i mewn i'r stafell. Doedd Alecs ddim wedi'u clywed nhw'n dod yn nes, ond nawr dyma nhw'n camu allan o'r cysgodion a chydio ynddo. Ceisiodd ymladd, ond roedden nhw'n rhy gryf iddo. Cafodd ei dynnu oddi ar y soffa a'i lusgo i ffwrdd ar hyd un o'r coridorau oedd yn arwain o'r stafell.

Llwyddodd Alecs i edrych yn ôl am y tro olaf. Roedd Cray wedi anghofio amdano'n barod. Roedd yn dal y gyriant fflach yn ei law a'i edmygu. Ond roedd Yassen yn ei wylio ac roedd golwg bryderus arno. Yna saethodd drws awtomatig i lawr gyda sŵn hisian aer wedi'i gywasgu a chafodd Alecs ei lusgo i ffwrdd, ei draed yn llithro'n llipa y tu ôl iddo, gan ddilyn y coridor tuag at beth bynnag roedd Damian Cray wedi'i drefnu ar ei gyfer.

Roedd y gell ym mhen draw coridor tanddaearol arall. Taflodd y ddau warchodwr Alecs i mewn, ac aros wrth iddo droi i'w hwynebu. Siaradodd yr un oedd wedi dod o hyd iddo ar y grisiau chydig o eiriau mewn acen Iseldiraidd gref.

'Mae'r drws yn cau ac mae'n aros ar gau. Rhaid i ti ddod o hyd i'r ffordd allan. Neu byddi di'n llwgu.'

Dyna'r cyfan. Clepiodd y drws a chlywodd Alecs ddwy follt yn cael eu tynnu ar draws. Clywodd sŵn camau'r gwarchodwyr yn gwanhau yn y pellter ac yn darfod. Yn sydyn roedd popeth yn dawel. Roedd ar ei ben ei hun.

Edrychodd o'i amgylch. Bocs metel noeth oedd y gell, oddeutu pum metr o hyd a dau fetr o led; roedd gwely bync ynddi, ond dim dŵr a dim ffenest. Roedd y drws wedi cau'n wastad â'r wal. Doedd dim hollt yn unman, dim cymaint â thwll clo. Doedd o erioed wedi bod mewn gwaeth sefyllfa. Doedd Cray ddim wedi credu'i stori; prin roedd wedi talu unrhyw sylw iddi. P'un ai oedd Alecs gydag MI6 ai beidio, doedd

185

hynny'n gwneud dim gwahaniaeth i Cray ... a'r gwir y tro yma oedd bod Alecs wedi cael ei dynnu i mewn i rywbeth heb fod MI6 yno'n gefn iddo. Am unwaith, doedd ganddo ddim dyfeisiau i'w helpu i dorri allan o'r gell. Roedd wedi dod â'r beic a gafodd yn anrheg gan Smithers gydag ef o Lundain i Baris ac yna i Amsterdam. Ond y funud yma roedd wedi'i barcio y tu allan i'r Orsaf Ganolog yn y ddinas, ac yno y byddai'n aros nes iddo gael ei ddwyn neu nes iddo rydu'n ddim. Roedd Jac yn gwybod ei fod wedi bwriadu torri i mewn i'r cowrt, ond hyd yn oed pe bai hi'n rhybuddio'r awdurdodau, sut byddai neb yn dod o hyd iddo? Roedd anobaith yn pwyso'n drwm arno. Doedd ganddo ddim nerth bellach i ymladd yn ôl.

Ac eto doedd o'n gwybod bron ddim byd. Pam fod Cray wedi buddsoddi cymaint o amser ac arian yn y system gêmau roedd yn ei galw'n Gameslayer? Pam fod arno angen y gyriant fflach? Beth oedd pwrpas yr awyren yng nghanol y cowrt? Yn fwy na dim, beth oedd Cray'n ei gynllunio? Byddai Cyrch Eryr yn digwydd ymhen deuddydd – ond ymhle, a beth fyddai'n ei olygu?

Gorfododd Alecs ei hun i gymryd rheolaeth o'r sefyllfa. Roedd wedi bod dan glo o'r blaen. Y peth pwysig oedd ei fod yn taro'n ôl – gwrthod ildio. Roedd Cray eisoes wedi gwneud rhai camgymeriadau. Roedd hyd yn oed dweud ei enw'i hun ar y ffôn pan ffoniodd Alecs ef o Saint-Pierre yn gamgymeriad. Fallai fod ganddo bŵer, enwogrwydd a mynydd o gyfoeth. Yn sicr roedd yn cynllunio ymgyrch enfawr. Ond doedd o ddim mor glyfar ag y credai. Roedd gan Alecs siawns dda o'i drechu.

Ond sut oedd dechrau? Roedd Cray wedi'i gau yn y gell yma i roi profiad o'r hyn roedd yn ei alw'n boen benthyg. Doedd Alecs ddim yn hoffi sŵn y geiriau. A beth ddwedodd y gwarchodwr? Dod o hyd i'r ffordd allan – neu lwgu. Ond *doedd* dim ffordd allan. Rhedodd Alecs ei ddwylo dros y waliau. Roedden nhw'n ddur solet. Aeth draw i archwilio'r drws am yr eildro. Dim. Roedd wedi'i selio'n dynn. Taflodd olwg ar y nenfwd, ar yr un lamp y tu ôl i haen drwchus o wydr. Dim ond y bync oedd ar ôl … Daeth o hyd i'r trapddrws oddi tano, wedi'i osod yn y wal. Roedd yn debyg i fflap ar gyfer cathod, ond yn ddigon mawr i gorff dynol fynd trwyddo. Yn wyliadwrus, gan feddwl y gallai fod magl ffŵl wedi'i gosod yno, estynnodd Alecs ei law a gwthio. Trodd y fflap metel at i mewn. Roedd rhyw fath o dwnnel y tu draw, ond ni allai weld

187

unrhyw beth. Pe bai'n cropian i mewn byddai'n mynd i le cyfyng heb unrhyw olau – a doedd dim sicrwydd bod y twnnel yn arwain i unrhyw le o gwbl. Oedd o'n ddigon dewr i fentro i mewn?

Doedd ganddo ddim dewis. Archwiliodd Alecs y gell am y tro olaf, penlinio, a'i wthio'i hun ymlaen. Agorodd y fflap metel o'i flaen a llusgodd dros ei gefn wrth iddo gropian i mewn i'r twnnel. Fe'i teimlodd yn taro cefn ei sodlau ac yna clywodd glic feddal. Beth oedd hynna? Roedd y lle'n dywyll fel bol buwch. Cododd ei law a'i symud o flaen ei wyneb. Roedd fel petai hi ddim yno. Estynnodd ei law o'i flaen a theimlo wal solet. Dduw mawr! Roedd wedi cerdded – neu gropian yn hytrach – i mewn i fagl. Nid dyma'r ffordd allan wedi'r cyfan.

Gwthiodd ei hun yn ôl ar hyd yr un ffordd, a sylweddoli bod y fflap wedi'i gloi. Ciciodd y fflap â'i goesau ond roedd yn gwrthod symud. Llifodd panig drosto, panig llwyr heb fod ganddo unrhyw reolaeth drosto. Roedd wedi'i gladdu'n fyw, mewn tywyllwch dudew, heb aer i'w anadlu. Dyma beth oedd Cray'n ei olygu wrth boen benthyg: marwolaeth rhy erchyll i'w dychmygu.

Aeth Alecs yn wallgof.

Heb allu'i reoli'i hun, sgrechiodd yn uchel, ei ddyrnau'n taro'n galed yn erbyn waliau'r arch fetel yma. Roedd yn mygu.

Wrth ddyrnu trawodd ei law yn erbyn darn o'r wal a theimlodd rywbeth yn agor. Roedd fflap arall yno! Gan frwydro am anadl, trodd i'r ochr ac i mewn i ail dwnnel, mor ddu a dychrynllyd â'r cyntaf. Ond o leiaf roedd rhyw fflam fach wan o obaith yn llosgi yn ei feddwl. Roedd yna ffordd drwodd. Os gallai gadw rheolaeth arno'i hun, fallai y byddai'n llwyddo i ddod o hyd i'r ffordd yn ôl i'r goleuni.

Roedd yr ail dwnnel yn hirach. Llithrodd Alecs yn ei flaen, gan deimlo'r platiau metel dan ei ddwylo. Gorfododd ei hun i arafu. Roedd yn hollol ddall o hyd. Pe bai twll o'i flaen, byddai'n plymio i lawr iddo cyn sylweddoli beth oedd wedi digwydd. Wrth symud, curai'n ysgafn ar y waliau, yn chwilio am lwybrau eraill. Trawodd ei ben yn erbyn rhywbeth a rhegi. Roedd yr iaith fras yn ei helpu. Roedd yn gwneud lles i gyfeirio'i gasineb at Damian Cray. Ac roedd clywed ei lais ei hun yn ei atgoffa ei fod yn dal yn fyw.

Roedd wedi taro yn erbyn ysgol. Gafaelodd ynddi â'i ddwy law a theimlo am yr agoriad oedd yn gorfod bod uwch ei ysgwyddau. Roedd yn gorwedd ar wastad ei stumog ond, yn araf, trodd ei gorff a dechrau ddringo i fyny, gan

189

symud yn bwyllog rhag ofn bod nenfwd uwch ei ben. Cyffyrddodd ei law â rhywbeth a gwthiodd. Teimlodd ryddhad mawr pan lifodd golau i mewn. Roedd wedi agor rhyw fath o drapddrws gyda stafell fawr yn llawn golau yr ochr draw. Dringodd ffyn olaf yr ysgol yn ddiolchgar a mynd drwy'r twll.

Roedd yr aer yn gynnes. Llanwodd Alecs ei ysgyfaint, gan adael i'w deimladau o banig a chlawstroffobia gilio. Yna edrychodd i fyny.

Roedd yn penlinio ar lawr wedi'i orchuddio â gwellt mewn stafell oedd yn llawn golau melyn. Edrychai tair wal fel pe baen nhw wedi'u hadeiladu o flociau cerrig anferth. Pwysai ffaglau'n llosgi i mewn tuag ato, wedi'u gosod mewn bracedi metel. O'i flaen safai gatiau o leiaf ddeg metr o uchder. Roedden nhw wedi'u gwneud o bren a mân ddarnau o haearn, ac ar eu blaen roedd wyneb anferth wedi'i gerfio. Rhyw fath o dduw Mecsicanaidd oedd o, â llygaid fel soseri a dannedd solet, fel blociau. Roedd Alecs wedi gweld yr wyneb o'r blaen, ond cymerodd sbel i sylweddoli ymhle. Erbyn hyn, gwyddai'n union beth oedd yn aros amdano. Roedd yn gwybod sut roedd Cray wedi rhaglennu poen benthyg i mewn i'w gêmau.

Roedd y gatiau wedi ymddangos ar ddechrau

Sarff Bluog, y gêm roedd Alecs wedi'i chwarae yn y Gromen Bleser yn Hyde Park. Bryd hynny, delwedd wedi'i digideiddio oedd hi, wedi'i thaflunio ar sgrin – ac roedd Alecs yn cael ei gynrychioli gan afatar, fersiwn ddau-ddimensiwn ohono'i hun. Ond roedd Cray hefyd wedi adeiladu fersiwn ddiriaethol go iawn o'r gêm. Estynnodd Alecs a chyffwrdd ag un o'r waliau. Digon gwir, nid cerrig go iawn oedden nhw, ond rhyw fath o blastig gwydn. Roedd yr holl beth fel un o'r adeiladau hynny yn Disneyland … byd hynafol wedi'i ail-greu trwy ddulliau adeiladu modern technoleg-uwch. Ar un adeg fyddai Alecs ddim wedi credu bod y peth yn bosib, ond gwyddai, gyda rhyw sicrwydd ffiaidd, y byddai'n ei gael ei hun, cyn gynted ag yr agorai'r gatiau, mewn atgynhyrchiad perffaith o'r gêm – ac ystyr hynny oedd y byddai'n wynebu'r un peryglon. Ond y tro yma byddai popeth yn real: fflamau go iawn, asid go iawn, picelli go iawn a hefyd – pe bai'n gwneud camgymeriad – marwolaeth go iawn.

Roedd Cray wedi dweud wrtho ei fod wedi defnyddio 'gwirfoddolwyr' eraill. Roedden nhw, mae'n debyg, wedi cael eu ffilmio'n brwydro'u ffordd ymlaen drwy un her ar ôl y llall; a'r holl amser roedd eu teimladau'n cael eu recordio ac

191

yna rywsut eu trosglwyddo'n ddigidol a'u rhaglennu i mewn i system Gameslayer. Roedd y peth yn ffiaidd. Sylweddolodd Alecs nad oedd tywyllwch y twneli tanddaearol yn rhan o'r sialens go iawn, hyd yn oed. Dim ond rŵan roedd honno'n dechrau.

Arhosodd yn llonydd. Roedd arno angen amser i feddwl, i gofio cymaint ag y gallai am y gêm roedd wedi'i chwarae yn y Gromen Bleser. Roedd pump o barthau iddi. Rhyw fath o deml i ddechrau, â chroesfwa a chleddyf wedi'u cuddio yn y waliau. Fyddai Cray yn darparu arfau iddo yn yr atgynhyrchiad yma? Amser a ddengys, meddyliodd. Beth oedd yn dod ar ôl y deml? Roedd pwll ac ynddo greadur ag adenydd: hanner iâr fach yr haf, hanner draig. Ar ôl hynna roedd Alecs wedi rhedeg ar hyd coridor – a gwaywffyn yn saethu allan o'r waliau – ac i mewn i jyngl, cartref y nadroedd metelaidd. Wedyn roedd y ddrysfa ddrychau wedi'i hamddiffyn gan dduwiau Astecaidd – ac ar y diwedd un, y pwll o dân, ei ffordd allan i'r lefel nesaf.

Pwll o dân. Os oedd hwnnw wedi'i atgynhyrchu yma, byddai'n ei ladd. Cofiodd Alecs beth oedd Cray wedi'i ddweud. *Cysur a thawelwch marwolaeth*. Doedd dim ffordd allan

192

o'r gwallgofdy yma. Pe bai'n llwyddo i oroesi'r pum parth, byddai'n cael caniatâd i orffen y cyfan drwy ei daflu'i hun i mewn i'r fflamau.

Teimlodd Alecs gasineb yn cronni ynddo. Gallai hyd yn oed ei flasu. Roedd Damian Cray yn gwbl ffiaidd.

Beth allai ei wneud? Fyddai dim ffordd yn ôl drwy'r twneli, a doedd Alecs ddim yn sicr fod ganddo'r plwc hyd yn oed i roi cynnig arni. Dim ond un dewis oedd ganddo, a mynd yn ei flaen oedd hwnnw. Roedd bron wedi llwyddo i guro'r gêm unwaith. Roedd hynny o leiaf yn rhoi llygedyn o obaith iddo. Ar y llaw arall, roedd byd o wahaniaeth rhwng byseddu rheolydd a gorfod gwneud y symudiad go iawn ei hun. Doedd o ddim yn gallu symud nac ymateb â'r un cyflymder â ffigur electronig. Fyddai dim bywydau ychwanegol i'w cael chwaith. Pe bai'n cael ei ladd unwaith, dyna'i diwedd hi.

Cododd. Ar unwaith agorodd y gatiau'n ddi-sŵn ac yno, o'i flaen, roedd y deml a welsai yn y gêm. Meddyliodd tybed a oedd ei symudiadau'n cael eu monitro. Tybed a allai ddibynnu ar wneud rhywbeth annisgwyl?

Cerddodd drwy'r gatiau. Roedd y deml yn union fel roedd yn ei chofio ar y sgrin yn y Gromen Bleser: gofod enfawr â waliau cerrig

wedi'u gorchuddio â cherfiadau hynod, a phileri
– cerfluniau'n cyrcydu wrth eu gwaelod – yn
ymestyn ymhell uwch ei ben. Roedd hyd yn oed
y ffenestri gwydr lliw wedi cael eu hail-greu,
gyda delweddau o UFOs yn hofran uwchben
caeau ŷd euraid. A dyna'r camerâu eto, yn troi
i'w ddilyn – a hefyd, meddyliodd, er mwyn
recordio pa mor lwyddiannus yr oedd o. Curai
miwsig organ, modern yn hytrach na chrefyddol,
ar bob ochr iddo. Crynodd Alecs, prin yn gallu
derbyn bod hyn yn digwydd go iawn.

Cerddodd ymhellach i mewn i'r deml, pob
synnwyr yn effro, yn aros am ymosodiad y
gwyddai fyddai'n gallu dod o unrhyw gyfeiriad.
Roedd yn difaru bellach na fyddai wedi chwarae
Sarff Bluog yn fwy gofalus. Roedd wedi rhuthro
drwy'r parthau ar y fath gyflymder fel ei fod yn
debygol o fod wedi methu sylwi ar hanner y
maglau. Seiniai sŵn ei draed yn uchel ar y llawr
arian. O'i flaen, troellai grisiau rhydlyd at i fyny,
gan ei atgoffa o longau tanfor neu long wedi
suddo. Meddyliodd am roi cynnig ar un o'r
setiau grisiau. Ond nid y ffordd yna roedd wedi
mynd wrth chwarae'r gêm, a dyna oedd ei
ddewis nawr. Roedd yn well cadw at yr hyn
oedd yn gyfarwydd iddo.

Roedd yr alcof oedd yn dal y croesfwa o dan

ryw bulpud pren, wedi'i gerfio ar siâp draig. Roedd bron wedi'i orchuddio gan rywbeth a edrychai'n debyg i eiddew gwyrdd – ond gwyddai Alecs fod y brigau troellog yn cario gwefr drydan. Gallai weld yr arf yn pwyso yn erbyn y gwaith cerrig, a doedd ond prin ddigon o fwlch i estyn amdani. Oedd hi'n werth mentro? Tynhaodd Alecs ei gyhyrau, gan baratoi i estyn ei law, yna taflodd ei hun ar lawr. Hanner eiliad arall, ac fe fyddai'r peth wedi'i ladd. Roedd wedi cofio am y bwmerang rasel yr un eiliad ag y clywodd sŵn chwibanu'n dod o rywle. Chafodd o ddim cyfle i baratoi. Trawodd y llawr mor galed nes bod dim anadl ynddo. Gwelodd fflach a chawod o wreichion. Teimlodd boen yn llosgi ar draws ei ysgwyddau, a gwyddai nad oedd wedi bod lawn digon cyflym. Roedd y bwmerang wedi rhwygo'i grys-T yn agored, gan dorri'i groen hefyd. Cael a chael oedd hi. Rhywfaint agosach, a fyddai o ddim wedi llwyddo i gyrraedd yr ail barth, hyd yn oed.

Ac yn ddistaw bach roedd y camerâu'n gwylio ac yn recordio popeth. Rhyw ddydd fe gâi ei fwydo i mewn i feddalwedd Cray – ar gyfer Sarff Bluog 2, debyg.

Cododd Alecs ar ei eistedd a cheisio tynnu'i grys carpiog at ei gilydd. O leiaf roedd y bwmerang wedi bod o help mewn un ffordd. Roedd wedi taro'r eiddew, gan dorri a siortio'r gwifrau trydan. Estynnodd Alecs ei fraich i mewn i'r alcof a thynnu'r croesfwa allan. Roedd yn hen iawn – o bren a haearn – ond roedd i'w weld yn gweithio. Ar y llaw arall, roedd Cray wedi'i dwyllo. Roedd saeth ynddo, ond doedd dim blaen arni. Roedd yn rhy ddi-fin i wneud unrhyw ddifrod.

Penderfynodd fynd â'r croesfwa a'r saeth gydag ef p'un bynnag. Symudodd o'r alcof a mynd draw at y wal lle gwyddai y byddai'n dod o hyd i'r cleddyf. Roedd hwnnw oddeutu ugain metr uwch ei ben, ond roedd cerrig rhydd a llefydd i afael yn awgrymu bod llwybr i fynd i fyny. Roedd Alecs ar fin dechrau dringo, ond yna stopiodd i ailfeddwl. Roedd bron yn sicr bod maglau ffŵl wedi'u gosod yn y wal. Fe fyddai hanner ffordd i fyny a byddai carreg yn dod yn rhydd. Pe bai'n syrthio, byddai'n torri'i goes. Byddai Cray'n mwynhau hynny – ei wylio'n gorwedd yn ddiymadferth ar y llawr arian hyd nes i ryw erfyn arall roi diwedd arno. A sut bynnag, mae'n debyg na fyddai llafn ar y cleddyf.

Ond wrth iddo feddwl am y peth, sylweddolodd Alecs yn sydyn fod yr ateb ganddo. Roedd yn gwybod sut i drechu'r byd rhithiol roedd Cray wedi'i adeiladu.

Cyfres o ddigwyddiadau wedi'u rhaglennu yw pob gêm gyfrifiadur yn y bôn – does dim byd yn digwydd ar hap, dim byd yn cael ei adael i ffawd. Pan oedd Alecs yn chwarae'r gêm yn y Gromen Bleser, roedd wedi casglu'r croesfwa ac yna'i ddefnyddio i saethu'r creadur a ymosododd arno. Yn yr un ffordd, byddai allweddi ar gyfer drysau cloëdig a gwrthgyffur i wenwyn. Faint bynnag o ddewisiadau oedd gennych chi, roeddech bob amser yn ufuddhau i set gudd o reolau.

Ond doedd Alecs ddim wedi cael ei raglennu. Roedd yn fod dynol, a gallai wneud fel y mynnai. Roedd wedi difetha'i grys, ac wedi dianc o drwch blewyn – ond roedd wedi dysgu'i wers. Pe bai heb geisio cael y croesfwa, fyddai o ddim wedi'i wneud ei hun yn darged i'r bwmerang. Byddai dringo i fyny'r wal i nôl y cleddyf yn ei roi mewn peryg oherwydd ei fod yn gwneud yr union beth a ddisgwylid ganddo.

Er mwyn dianc o'r byd roedd Cray wedi'i adeiladu iddo, roedd yn rhaid i bopeth roedd yn ei wneud fod yn *annisgwyl*.

Mewn geiriau eraill, roedd yn rhaid iddo dwyllo.

Ac fe fyddai'n dechrau'r funud yma.

Aeth draw at un o'r ffaglau tanllyd a cheisio'i thynnu'r rhydd o'r wal. Doedd o ddim yn synnu o gwbl wrth weld bod y cyfan wedi'i folltio i'w le. Roedd Cray wedi meddwl am bopeth. Ond hyd yn oed os oedd yn rheoli'r ffaglau, allai o ddim rheoli'r fflamau eu hunain. Tynnodd Alecs ei grys carpiog a'i lapio o amgylch blaen y saeth bren. Yna rhoddodd y crys ar dân. Gwenodd iddo'i hun. Nawr roedd ganddo arf heb ei rhaglennu.

Roedd y drws i fynd allan ym mhen draw'r deml. Disgwylid i Alecs ddilyn llwybr syth tuag ato. Yn lle hynny, aeth y ffordd hiraf gan gadw'n agos at y waliau ac osgoi unrhyw faglau allai fod yn disgwyl amdano. O'i flaen gallai weld yr ail siambr – y pwll o ddŵr glaw, ei bileri'n codi o'r dyfnderoedd islaw ac yn gorffen yn wastad â'r llawr. Cerddodd drwy'r drws a stopio ar silff gul; roedd pennau'r pileri – dim ond fymryn yn fwy na dysglau cawl – yn cynnig llwybr o gerrig camu iddo ar draws y gwagle. Cofiodd Alecs y creadur hedegog oedd wedi ymosod arno. Edrychodd i fyny. Ie, dyna lle roedd o, prin i'w weld yn y tywyllwch: gwifren neilon yn ymestyn o'r ochr bellaf hyd at y drws uwch ei ben. Estynnodd i fyny â'r saeth danllyd, gan ddal y fflam yn erbyn y wifren.

Llwyddiant! Aeth y wifren ar dân a thorri. Roedd Cray wedi adeiladu fersiwn robotaidd o'r creadur oedd wedi ymosod arno yn y gêm. Gwyddai Alecs y byddai wedi plymio i lawr pan oedd wedi cyrraedd hanner ffordd, rhuthro yn ei erbyn a'i daro i lawr, gan wneud iddo syrthio i lawr i ganol beth bynnag oedd yn y gwaelodion oddi tano. Nawr fe wyliodd â boddhad tawel wrth i'r creadur ddisgyn o'r nenfwd a hongian o'i flaen – cymysgedd o fetel a phlu oedd yn debycach i barot marw na bwystfil chwedlonol.

Roedd y ffordd ymlaen yn glir, ond daliai'r glaw i ddisgyn gan dasgu i lawr o ryw system daenellu gudd. Byddai'r cerrig camu'n llithrig. Gwyddai Alecs na fyddai afatar wedi gallu tynnu'i esgidiau i gael gwell gafael. Tynnodd ei drênyrs yn gyflym, eu clymu wrth ei gilydd a'u hongian am ei wddf. Gwthiodd ei sanau i'w boced. Yna neidiodd. Y ffordd orau, fe wyddai, oedd bod yn gyflym: peidio stopio, peidio edrych i lawr. Tynnodd anadl ddofn cyn cychwyn. Roedd y glaw'n ei ddallu a phennau'r pileri ddim ond yn ddigon mawr i ddal ei draed noeth. Ar yr olaf un collodd ei gydbwysedd. Ond doedd dim rhaid iddo ddefnyddio'i draed – gallai symud mewn ffordd na allai ei afatar mo'i wneud. Taflodd ei hun ymlaen, gan adael i'w fomentwm ei hun gario'i gorff i le diogel. Trawodd ei frest ar y llawr a gafaelodd yn dynn, gan lusgo'i goesau dros ymyl y pwll. Roedd o wedi llwyddo i gyrraedd yr ochr draw.

Roedd coridor yn rhedeg i'r chwith, y waliau'n agos at ei gilydd ac wedi'u haddurno ag wynebau Astecaidd erchyll. Cofiodd Alecs fel roedd ei afatar wedi rhedeg drwy'r fan hon, gan osgoi cawod o bicelli pren. Edrychodd i lawr a gweld bod rhywbeth tebyg i nant yn y llawr a mwg yn codi ohoni.

Asid! Beth nesaf?

Roedd arno angen arf arall a chafodd syniad sut i gael un. Tynnodd ei sanau o'i boced, eu rholio nhw'n bêl a'u taflu i lawr y coridor. Fel y gobeithiai, roedd y symudiad yn ddigon i weithio'r synwyryddion oedd yn rheoli'r drylliau cudd. Poerai picelli pren allan o wefusau'r duwiau Astecaidd ar gyflymder anhygoel, gan daro'r waliau gyferbyn. Torrodd un o'r picelli yn ei hanner. Cododd Alecs hi a theimlo'r blaen miniog. Yr union beth roedd arno ei angen. Gwthiodd y darn i felt ei drowsus. Roedd y croesfwa ganddo o hyd; nawr roedd ganddo saeth allai ei ffitio hefyd.

Roedd y gêm gyfrifiadur wedi'i rhaglennu fel bod dim ond un ffordd ymlaen. Roedd Alecs wedi llwyddo i osgoi'r picelli a'r nant asid yn ddigon hawdd pan oedd yn chwarae Sarff Bluog. Ond gwyddai na fyddai'n gallu gwneud yr un peth yn y fersiwn tri-dimensiwn ffiaidd yma. Dim ond un cam gwag, a byddai ar ben arno. Gallai ddychmygu sblasio i mewn i'r asid ac wedyn panicio. Byddai'n cael ei yrru'n syth i mewn i gyrraedd y picelli wrth iddo geisio cyrraedd y parth nesaf. Na. Rhaid bod yna ffordd arall.

Gorfododd Alecs ei hun i ganolbwyntio. Anwybyddu'r rheolau! Trodd y geiriau drosodd a throsodd yn ei feddwl. Doedd symud yn ei flaen ar hyd y coridor ddim yn bosib. Ond beth am fynd i fyny? Gwisgodd ei drênyrs, a chymryd un cam petrusgar. Roedd y picelli agosaf at y fynedfa eisoes wedi cael eu saethu. Roedd yn ddiogel cyn belled â'i fod yn peidio symud yn rhy bell i lawr y coridor. Gafaelodd yn y wal, a chan gario'r croesfwa dros ei ysgwydd dechreuodd ddringo. Roedd y pennau Astecaidd yn berffaith i roi ei droed arnynt, a dim ond pan oedd wedi dringo i ben uchaf y wal y dechreuodd fynd yn ei flaen, yn uchel uwchben y llawr ac allan o berygl. Aeth yn ei flaen yn ofalus, un cam ar y tro. Daeth at gamera wedi'i osod yn y nenfwd, a chan wenu fe rwygodd y wifren yn rhydd.

Penderfynodd ddal ei afael yn y wifren hefyd.

Cyrhaeddodd ben y coridor a dringo i lawr i'r pedwerydd parth, y jyngl. Synnodd wrth weld bod y tyfiant a wasgai arno o bob ochr yn real. Roedd wedi disgwyl plastig a phapur. Gallai deimlo'r gwres yn yr awyr, ac roedd y llawr dan ei draed yn feddal ac yn wlyb. Pa faglau oedd yn aros amdano yn fan hyn, tybed? Cofiai'r nadroedd robotaidd oedd prin wedi llwyddo i ddod yn agos pan oedd yn chwarae'r gêm, a chwiliodd yn ofalus am y cledrau fyddai'n gyrru rhywbeth tebyg tuag ato.

Doedd dim cledrau. Cymerodd Alecs gam arall ymlaen a stopio, wedi'i barlysu wrth weld y fath erchylldra o'i flaen.

Roedd yna neidr, ac fel y dail a'r brigau roedd hi'n un go iawn. Roedd hi mor dew â chanol dyn ac yn bum metr o hyd o leiaf; gorweddai'n swrth mewn llain o laswellt hir. Roedd ei llygaid fel ddau ddiemwnt du. Am eiliad fer, gobeithiai Alecs ei bod, fallai, wedi marw. Ond yna saethodd ei thafod allan a symudodd ei holl gorff; gwyddai Alecs bryd hynny ei fod wyneb yn wyneb â chreadur byw – un oedd y tu hwnt i unrhyw hunllef.

Roedd y neidr wedi'i hamgáu mewn siwt corff-cyfan ryfeddol. Doedd gan Alecs ddim syniad pa mor hir y gallai aros yn fyw mewn gorchudd o'r fath. Er mor arswydus oedd y creadur, teimlai Alecs lygedyn o dosturi wrth ei wylio. Roedd y siwt wedi'i gwneud o wifren a honno wedi'i throi'n gylchoedd am y neidr, o un pen i'r llall, a phigau a raseli erchyll wedi'u hasio'n sownd o'r gwddf yr holl ffordd i'r gynffon. Wrth edrych heibio'r gynffon, gallai Alecs weld dwsinau o rychau wedi'u torri i mewn i'r pridd meddal. Beth bynnag y cyffyrddai'r neidr ag ef, câi ei dorri'n dafelli. Doedd ganddi ddim dewis. Ac roedd hi'n ymlusgo tuag ato.

Fyddai Alecs ddim wedi gallu symud hyd yn oed pe bai wedi dymuno gwneud, ond roedd rhyw lais bach yn dweud wrtho mai aros yn llonydd oedd ei unig obaith. Rhaid mai rhyw fath o neidr wasgu oedd hi, un o deulu'r *Boidae*. Daeth tamaid o wybodaeth ddi-fudd o'i wersi bioleg i'w feddwl yn sydyn. Adar a mwncïod oedd prif fwyd y neidr hon; byddai'n dod o hyd i'w phrae drwy arogli, yna'n ei chlymu'i hun yn dorchau o'u hamgylch a'i fygu. Ond gwyddai Alecs, pe bai'r neidr yn ymosod arno, nad fel hyn y byddai'n ei ladd. Byddai'r raseli a'r pigau'n ei dorri'n ddarnau.

Ac roedd hi'n dod yn nes. Crychai ton ar ôl ton

o arian gloyw y tu ôl iddi wrth iddi lusgo'r raseli ymlaen. Erbyn hyn, doedd hi ddim mwy na metr i ffwrdd. Gan symud yn araf iawn, gostyngodd Alecs y croesfwa o'i ysgwydd. Tynnodd y wifren yn ôl i'w lwytho, ac estyn i mewn i'w felt. Roedd y darn picell yn dal yno. Gan geisio peidio â rhoi unrhyw reswm i'r neidr ymosod arno, gosododd Alecs y darn pren yng ngharn y bwa. Roedd mewn lwc. Roedd y darn picell yr union hyd cywir.

Doedd dim bwriad iddo gael arf yn y parth yma. Doedd hynny ddim yn rhan o'r rhaglen. Ond er gwaethaf popeth roedd Cray wedi'i daflu ato, roedd y croesfwa ganddo o hyd a nawr roedd wedi'i lwytho.

Gwaeddodd Alecs. Allai o ddim peidio. Yn sydyn roedd y neidr wedi hercio ymlaen, gan ei llusgo'i hun dros ei drênyr. Torrodd y raseli i mewn i'r defnydd meddal, filimetrau'n unig i ffwrdd o'i droed. Yn reddfol, rhoddodd Alecs gic. Ar unwaith cododd y neidr ei phen yn ôl. Gwelodd Alecs fflamau duon yn tanio yn ei llygaid. Gwibiodd ei thafod allan. Roedd hi ar fin ymosod arno. Anelodd y croesfwa a saethu. Doedd dim arall y gallai ei wneud. Aeth y saeth i mewn i geg y neidr ac ymlaen drwy gefn ei phen. Llamodd Alecs yn ôl i osgoi symudiadau marwol y creadur wrth iddi chwipio'n ddirdynnol gan dorri'r glaswellt a'r llwyni o'i chwmpas yn ddarnau. Yna gorweddodd yn llonydd. Gwyddai Alecs ei fod wedi'i ladd, a doedd o'n difaru dim. Roedd yr hyn oedd wedi cael ei wneud i'r neidr yn gyfoglyd. Roedd yn falch ei fod wedi rhoi diwedd ar ei hartaith.

Roedd un parth arall ar ôl – y ddrysfa ddrychau. Gwyddai Alecs y byddai rhyw dduwiau Astecaidd yn aros amdano yn y fan honno. Gwarchodwyr mewn gwisgoedd ffansi, debyg, meddyliodd. Hyd yn oed pe bai'n llwyddo i fynd heibio iddyn nhw, byddai'n gorfod wynebu'r pwll o dân yr un fath. Ond roedd wedi cael llond bol. I'r diawl â Damian Cray. Edrychodd i fyny. Roedd wedi analluogi un o'r camerâu diogelwch, a doedd dim un arall yn y golwg. Roedd wedi darganfod man dall yn y maes chwarae gwallgof yma. Teimlai'n ddigon bodlon ar hynny.

Roedd yn bryd iddo ddod o hyd i'w ffordd ei hun i fynd oddi yno.

Y GWIR AM ALECS

Does dim duwiau creulonach na mwy ffyrnig na rhai'r Asteciaid. Dyna'r rheswm pam fod Damian Cray wedi'u dewis nhw ar gyfer ei gêm gyfrifiadur.

Roedd wedi galw ar dri ohonyn nhw i batrolio'r ddrysfa ddrychau, y pumed parth a'r olaf yn yr arena enfawr roedd wedi'i hadeiladu o dan y cowrt. Roedd Tlaloc yno – duw'r glaw, oedd yn hanner dyn, hanner aligator, a chanddo ddannedd garw, dwylo fel crafangau a chynffon drwchus, gennog a lusgai y tu ôl iddo. Roedd Xipe Totec yno hefyd – arglwydd y gwanwyn, oedd wedi rhwygo'i lygaid ei hun allan. Roedden nhw'n dal i hongian o flaen ei wyneb erchyll, oedd wedi'i ddirdynnu gan boen. Ac roedd Xolotl, y cludydd tân, yn cerdded ar draed oedd wedi cael eu malu'n rhacs ac yna'u troi i wynebu at yn ôl. Neidiai fflamau allan o'i ddwylo, a'r rheini wedi'u hadlewyrchu ganwaith yn y drychau, gan ychwanegu at y cymylau mwg a droellai o amgylch y lle.

Wrth gwrs, doedd dim byd goruwchnaturiol ynghylch y tri chreadur oedd yn disgwyl i Alecs ymddangos. O dan y masgiau hyll, y croen plastig a'r colur, doedden nhw'n ddim mwy na throseddwyr, wedi'u rhyddhau'n ddiweddar o Bijlmer, carchar mwyaf yr Iseldiroedd. Bellach roedden nhw'n gweithio fel gwarchodwyr i gwmni Technoleg Meddalwedd Cray, ond roedd ganddyn nhw hefyd ddyletswyddau arbennig, yn cynnwys y gwaith yma. Roedd y tri dyn yn cario arfau: cleddyfau â llafnau crwm, gwaywffyn, crafangau dur a gynnau tân. Roedden nhw'n edrych ymlaen at gael cyfle i'w defnyddio.

Yr un oedd wedi'i wisgo fel Xolotl oedd y cyntaf i weld Alecs.

Doedd y camera yn y trydydd parth ddim yn gweithio, felly doedd dim modd gwybod a oedd Alecs ar ei ffordd, ynteu oedd y neidr wedi ei ladd. Ond yn sydyn symudodd rhywbeth. Gwelodd y gwarchodwr ffigur yn hercian i'r golwg, yn noeth hyd at ei ganol. Doedd y bachgen ddim yn gwneud unrhyw ymdrech i guddio, a gwelai'r gwarchodwr y rheswm pam yn glir.

Roedd Alecs Rider yn waed drosto i gyd, a'i frest gyfan yn goch llachar. Er bod ei geg yn agor a chau, doedd dim sŵn yn dod ohoni. Yna gwelodd y gwarchodwr y bicell bren yn sticio allan o'i frest. Yn amlwg, roedd y bachgen wedi ceisio rhedeg ar hyd y coridor, ond heb lwyddo i gyrraedd y pen yn ddianaf. Roedd un o'r picelli wedi taro'i tharged.

Gwelodd Alecs y gwarchodwr a stopio'n stond. Syrthiodd ar ei bengliniau. Pwyntiodd un llaw yn llipa at y bicell, yna syrthiodd. Edrychodd i fyny a cheisio siarad. Rhedai rhagor o waed o'i geg. Caeodd ei lygaid a chwympodd i un ochr, gan orwedd yn llonydd.

Ymlaciodd y gwarchodwr. Doedd marwolaeth y bachgen yn golygu dim iddo. Estynnodd i boced ei grys arfog a thynnu ffôn radio allan ohoni.

'Mae'r cyfan ar ben,' meddai mewn Iseldireg. 'Mae'r bachgen wedi cael ei ladd gan bicell.'

Cyneuodd lampau stribed neon yma ac acw ar hyd a lled y parth gêmau. Dan y golau gwyn cryf roedd y gwahanol barthau'n edrych yn fwy amrwd, yn debycach i stondinau ffair. Roedd golwg chwerthinllyd ar y gwarchodwyr hefyd yn eu gwisgoedd ffansi. Peli tennis bwrdd wedi'u peintio oedd y llygaid yn hongian i lawr. Doedd y corff aligator yn ddim mwy na siwt rwber. Roedd y traed wynebu-at-yn-ôl wedi dod o siop yn gwerthu triciau. Safodd y tri gwarchodwr mewn cylch o amgylch Alecs.

'Mae'n dal i anadlu,' meddai un.

'Ddim am lawer hirach.' Edrychodd yr ail warchodwr ar flaen y bicell, wedi'i orchuddio â gwaed oedd yn ceulo'n gyflym.

'Beth wnewn ni ag e?'

'Gadael iddo fo. Ddim 'yn job ni ydi o. Geith y criw gwaredu 'i nôl o'n nes ymlaen.'

Cerddodd y tri i ffwrdd. Stopiodd un ohonyn nhw wrth un o'r waliau, wedi'i pheintio i edrych fel carreg yn breuo, ac agor panel cudd. Pwysodd ar fotwm a llithrodd y wal yn agored. Ar yr ochr draw roedd coridor wedi'i oleuo'n llachar. Aeth y tri dyn i newid eu dillad.

Agorodd Alecs ei lygaid.

Roedd y tric a chwaraeodd mor hen fel ei fod bron â theimlo cywilydd. Pe bai wedi'i wneud ar lwyfan, fyddai plentyn chwech oed ddim wedi cael ei dwyllo. Ond yn y fan hon, meddyliodd, roedd yr amgylchiadau chydig yn wahanol. Ar ôl cael ei adael ar ei ben ei hun yn y jyngl, roedd wedi rhyddhau'r darn picell a ddefnyddiodd i ladd y neidr. Roedd wedi'i glymu ar ei frest gan ddefnyddio'r weiren a rwygwyd oddi ar y camera diogelwch. Wedyn roedd wedi taenu gwaed oddi ar gorff y neidr farw dros ei gorff i gyd. Dyna oedd y rhan waethaf, ond roedd wedi gorfod gwneud yn siŵr y byddai'r twyll yn effeithiol. Er mor erchyll oedd hynny, roedd wedi codi rhagor o'r gwaed a'i roi yn ei geg. Gallai deimlo'i flas nawr, ac roedd yn ei orfodi'i hun i beidio llyncu. Ond roedd wedi twyllo'r dynion yn llwyr. Doedd dim un ohonyn nhw wedi edrych yn rhy agos. Roedden nhw wedi gweld beth oedden nhw'n dymuno'i weld.

Arhosodd Alecs nes ei fod yn sicr ei fod ar ei ben ei hun, yna eisteddodd i fyny a datod y bicell. Gobeithiai fod y camerâu i gyd wedi cael eu diffodd pan oedd y gêm ar ben. Roedd y drws allan yn dal yn agored a sleifiodd Alecs drwyddo, gan adael y byd lledrithiol y tu ôl iddo. Cafodd ei hun mewn coridor cyffredin yn ymestyn i'r pellter, gyda waliau teils a drysau pren plaen ar bob ochr. Er bod y perygl mwyaf heibio, roedd hi'n llawer rhy fuan iddo ddechrau ymlacio. Roedd yn hanner noeth ac yn waed drosto. Roedd yn dal yn gaeth yng nghanol y cowrt. Ar ben hynny, yn hwyr neu'n hwyrach, byddai rhywun yn darganfod bod y corff wedi diflannu a sylweddoli eu bod wedi cael eu twyllo.

Agorodd y cyntaf o'r drysau, oedd yn arwain i gwpwrdd storio. Roedd yr ail a'r trydydd drws ar glo, ond hanner ffordd i lawr y coridor daeth o hyd i stafell newid ac ynddi gawodydd, loceri a basged i ddal dillad budr. Gwyddai Alecs y byddai'n costio munudau prin iddo, ond roedd yn rhaid iddo ymolchi. Tynnodd amdano a chael cawod, yna sychodd ei hun a gwisgo amdano.

Cyn gadael y stafell aeth i chwilota yn y fasged ddillad a dod o hyd i grys i'w wisgo yn lle'r un roedd wedi'i losgi. Roedd y crys angen ei olchi ac yn llawer rhy fawr iddo, ond fe wnâi'r tro.

Agorodd y drws yn ofalus – a'i gau'n gyflym wedyn wrth i ddau ddyn gerdded heibio, yn siarad mewn Isalmaeneg. Roedden nhw'n edrych fel pe baen nhw'n anelu am y ddrysfa ddrychau, a gobeithiai Alecs nad oedden nhw'n rhan o'r tîm gwaredu. Os oedden nhw, byddai'r larwm yn cael ei seinio unrhyw funud. Cyfrodd yr eiliadau nes iddyn nhw fynd, yna sleifio allan a brysio i ffwrdd i'r cyfeiriad arall.

Daeth at risiau. Doedd ganddo ddim syniad i ble roedden nhw'n arwain, ond doedd ganddo ddim dewis ond mynd i fyny.

Ym mhen ucha'r grisiau roedd ardal siâp cylch a sawl coridor yn arwain ohoni. Doedd dim ffenestri, a deuai'r unig oleuni o oleuadau diwydiannol wedi'u gosod bob hyn a hyn yn y nenfwd. Edrychodd ar ei oriawr. Roedd hi'n chwarter wedi un ar ddeg. Dwy awr a chwarter oedd wedi mynd heibio er pan dorrodd i mewn i'r cowrt; roedd yn teimlo'n llawer hirach. Meddyliodd am Jac, oedd yn aros amdano yn y gwesty yn Amsterdam. Fe fyddai hi bron â drysu'n poeni amdano.

Roedd pobman yn dawel. Mae'n debyg fod y rhan fwyaf o staff Cray'n cysgu, meddyliodd Alecs. Dewisodd goridor a'i ddilyn hyd at set arall o risiau. Unwaith eto aeth i fyny, a chyrraedd stafell oedd yn gyfarwydd iddo. Stydi Cray. Y stafell lle gwelodd Charlie Roper yn marw.

Teimlai Alecs bron yn rhy ofnus i fynd i mewn. Ond roedd y stafell yn wag, ac wrth sbecian drwy'r agoriad gallai weld bod y siambr siâp potel wedi cael ei gwagio, a'r arian a'r corff wedi cael eu symud oddi yno. Roedd yn synnu braidd nad oedd yr un o'r gwarchodwyr ar ddyletswydd yn y stafell. Ond wedyn, pam dylai fod? Roedd yr holl system ddiogelwch wedi'i chanoli ar y brif fynedfa. Roedden nhw'n credu bod Alecs wedi marw. Doedd gan Cray ddim i'w ofni.

O'i flaen oedd y grisiau fyddai'n ei arwain i fyny i'r ciwb gwydr ac allan i'r sgwâr. Ond er cymaint oedd y demtasiwn i redeg draw at y grisiau, sylweddolodd Alecs na fyddai byth yn cael cyfle fel hwn eto. Rywle yng nghefn ei feddwl roedd yn gwybod, hyd yn oed pe bai'n llwyddo i gyrraedd MI6, nad oedd eto wedi cael prawf gwirioneddol bod Cray'n rhywbeth heblaw canwr pop enwog a dyn busnes, fel y credai pawb. Doedd Alan Blunt a Mrs Jones ddim wedi'i gredu'r tro diwethaf y gwelodd nhw. Fallai na fydden nhw'n ei gredu'r tro yma chwaith.

Gan anwybyddu'i reddf gyntaf, aeth Alecs draw at y ddesg. Roedd arni ryw ddwsin o ffotograffau wedi'u fframio, a phob un yn dangos llun o Damian Cray. Anwybyddodd Alecs nhw a throi ei sylw at y drôrs, oedd heb eu cloi. Roedd y drôrs isaf yn dal dwsinau o wahanol ddogfennau, ond doedd y rhan fwyaf ohonyn nhw'n ddim mwy na rhestrau o ffigurau diflas yr olwg. Yna daeth at y drôr olaf ac ebychu mewn syndod. Roedd y capsiwl metelaidd oedd yn llaw Cray tra oedd yn siarad â'r Americanwr i'w weld yn blaen. Cododd Alecs y teclyn a theimlo'i bwysau yn ei law. Y gyriant fflach! Roedd yn dal codau cyfrifiadur. Ei waith oedd torri drwy ryw fath o system ddiogelwch. Roedd wedi cyrraedd â phris o ddwy filiwn o ddoleri arno. Roedd Roper wedi talu amdano â'i fywyd.

Ac roedd o gan Alecs! Roedd ar dân isio'i archwilio, ond gallai wneud hynny'n nes ymlaen. Gwthiodd y teclyn i boced ei drowsus a brysio draw at y grisiau.

Deng munud yn ddiweddarach seiniodd pob larwm oedd yn y lle, ymhob rhan o'r cowrt. Fel roedd Alecs wedi'i ofni, roedd y ddau ddyn wedi mynd i mewn i'r ddrysfa ddrychau i nôl y corff a darganfod nad oedd yno. Fe ddylen nhw fod wedi seinio'r larwm ar unwaith, ond ddigwyddodd hynny ddim. Roedd y dynion wedi cymryd yn ganiataol bod un o'r timau eraill wedi casglu'r corff, ac fe aethon nhw i chwilio amdanyn nhw. Dim ond pan welson nhw'r neidr farw, y bicell a'r rholyn o wifren y sylweddolon nhw beth oedd wedi digwydd.

Yn y cyfamser, roedd fan yn gyrru allan o'r cowrt. Sylwodd neb – yn cynnwys y gwarchodwyr blinedig wrth y gât, a'r gyrrwr – ar y ffigur yn gorwedd yn fflat ar ben y to. Ond pam dylen nhw? Mynd oddi yno oedd y fan, nid cyrraedd. Wnaeth hi ddim hyd yn oed stopio wrth y camerâu diogelwch. Y cyfan wnaeth y gwarchodwr oedd archwilio ID y gyrrwr ac agor y gât. Seiniodd y larwm eiliadau ar ôl i'r fan fynd trwodd.

Roedd yna system ar waith yng nghwmni Technoleg Meddalwedd Cray. Doedd neb yn cael dod i mewn nac allan yn ystod rhybudd diogelwch. Roedd radio ddwyffordd ym mhob fan, a chysylltodd y gwarchodwr wrth y gât â'r gyrrwr yn syth a rhoi gorchymyn iddo droi'n ôl. Stopiodd y gyrrwr hyd yn oed cyn cyrraedd y goleuadau rheoli, ac ufuddhau'n anfodlon. Ond roedd hi eisoes yn rhy hwyr.

Lithrodd Alecs i lawr o'r to a disgyn i'r llawr. Yna rhedodd i ffwrdd i'r tywyllwch.

Roedd Damian Cray yn ôl yn ei swyddfa, yn eistedd ar y soffa â gwydraid o laeth yn ei law. Yn ei wely roedd o pan seiniodd y larwm a nawr roedd yn gwisgo gŵn nos lliw arian, pyjamas glas tywyll a sliperi cotwm meddal. Roedd rhywbeth annymunol wedi digwydd i'w wyneb. Roedd y bywyd wedi llifo allan ohono, gan adael ar ei ôl rhyw fwgwd oer, gwag a allai fod wedi'i gerfio allan o wydr. Curai un wythïen uwchben un o'i lygaid marwaidd.

Roedd Cray newydd sylweddoli bod y gyriant fflach wedi cael ei ddwyn o'i ddesg. Roedd wedi chwilio'r drôrs i gyd, gan eu rhwygo nhw allan, eu troi â'u pennau i lawr a chwalu'u cynnwys dros y llawr. Yna, gyda chri floesg o gynddaredd, roedd wedi'i daflu'i hun ar ben y ddesg, gan chwifio'i freichiau'n wyllt a chwalu ffonau, ffeiliau a fframiau i bob cyfeiriad. Roedd wedi dyrnu pwysau papur yn erbyn sgrin ei gyfrifiadur, gan falu'r gwydr yn gyrbibion. Ac yna roedd wedi eistedd ar y soffa a galw am wydraid o laeth.

Roedd Yassen Gregorovich wedi gwylio hyn i gyd heb yngan gair. Roedd yntau hefyd wedi cael ei alw o'i stafell gan glychau'r larwm ond, yn wahanol i Cray, doedd o ddim yn cysgu ar y pryd. Fyddai Yassen byth yn cysgu am fwy na phedair awr ar y tro. Roedd y nos yn rhy werthfawr. Weithiau byddai'n mynd i redeg neu wneud ymarfer corff yn y gampfa. Weithiau byddai'n gwrando ar gerddoriaeth glasurol. Y noson arbennig yma roedd wedi bod yn gweithio gyda recordydd tâp a llyfr nodiadau ac ôl traul arno. Roedd yn dysgu Siapanaeg iddo'i hun, un o'r naw iaith roedd wedi ymroi i'w dysgu.

Roedd Yassen wedi clywed y clychau larwm ac yn gwybod yn reddfol bod Alecs Rider wedi dianc. Roedd wedi diffodd y recordydd tâp. A gwenu.

Nawr arhosodd i Cray dorri ar y tawelwch. Yassen oedd wedi awgrymu'n dawel wrth Cray y dylai chwilio am y gyriant fflach. Meddyliodd tybed ai ef ei hun fyddai'n cael y bai am y lladrad.

'Roedd e i fod yn farw!' griddfanodd Cray. 'Fe ddwedon nhw wrtha i ei fod e wedi marw!' Edrychodd ar Yassen, wedi ffyrnigo'n sydyn. 'Roeddech chi'n gwybod ei fod e wedi bod i mewn yma.'

'Ro'n i'n amau,' meddai Yassen.

'Pam?'

Ystyriodd Yassen. 'Am mai Alecs yw e,' meddai'n syml.

'Yna dwedwch ragor wrtha i amdano fe!'

'Does dim ond hyn a hyn alla i ddweud wrthoch chi.' Syllodd Yassen i'r pellter. Doedd ei wyneb yn dangos dim. 'Y gwir am Alecs yw nad oes yr un bachgen tebyg iddo yn yr holl fyd,' meddai, gan siarad yn araf ac yn dawel. 'Meddyliwch am funud. Heno fe wnaethoch chi geisio'i ladd e – nid yn syml gyda bwled neu gyllell, ond mewn ffordd a ddyle fod wedi codi arswyd arno. Fe lwyddodd i ddianc a gwneud ei ffordd i'r fan yma. Mae'n rhaid ei fod wedi gweld y grisiau. Byddai unrhyw fachgen arall – unrhyw ddyn, hyd yn oed – wedi'u dringo'r funud honno. Ei unig ddymuniad fyddai mynd mas o'r lle yma. Ond nid Alecs. Fe stopiodd a chwilio. Dyna beth sy'n ei wneud e'n unigryw, a dyna pam ei fod e mor werthfawr i MI6.'

'Shwd wnaeth e ffindo'i ffordd yma?'

'Dwi ddim yn gwybod. Petaech chi wedi gadael imi'i holi e cyn ichi'i hala fe mewn i'r gêm yna sydd gyda chi, fallai bydden i wedi cael gwybod.'

'Nid fy mai i yw hynny, Mr Gregorovich! Fe ddylech chi fod wedi'i ladd e yn Ne Ffrainc pan gawsoch chi'r cyfle.' Yfodd Cray'r llaeth a gosod y gwydryn i lawr. Roedd ganddo fwstás gwyn ar ei wefus uchaf. 'Pam na wnaethoch chi?' gofynnodd.

'Fe drïais i ...'

'Y nonsens yna yn y cylch teirw! Dwli pur oedd hynna. Rwy'n credu'ch bod chi'n gwybod y byddai e'n dianc.'

'Ro'n i'n gobeithio y byddai e'n llwyddo,' cytunodd Yassen. Roedd yn dechrau diflasu ar Cray. Doedd o ddim yn hoffi i neb ofyn iddo'i esbonio'i hun, a phan siaradodd nesaf roedd hynny bron cymaint er ei fwyn ei hun ag er mwyn Cray. 'Ro'n i'n ei nabod e ...' meddai.

'Dweud ry'ch chi ... cyn Saint-Pierre?'

'Gwrddais ag e unwaith. Ond hyd yn oed bryd hynny ... ro'n i'n nabod e'n barod. Y funud y gwelais i e, ro'n i'n gwybod pwy a beth oedd e. Yr un ffunud â'i dad ...' Caeodd Yassen ei geg. Roedd eisoes wedi dweud mwy nag roedd wedi'i fwriadu. 'Dyw e'n gwybod dim am hyn,' mwmiodd. 'Does neb erioed wedi dweud y gwir wrtho.'

Ond doedd gan Cray ddim diddordeb bellach. 'Alla i ddim gwneud unrhyw beth heb y gyriant fflach,' meddai'n gwynfannus, ac yn sydyn roedd ei lygaid yn llawn dagrau. 'Mae'r cyfan ar ben! Cyrch Eryr! Yr holl gynllunio. Blynydde lawer wedi mynd yn ofer. Miliyne o bunne. Ac arnoch *chi* mae'r bai i gyd!'

Am eiliad neu ddwy cafodd Yassen Gregorovich ei demtio'n fawr i ladd Damian Cray. Byddai'n gyflym iawn: ergyd tri bys i mewn i'r gwddf gwelw, llac. Roedd Yassen wedi gweithio i lawer o bobl ddrwg – nid y byddai byth yn meddwl amdanyn nhw yn nhermau da a drwg. Y cyfan fyddai o bwys ganddo fyddai faint roedden nhw'n fodlon ei dalu. Roedd rhai – Herod Sayle, er enghraifft – wedi cynllunio i ladd miliynau o bobl. Roedd y niferoedd, i Yassen, yn amherthnasol. Roedd pobl yn marw o hyd. Roedd yn gwybod hyn: bob tro roedd yn tynnu anadl, ar yr union eiliad honno, rywle yn y byd, roedd cant neu fil o bobl yn tynnu eu hanadl olaf. Roedd angau ym mhobman; allai neb ei fesur.

Ond yn ddiweddar roedd rhywbeth y tu mewn iddo wedi newid. Efallai mai cyfarfod Alecs unwaith eto oedd yn gyfrifol; neu ei oedran, efallai. Er bod Yassen yn ymddangos fel pe bai yn ei ugeiniau hwyr, roedd mewn gwirionedd yn dri deg pump. Roedd yn heneiddio. Mynd yn rhy hen, p'un bynnag, i'r math yma o waith. Roedd yn dechrau ystyried fallai ei bod yn bryd iddo roi'r gorau iddi.

A dyna pam y penderfynodd nawr beidio â

llofruddio Damian Cray. Dim ond dau ddiwrnod i ffwrdd oedd Cyrch Eryr. Byddai'n ei wneud yn gyfoethocach nag y gallai fyth ei ddychmygu, a byddai'n caniatáu iddo fynd yn ôl, o'r diwedd, i'w famwlad, Rwsia. Fe fyddai'n prynu tŷ yn Sant Petersbwrg a byw'n gyfforddus, a fallai'n gwneud busnes o bryd i'w gilydd â'r maffia Rwsaidd. Roedd y ddinas yn fwrlwm o weithgarwch anghyfreithlon, ac i ddyn o'i brofiad a'i gyfoeth ef, byddai unrhyw beth yn bosib.

Estynnodd Yassen ei law, y llaw y byddai fel arfer wedi'i defnyddio i daro'i gyflogwr i'r llawr. 'Ry'ch chi'n becso gormod,' meddai. 'Am a wyddon ni, efallai bod Alecs yn dal yn y cowrt. Ond hyd yn oed os yw e wedi llwyddo i fynd trwy'r gât, all e ddim fod wedi mynd ymhell. Mae'n rhaid iddo ffeindio'i ffordd mas o Sloterdijk ac yn ôl i Amsterdam. Rwyf wedi rhoi gorchymyn i bob dyn sydd gyda ni i fynd mas yno a dod o hyd iddo fe. Os bydd e'n ceisio cael i mewn i'r ddinas, byddwn yn aros amdano.'

'Shwd gwyddoch chi ei fod e'n mynd am y ddinas?' gofynnodd Cray.

'Mae'n ganol nos. Ble arall all e fynd?' Cododd Yassen a dylyfu gên. 'Bydd Alecs Rider yn ôl yma cyn y wawr, ac fe gewch eich gyriant fflach yn ôl.'

'Iawn.' Edrychodd Cray ar y llanast oedd wedi'i wasgaru hyd y llawr. 'A'r tro nesaf y caf fy nwylo arno, fe wnaf i'n siŵr nad yw e'n cerdded bant. Y tro nesaf, byddaf yn delio gydag e fy hunan.'

Ddwedodd Yassen 'run gair. Trodd ei gefn ar Damian Cray a cherdded yn araf allan o'r stafell.

PŴER PEDALAU

Llithrodd y trên i mewn i orsaf ganolog Amsterdam ac arafu. Roedd Alecs yn eistedd ar ei ben ei hun, ei wyneb yn pwyso yn erbyn y ffenest; prin ei fod yn ymwybodol o'r platfformau hir, gwag na'r to gwydr enfawr yn ymestyn uwch ei ben. Roedd hi oddeutu hanner nos ac roedd o wedi ymlâdd. Gwyddai y byddai Jac bron â drysu, yn aros amdano yn y gwesty. Roedd yn edrych ymlaen at ei gweld. Teimlai awydd cael rhywun i edrych ar ei ôl. Y cyfan roedd arno isio oedd bath poeth, siocled poeth … a gwely. Y tro cyntaf iddo fynd i Sloterdijk, roedd wedi beicio'r ddwy ffordd. Ond yr ail dro, roedd wedi arbed ei egni a gadael y beic yn yr orsaf. Un fer oedd y daith yn ôl, ond roedd yn ei mwynhau, gan wybod bod pob eiliad yn rhoi Cray a'i gowrt chydig mwy o fetrau ymhellach y tu ôl iddo. Roedd arno angen hamdden hefyd i feddwl am y profiad roedd newydd ei gael, i geisio deall beth oedd ystyr y cyfan. Awyren yn ffrwydro'n fflamau. Lolfa VIPs. Rhywbeth o'r enw Milstar. Y dyn â'r wyneb creithiog.

Ac eto doedd o ddim eto wedi cael ateb i'r cwestiwn mwyaf un. Pam bod Cray'n gwneud hyn i gyd? Roedd yn graig o arian. Roedd ganddo ddilynwyr dros y byd i gyd. Dim ond chydig ddyddiau'n ôl roedd wedi bod yn ysgwyd llaw ag arlywydd yr Unol Daleithiau. Roedd ei ganeuon yn cael eu chwarae ar y radio, ac yntau'n denu tyrfaoedd anferth bob tro roedd yn ymddangos yn gyhoeddus. Byddai'r system Gameslayer yn ennill ffortiwn arall iddo. Os bu erioed ddyn heb fod arno angen cynllwynio a lladd, fo oedd hwnnw.

Cyrch Eryr.

Beth oedd ystyr y ddau air?

Stopiodd y trên ac agorodd y drysau â sŵn hisian. Gwnaeth Alecs yn siŵr fod y gyriant fflach yn dal yn ei boced, a disgynnodd o'r trên.

Doedd bron neb ar y platfform, ond roedd y prif gyntedd tocynnau'n brysurach o dipyn. Roedd myfyrwyr a theithwyr ifainc eraill yn cyrraedd o ddinasoedd tramor. Roedd rhai yn eu cwman ar lawr, yn pwyso yn erbyn bagiau gorlawn. Edrychent i gyd wedi ymgolli yn eu meddyliau'u hunain dan y goleuadau caled, artiffisial. Meddyliodd Alecs y byddai'n cymryd oddeutu deng munud iddo feicio draw at y gwesty ar yr Herengracht. Os oedd yn ddigon effro i gofio ble roedd o.

Cerddodd drwy'r drysau gwydr trwm a dod o hyd i'w feic, wedi'i glymu â chadwyn wrth ryw reilins. Roedd newydd ddatod y clo pan stopiodd, gan synhwyro'r peryg hyd yn oed cyn ei weld. Roedd hyn yn rhywbeth nad oedd erioed wedi'i ddysgu. Byddai hyd yn oed ei ewythr, oedd wedi treulio blynyddoedd yn ei hyfforddi i fod yn ysbïwr, ddim wedi gallu egluro'r peth; y reddf oedd yn dweud wrtho bod yn rhaid iddo symud – a hynny'n gyflym. Edrychodd o'i amgylch. Roedd ardal eang â llawr coblog yn arwain i lawr at y dŵr, a'r ddinas tu draw. Roedd ciosg yn gwerthu cŵn poeth yn dal yn agored, y selsig yn coginio ar gril, ond doedd dim golwg o'r perchennog. Cerddai ychydig o gyplau dros bontydd y camlesi, yn mwynhau noson oedd wedi troi'n gynnes a sych. Nid du oedd yr awyr, ond rhyw liw glas tywyll.

Clywodd gloc yn taro'r awr, a'r sŵn yn atseinio ar draws y ddinas.

Sylwodd Alecs ar gar wedi'i barcio'n wynebu'r orsaf. Goleuodd ei brifoleuadau, gan daflu pelydryn o olau ar draws y sgwâr tuag ato. Eiliad yn ddiweddarach gwnaeth car arall yr un peth. Yna trydydd car. Roedd y tri char yr un fath: ceir Smart dwy-sedd. Cyneuodd rhagor o oleuadau. Roedd chwe cherbyd wedi'u parcio mewn hanner cylch o'i amgylch, gan reoli pob cornel o sgwâr yr orsaf. Ceir du oedden nhw i gyd, a'u siâp yn gwneud iddyn nhw edrych fel teganau plant. Ond gwyddai Alecs â rhyw sicrwydd iasol nad oedden nhw yno am hwyl.

Agorwyd drysau. Daeth dynion allan, wedi'u troi'n silwetau du gan oleuadau eu ceir eu hunain. Am eiliad, symudodd neb. Roedd Alecs yn eu rhwyd. Doedd unman iddo fynd.

Estynnodd Alecs ei fawd chwith, a'i symud i gyfeiriad y gloch oedd yn dal i edrych braidd yn chwerthinllyd, yn sownd wrth gyrn ei feic. Roedd lifer bach arian yn dod o'r ochr. O gael ei bwyso, byddai'r gloch yn canu. Gafaelodd Alecs yn y lifer a'i thynnu. Neidiodd caead y gloch yn agored gan ddangos pum botwm tu mewn, pob un o liw gwahanol. Roedd Smithers wedi'u disgrifio yn y llawlyfr, ynghyd ag arwyddocâd y gwahanol liwiau. Rŵan roedd hi'n bryd darganfod a oedden nhw'n gweithio ai peidio.

Fel petaen nhw'n synhwyro bod rhywbeth ar fin digwydd, roedd y cysgodion duon wedi dechrau symud ar draws y sgwâr. Pwysodd Alecs y botwm oren a theimlo'r cryndod dan ei ddwylo wrth i ddau daflegryn ceisio-gwres ffrwydro allan o gyrn y beic. Saethon nhw ar draws y sgwâr gan adael fflamau oren ar eu holau. Gwelodd y dynion yn stopio, yn ansicr.

Saethodd y ddau daflegryn i'r awyr, yna troesant yn ôl, gan gydsymud yn berffaith â'i gilydd. Fel roedd Alecs wedi'i ddyfalu, y peth poethaf yn y sgwâr oedd y gril yn y ciosg cŵn poeth. Syrthiodd y taflegrynau arno, y ddau'n taro gyda'i gilydd. Cafwyd ffrwydrad anferth, a chododd pelen o dân a ymledodd dros y llawr coblau, gan adlewyrchu yn nŵr y gamlas. Syrthiodd cawod o ddarnau pren tanllyd a thameidiau o selsig i lawr. Doedd y ffrwydrad ddim yn ddigon i ladd neb, ond roedd wedi tynnu sylw pawb yn effeithiol iawn. Cydiodd Alecs yn y beic a'i lusgo'n ôl i'r orsaf. Roedd y sgwâr ar gau. Hon oedd yr unig ffordd.

Ond hyd yn oed wrth iddo fynd yn ôl i mewn i'r cyntedd tocynnau, gwelodd ddynion eraill yn rhedeg ar draws yr orsaf tuag ato. Yr adeg yma o'r nos roedd y dyrfa'n symud yn araf. Roedd yn rhaid i unrhyw un oedd yn rhedeg fod yn gwneud hynny am reswm arbennig, a gwyddai Alecs yn sicr mai fo oedd y rheswm hwnnw. Rhaid bod dynion Cray wedi bod yn cysylltu ar ffonau radio. Nawr bod un criw wedi ei weld, byddai pawb yn gwybod ble roedd o.

Neidiodd ar y beic a phedalu dros y llawr carreg gwastad nerth ei goesau: heibio'r ffenestri tocynnau, y stondinau papurau newydd, yr hysbysfyrddau a'r rampiau oedd yn arwain at y platfformau, gan geisio ennill y blaen orau gallai ar ei ddilynwyr. Camodd dynes yn gwthio peiriant glanhau o'i flaen, a bu raid iddo droi'n gyflym, gan osgoi taro rhyw ddyn mawr â sach gefn anferth i'r llawr o drwch blewyn. Rhegodd y dyn arno mewn Almaeneg. Rasiodd Alecs yn ei flaen.

Roedd drws ym mhen pellaf y cyntedd tocynnau, ond cyn y gallai gyrraedd yno taflwyd y drws yn agored a rhedodd rhagor o ddynion i mewn, gan gau'i lwybr. Gan bedalu'n wyllt, trodd Alecs y beic yn gyflym ac anelu am yr unig ffordd allan o'r hunllef yma. Grisiau symudol, yn mynd am i lawr. Cyn iddo hyd yn oed wybod beth oedd yn ei wneud, roedd wedi'i daflu'i hun a'r beic ymlaen i ben y grisiau ac roedd yn sgrytian ac yn sboncio wysg ei ben i lawr dan ddaear. Câi ei daflu o un ochr i'r llall, ei gorff yn taro'n galed yn erbyn y paneli dur. Meddyliodd tybed a fyddai'r olwyn flaen yn sigo dan y straen, neu a fyddai'r teiars yn cael eu rhwygo gan yr ymylon miniog. Ond yn sydyn roedd yn y gwaelod ac yn reidio drwy orsaf danddaearol, gyda ffenestri tocynnau ar un ochr a gatiau awtomatig ar y llall. Roedd yn falch ei bod hi mor hwyr a'r orsaf bron yn wag. Ac eto, trodd un neu ddau o bennau mewn syndod wrth iddo fynd i mewn i goridor hir a diflannu o'r golwg.

Er bod yr amgylchiadau'n gwbl amhriodol, roedd Alecs yn methu peidio ag edmygu mor gelfydd oedd system lywio'r beic Bad Boy. Roedd y ffrâm alwminiwm yn ysgafn ac yn hawdd ei thrin, a'r tiwb solet yn cadw'r beic yn gwbl sefydlog. Daeth at gornel, a heb feddwl aeth i'r sefyllfa ymosod. Pwysodd i lawr ar y pedal allanol a rhoi ei bwysau arno, gan gadw'i gorff yn isel. Roedd ei graidd disgyrchiant wedi'i ffocysu'n llwyr ar y pwynt lle roedd y teiars yn cyffwrdd â'r llawr, ac aeth y beic rownd y gornel dan reolaeth lwyr. Rhywbeth roedd Alecs wedi'i ddysgu flynyddoedd ynghynt oedd hyn, wrth feicio mynydd yn y Penwynion. Doedd o erioed wedi dychmygu y byddai'n defnyddio'r un technegau mewn gorsaf danddaearol yn Amsterdam!

Daeth set arall o risiau symudol ag ef yn ôl i lefel y stryd a chafodd Alecs ei hun yr ochr draw i'r sgwâr. Roedd gweddillion y ciosg cŵn poeth yn dal i losgi. Roedd car heddlu wedi cyrraedd, a gallai weld y gwerthwr cŵn poeth, wedi cynhyrfu'n lân, yn ceisio egluro wrth blismon beth oedd wedi digwydd. Am eiliad gobeithiodd y gallai sleifio o'r golwg yn ddisylw. Ond yna clywodd sgrech teiars wrth i un o'r ceir Smart sgidio yn ei ôl ar dro a saethu yn ei flaen tuag ato. Roedden nhw wedi'i weld! Ac roedden nhw ar ei ôl unwaith eto.

Dechreuodd bedalu ar hyd y Damrak, un o brif strydoedd Amsterdam, gan gyflymu'n sydyn. Taflodd olwg dros ei ysgwydd. Roedd car arall wedi ymuno â'r cyntaf, a suddodd ei galon wrth iddo sylweddoli na fyddai ei goesau byth yn gallu cystadlu yn erbyn cyflymder y ceir. Roedd ganddo, meddyliodd, ryw ugain eiliad cyn y bydden nhw'n ei ddal.

Yna canodd cloch yn rhywle, a chlywyd sŵn metelaidd, uchel. Roedd tram yn dod tuag ato, gan daranu dros y cledrau ar ei ffordd i'r orsaf. Gwyddai Alecs beth oedd yn rhaid iddo'i wneud. Clywai'r ceir Smart yn dod yn nes y tu ôl iddo. Bocs metel anferth oedd y tram, yn llenwi'r ffordd o'i flaen. Ar yr eiliad olaf un, trodd Alecs gyrn y beic, gan ei daflu'i hun yn union o flaen y tram. Gwelodd yr arswyd ar wyneb y gyrrwr a theimlodd olwynion y beic yn sgrytian wrth fynd dros y cledrau. Ond yna roedd ar yr ochr draw a'r tram wedi troi'n fur a fyddai – o leiaf am eiliad neu ddwy – yn ei gadw ar wahân i'r ceir.

Er hynny, ceisiodd un ohonyn nhw ei ddilyn. Roedd yn gamgymeriad dybryd. Roedd y car hanner ffordd ar draws y cledrau pan drawyd ef gan y tram. Bu ergyd anferthol a chwyrlïodd y car i ffwrdd i'r pellter. Wedyn daeth sŵn crensian ofnadwy a metel yn sgrechian wrth i'r tram ddod oddi ar y cledrau. Chwipiodd ail gerbyd y tram i'r ochr a tharo'r car arall, gan ei ysgubo i ffwrdd fel gwybedyn. Wrth i Alecs bedalu i ffwrdd o'r Damrak, dros bont fach hardd wedi'i pheintio'n wyn, gadawodd olygfa o ddinistr llwyr y tu ôl iddo, wrth i synau seiren y ceir heddlu cyntaf dorri drwy'r aer.

Cafodd ei hun yn beicio drwy gyfres o strydoedd cul oedd yn fwy prysur, gyda phobl yn crwydro i mewn ac allan o sinemâu pornograffi a chlybiau stripio. Roedd wedi crwydro'n ddamweiniol i ardal golau coch enwog Amsterdam. Meddyliodd tybed beth fyddai Jac yn ei feddwl o hynny. Chwinciodd rhyw ddynes arno, ond anwybyddodd Alecs hi a beicio yn ei flaen.

Roedd tri beic modur du ym mhen draw'r stryd.

Ochneidiodd Alecs. Tri Suzuki Bandit 400cc oedden nhw, a gwyddai Alecs yn union pam eu bod nhw yno, yn llonydd a di-sŵn. Roedden nhw'n aros amdano. Yr eiliad y gwelodd y beicwyr Alecs, rhoddodd pob un gic i danio injan ei feic. Gwyddai Alecs fod raid iddo fynd – a hynny'n gyflym. Edrychodd o'i gwmpas.

Ar un ochr roedd dwsinau o bobl yn llifo i mewn ac allan o res o siopau dan olau eu lampau neon. Ar yr ochr arall roedd camlas gul yn ymestyn i'r pellter; tu draw iddi roedd tywyllwch, a'r posibilrwydd o ddiogelwch. Ond sut roedd o'n mynd i'w chroesi? Doedd dim pont i'w gweld yn unman.

Ond roedd un ffordd, fallai. Roedd cwch ar y gamlas – un o'r cychod pleser to gwydr enwog hynny, yn isel yn y dŵr, ac yn llawn o ymwelwyr ar daith ginio hwyrnos. Roedd wedi troi'n groesgongl ar draws y dŵr fel ei fod bron â chyffwrdd â'r ddwy lan. Roedd y capten wedi camfarnu'r ongl, a'r cwch yn edrych fel pe bai wedi mynd yn sownd.

Gwthiodd Alecs ei hun ymlaen. Yr un pryd pwysodd y botwm gwyrdd dan gloch y beic. Roedd potel ddŵr wedi'i gosod â'i phen i lawr dan sedd y beic, ac o gil ei lygad gwelodd Alecs hylif llwyd-arian yn chwistrellu allan ar y ffordd. Roedd yn chwyrnellu tua'r gamlas, gan adael ôl fel malwen y tu cefn iddo. Clywodd ruo'r beiciau modur Suzuki a gwybod eu bod wedi'i ddal. Yna digwyddodd popeth ar unwaith.

Gadawodd Alecs y ffordd, croesi'r palmant a

gorfodi'r beic i godi i'r awyr. Cyrhaeddodd y beic modur cyntaf y darn o'r ffordd oedd wedi'i orchuddio â'r hylif. Ar unwaith collodd y gyrrwr reolaeth, gan sgidio mor wyllt fel y gallai rhywun feddwl yn hawdd ei fod yn ei daflu'i hun i ffwrdd yn fwriadol. Dyrnodd ei feic yn erbyn yr ail feic, gan lorio hwnnw hefyd. Ar yr un pryd taranodd Alecs i lawr ar do gwydr cryf y cwch pleser a dechrau pedalu ar ei hyd. Gallai weld y gwesteion yn syllu i fyny arno'n syn. Trodd gweinydd yn cario llond hambwrdd o wydrau mewn cylch cyfan, gan ollwng ei lwyth. Daeth fflach camera o rywle. Yn sydyn, roedd wedi cyrraedd yr ochr draw. Wedi'i yrru ymlaen gan ei gyflymder ei hun, hedfanodd oddi ar y to, dros resaid o folardiau, a sgidio i stop ar ochr bellaf y gamlas.

Edrychodd yn ôl – mewn da bryd i weld bod y trydydd Bandit wedi llwyddo i'w ddilyn. Roedd hwnnw eisoes yn yr awyr, a'r twristiaid ar y cwch yn syllu i fyny'n bryderus wrth iddo ddod i lawr tuag atynt. Roedd ganddyn nhw reswm da dros bryderu. Roedd y beic modur yn rhy drwm. Trawodd y to gwydr a chwalodd hwnnw oddi tano. Diflannodd y beic a'r beiciwr i mewn i'r caban wrth i'r twristiaid, dan sgrechian, daflu'u hunain o'r ffordd. Ffrwydrodd platiau a byrddau;

ffiwsiodd goleuadau'r caban a diffodd. Doedd gan Alecs ddim amser i weld rhagor.

Doedd o ddim yn mynd i gael cyfle i guddio yn y tywyllwch wedi'r cyfan. Roedd pâr arall o Bandits wedi dod o hyd iddo, gan ruo ar hyd ochr y gamlas tuag ato. Gan bedalu'n ffyrnig, ceisiodd ddiflannu o'r golwg, troi i mewn i un stryd, cymryd tro sydyn i un arall, rownd cornel, ar draws sgwâr. Teimlai ei goesau a'i gluniau fel petaen nhw ar dân. Gwyddai na allai fynd lawer pellach.

Ac yna gwnaeth ei gamgymeriad.

Stryd gefn gul oedd hi, un dywyll a deniadol. Byddai'n ei arwain i rywle lle na fyddai neb yn dod o hyd iddo. Dyna a gredai. Ond pan oedd ond hanner ffordd i lawr y stryd, camodd dyn i'r golwg o'i flaen a dryll peiriant yn ei ddwylo. Tu ôl iddo roedd y ddau Fandit yn cadw'n agos, gan gau ei ffordd yn ôl.

Anelodd y dyn â'r dryll peiriant. Trawodd Alecs i lawr â'i fys, ar y botwm melyn y tro yma. Ar unwaith cafwyd ffrwydrad o olau gwyn llachar wrth i'r fflach magnesiwm, oedd wedi'i chuddio y tu mewn i'r prif olau Digital Evolution, danio. Allai Alecs ddim credu cymaint o olau oedd yn llifo o'r beic. Roedd y lle i gyd wedi'i oleuo. Roedd y dyn â'r dryll peiriant wedi'i ddallu'n llwyr.

Trawodd Alecs y botwm glas. Daeth sŵn hisian uchel. Rywle o dan ei goesau llifodd cwmwl o fwg glas allan o'r pwmp aer oedd wedi'i gysylltu â ffram y beic. Roedd y ddau feic Bandit wedi dod yn agos iawn ato, ond nawr fe saethon nhw i mewn i'r mwg a diflannu.

Yn sydyn, aeth y cyfan yn ddryswch llwyr. Roedd y lle'n llawn o olau llachar a mwg trwchus. Taniodd y dyn â'r dryll peiriant, gan synhwyro nad oedd Alecs yn bell oddi wrtho. Ond roedd Alecs eisoes yn mynd heibio iddo ac aeth y bwledi i'r ochr, gan drywanu'r Bandit cyntaf a lladd y gyrrwr yn syth. Rywsut neu'i gilydd llwyddodd yr ail feic Bandit i fynd trwodd, ond yna daeth sŵn ergyd, sgrech a thrawiad metel ar frics. Stopiodd clecian y bwledi a gwenodd Alecs yn oerllyd wrtho'i hun wrth sylweddoli beth oedd wedi digwydd. Roedd y dyn ar y beic modur wedi rhedeg dros ei ffrind â'r dryll peiriant.

Diflannodd ei wên wrth i gar Smart arall ymddangos o rywle, nid yn agos iawn ond yn dod yn nes. Faint rhagor ohonyn nhw oedd yna? Anodd credu na fyddai dynion Cray'n penderfynu'n fuan eu bod wedi cael digon a rho'r gorau iddi. Ond yna cofiodd Alecs am y gyriant fflach yn ei boced ac atgoffodd ei hun y byddai Cray'n fodlon rhwygo dinas Amsterdam yn ddarnau mân mewn ymdrech i'w gael yn ôl.

Roedd pont o'i flaen, un henffasiwn wedi'i hadeiladu o bren a metel yn gweithio â chêblau trwchus a gwrthbwysau. Roedd hon yn croesi camlas letach o lawer, ac roedd un bad camlas yn teithio tuag ati. Roedd Alecs yn methu deall; roedd y bont yn rhy isel o lawer i adael i'r bad fynd oddi tani. Yna goleuodd golau rheoli coch a dechreuodd y bont godi.

Edrychodd Alecs dros ei ysgwydd. Roedd y car Smart tua phum deg metr y tu ôl iddo, a'r tro yma doedd unman i guddio, unman arall i fynd. Edrychodd o'i flaen. Pe bai o ddim ond yn gallu llwyddo i gyrraedd glan bellaf y gamlas, yna fe fyddai'n wirioneddol yn gallu diflannu. Fyddai neb yn gallu'i ddilyn – o leiaf ddim nes byddai'r bont wedi dod yn ôl i lawr. Ond yn ôl pob golwg roedd eisoes yn rhy hwyr. Roedd y bont wedi hollti'n ddwy, y ddau ddarn yn codi ar yr un cyflymder, a'r bwlch uwchben y dwr yn lledu bob eiliad.

Roedd y car Smart yn cyflymu.

Doedd gan Alecs ddim dewis.

Gan deimlo'r boen, a sylweddoli ei fod wedi ymlâdd yn llwyr, gwthiodd Alecs i lawr a chyflymodd y beic. Roedd injan y car i'w glywed yn uwch nawr, yn udo yn ei glustiau, ond feiddiai o ddim edrych yn ôl unwaith eto. Roedd ei holl egni wedi'i ffocysu ar y bont wrth iddi godi'n gyflym.

Trawodd yr arwyneb pren pan oedd ar ogwydd o bedwar deg pum gradd. Sylweddolodd ei fod yn meddwl, yn wallgof, am ryw wers fathemateg yn yr ysgol un tro. Triongl ongl gywir. Gallai ei gweld yn blaen ar y bwrdd du. Ac roedd yn beicio i fyny ochr y triongl!

Doedd o ddim yn mynd i lwyddo. Bob tro y gwthiai ar y pedalau roedd o fymryn yn anoddach, a phrin roedd wedi cyrraedd hanner ffordd i fyny. Gallai weld y bwlch – yn anferth erbyn hyn – a'r dŵr tywyll, oer oddi tano. Roedd y car yn union tu ôl iddo. Roedd mor agos fel na allai glywed dim byd ar wahân i'w injan, ac roedd arogl petrol yn llenwi'i ffroenau.

Pedalodd am y tro olaf – ac ar yr un foment pwysodd y botwm coch yn y gloch: y sedd alldaflu. Clywodd ffrwydrad tawel yn union oddi tano. Roedd y sedd wedi codi oddi ar y beic, yn cael ei gyrru gan aer cywasgedig neu gan ryw fath o system hydrolig ddyfeisgar. Saethodd Alecs i'r awyr, dros ei ochr ef o'r bont, dros y bwlch ac yna i lawr ar yr ochr arall, gan droi drosodd a throsodd wrth iddo syrthio'r holl ffordd i lawr. Wrth iddo droelli, gwelodd y car Smart. Er mor anodd oedd credu'r fath beth, roedd wedi ceisio'i ddilyn. Roedd yn llonydd yn yr awyr rhwng dau hanner y bont. Gallai weld wyneb y gyrrwr, y llygaid llydan agored, y dannedd yn crensian. Yna plymiodd y car i lawr. Clywyd sblash anferthol, a suddodd y car ar unwaith dan ddŵr du y gamlas.

Cododd Alecs yn boenus ar ei draed. Roedd sedd y beic yn gorwedd nesaf ato a chododd hi. Roedd neges o dan y sedd. Fyddai o byth wedi gallu'i ddarllen tra oedd y sedd yn sownd wrth y ffrâm. *Os wyt ti'n darllen y neges yma, mae arnat ti feic newydd imi.*

Roedd gan Smithers synnwyr digrifwch unigryw. Â'r sedd dan ei gesail, dechreuodd Alecs gerdded yn gloff i gyfeiriad y gwesty. Roedd o wedi blino gormod i wenu, hyd yn oed.

CAMAU ARGYFWNG

Hen adeilad oedd yr Hotel Saskia oedd rywsut wedi llwyddo i ysgwyddo'i ffordd rhwng warws wedi'i addasu a bloc o fflatiau. Dim ond pump o stafelloedd gwely oedd ynddo, a'r rheini wedi'u pentyrru un ar ben y llall fel tŷ o gardiau, pob un â golygfa o'r gamlas. Doedd y farchnad flodau ddim mwy na thafliad carreg i ffwrdd, a hyd yn oed yn y nos roedd yr aer yn ogleuo'n felys. Roedd Jac wedi'i ddewis oherwydd ei fod yn fach ac yn ddiarffordd. Gobeithiai ei fod yn westy lle na fyddai neb yn sylwi arnyn nhw.

Pan agorodd Alecs ei lygaid am wyth y bore wedyn, cafodd ei hun yn gorwedd ar wely mewn stafell fechan ar y llawr uchaf, wedi'i hadeiladu i mewn i'r to. Doedd o ddim wedi cau caeadau'r ffenestri, a llifai golau haul i mewn drwy'r ffenest agored. Cododd ar ei eistedd yn araf, ei gorff yn cwyno'n barod am y driniaeth roedd wedi'i derbyn y noson cynt. Roedd ei ddillad wedi'u plygu'n daclus ar gadair, ond doedd o ddim yn cofio'u rhoi nhw yno. Edrychodd i'r ochr a gweld nodyn wedi'i lynu ar y drych.

Brecwast ar gael tan ddeg.
Gobeitho dy fod ti'n ddigon cryf i ddod lawr! xxx

Gwenodd, wrth adnabod llawysgrifen Jac.

Roedd stafell ymolchi fechan, prin mwy na chwpwrdd, yn arwain o'r brif stafell ac aeth Alecs i mewn a molchi. Glanhaodd ei ddannedd, yn ddiolchgar am y blas mint. Hyd yn oed ddeg awr yn ddiweddarach doedd o ddim wedi anghofio'n llwyr am flas gwaed y neidr. Wrth wisgo amdano, meddyliodd yn ôl i'r noson cynt pan herciodd i mewn i'r dderbynfa a gweld Jac yn aros amdano ar un o'r cadeiriau antîc. Doedd o ddim yn credu'i fod wedi'i glwyfo'n ddrwg, ond roedd ei hwyneb hi'n dweud stori wahanol. Roedd hi wedi archebu brechdanau a siocled poeth gan y derbynnydd syn, yna'i arwain at y lifft fechan a'u cludodd nhw bum llawr i fyny. Doedd Jac ddim wedi ei holi o gwbl, ac roedd Alecs yn ddiolchgar am hynny. Roedd yn rhy flinedig i egluro, yn rhy flinedig i wneud dim byd.

Roedd Jac wedi gwneud iddo gael cawod, ac erbyn iddo ddod allan roedd hi rywsut neu'i gilydd wedi llwyddo i gael gafael ar offer cymorth cyntaf. Roedd Alecs yn sicr nad oedd arno angen unrhyw beth, ac roedd yn falch pan ddaeth gweinydd at y drws i dorri ar draws y

239

gweithgarwch. Roedd wedi credu y byddai'n rhy flinedig i fwyta, ond yn sydyn sylweddolodd ei fod yn awchu am fwyd, a llawciodd y cyfan wrth i Jac ei wylio. O'r diwedd gorweddodd ar ei hyd ar y gwely.

Yr eiliad y caeodd ei lygaid roedd yn cysgu.

Nawr gorffennodd wisgo amdano, llygadodd ei gleisiau yn y drych ac aeth allan. Aeth yr holl ffordd i lawr yn y lifft wichlyd i seler â nenfwd isel, bwaog islaw'r dderbynfa. Yma roedd brecwast yn cael ei weini. Brecwast cyfandirol oedd hwnnw – cigoedd oer, cawsiau a rholiau bara, gyda choffi. Gwelodd Jac yn eistedd wrth fwrdd ar ei phen ei hun mewn cornel. Aeth draw ati.

'Hai, Alecs,' meddai hi wrtho. Roedd yn amlwg yn falch o'i weld yn edrych yn debycach iddo'i hun. 'Shwd gysgest ti?'

'Fel twrch.' Eisteddodd. 'Wyt ti isio imi ddweud wrthat ti be ddigwyddodd neithiwr?'

'Ddim 'to. Ma 'da fi syniad y bydde fe'n sbwylo mrecwast i.'

Bwytodd y ddau, ac yna dechreuodd Alecs ddweud y cyfan ddigwyddodd o'r foment roedd wedi mynd i mewn i gowrt Cray ar ochr y tryc. Ar ôl iddo orffen, bu tawelwch hir. Roedd coffi Jac wedi oeri.

'Gwallgofddyn yw Damian Cray!' ebychodd hi. 'Smo fi byth 'to am brynu un arall o'i albyms e!' Sipiodd ei choffi oer, tynnu ceg gam a rhoi'i chwpan i lawr. 'Ond nagw i'n deall,' meddai. 'Beth, er mwyn popeth, wyt ti'n meddwl mae e'n wneud? Hynny yw … mae Cray yn arwr gan bawb. Fe ganodd e ym mhriodas y Dywysoges Diana, hyd yn oed!'

'Adeg ei phen-blwydd,' meddai Alecs, gan ei chywiro.

'Ac mae e wedi cyfrannu miliyne i elusenau. Fe es i i un o'i gyngherdde fe unwaith. Roedd pob dime goch o'r elw'n mynd i gronfa Achub y Plant. Neu falle mod i wedi camddeall yr enw; falle taw Clatsiwch y Plant a Cheisiwch eu Lladd Nhw oedd e! Yn enw popeth, beth sy'n mynd ymlaen?'

'Wn i ddim. Mwya dwi'n meddwl am y peth, lleia'n byd o synnwyr mae o'n wneud.'

'Sa'i isie meddwl am y peth, hyd yn oed. Rwy'i jest mor falch dy fod ti wedi llwyddo i gael dy hunan mas o'r lle'n fyw. Ac rwy'n casáu fy hun am adael iti fynd i mewn yno ar ben dy hun.' Meddyliodd am foment. 'Fel wy'n ei gweld hi, rwyt ti wedi gwneud dy ran,' meddai wedyn. 'Nawr mae'n rhaid iti fynd yn ôl at MI6 a dweud wrthyn nhw beth wyt ti'n wybod. Elli di roi'r gyriant fflach iddyn nhw. Y tro yma bydd raid iddyn nhw dy gredu di.'

'Cytuno'n llwyr,' meddai Alecs. 'Ond yn gynta mae'n rhaid inni adael Amsterdam. Ac mi fydd raid inni fod yn ofalus. Mae'n siŵr y bydd Cray wedi trefnu bod ei bobl o yn yr orsaf. Ac yn y maes awyr hefyd o ran hynny.'

Nodiodd Jac. 'Fe awn ni ar y bws,' meddai. 'Allwn ni fynd i Rotterdam neu Antwerp. Falle gallwn ni ddal awyren o fanno.'

Roedden nhw wedi gorffen eu brecwast. Ar ôl pacio a thalu, gadawsant y gwesty. Talodd Jac ag arian parod. Roedd arni ofn y byddai Cray, â'i holl adnoddau, yn gallu tracio cerdyn credyd. Roedd tacsi'n aros ger y farchnad flodau, ac aeth hwnnw â nhw i'r maestrefi, lle dalion nhw fws lleol. Sylweddolodd Alecs fod y siwrnai adref yn mynd i fod yn un hir, ac roedd hynny'n gwneud iddo bryderu. Roedd deuddeg awr wedi mynd heibio er pan glywodd Cray'n cyhoeddi y byddai Cyrch Eryr yn digwydd ymhen dau ddiwrnod. Roedd hi'n ganol y bore'n barod.

Roedd llai na thri deg chwech awr ar ôl.

Roedd Damian Cray wedi deffro'n gynnar; eisteddai i fyny mewn gwely pedwar postyn ac arno gynfasau sidan lliw porffor golau ac o leiaf ddwsin o obenyddion. Roedd hambwrdd o'i flaen, wedi'i gario i mewn gan ei forwyn bersonol, ynghyd â'r papurau newydd, wedi'u hedfan yn arbennig o Loegr. Roedd yn bwyta'i frecwast arferol o uwd organig, mêl o Fecsico (wedi'i gynhyrchu gan ei wenyn ei hun), llaeth soya a llugaeron. Roedd hi'n ffaith hysbys mai llysieuwr oedd Cray. Ar wahanol adegau roedd wedi ymgyrchu yn erbyn magu anifeiliaid yn gaeth, cludo anifeiliaid byw, a mewnforio *pâté* iau gwyddau. Y bore yma doedd ganddo ddim archwaeth am fwyd, ond bwytaodd yr un fath. Roedd ganddo ddietegydd personol oedd yn mynnu ei fod yn bwyta brecwast bob dydd.

Roedd yn dal i fwyta pan gurodd rhywun ar y drws a daeth Yassen Gregorovich i mewn.

'Wel?' gofynnodd Cray. Doedd cael ymwelwyr yn ei stafell wely byth yn tarfu ar Cray. Yn ei wely y cyfansoddodd rai o'i ganeuon gorau.

'Fe wnes i fel dwedoch chi. Mae gyda fi ddynon yn Amsterdam Central, Amsterdam Zuid, Lelylaan, De Vlugtlaan … y gorsafoedd lleol i gyd. Mae dynon hefyd ym maes awyr Schiphol a gwylwyr yn y porthladdoedd. Ond nagw i'n credu y bydd Alecs Rider yn troi lan yn yr un ohonyn nhw.'

'Felly ble mae e?'

243

'Tawn i yn ei le fe, bydden i'n anelu am Frwsel neu Baris. Mae gyda fi gysylltiade yn yr heddlu ac rwy'i wedi trefnu'u bod nhw'n cadw golwg amdano fe. Os gwelith rhywun e, fe gawn ni glywed. Ond sai'n credu y down ni o hyd iddo fe nes bydd e'n cyrredd Lloegr. Bydd e'n mynd ar ei union i MI6 ac yn mynd â'r gyriant fflach gydag e.'

Taflodd Cray ei lwy ar y llawr. 'Dy'ch chi ddim fel petaech chi'n cyffroi rhyw lawer ynghylch yr holl beth,' meddai.

Ddwedodd Yassen 'run gair.

'Mae'n rhaid imi ddweud, rwy'n siomedig iawn ynoch chi, Mr Gregorovich. Pan o'n i'n trefnu hyn i gyd, fe wedon nhw taw chi oedd y gore. Fe ddealles i nad oeddech chi byth yn gwneud camgymeriade.' Dim ateb eto. Gwgodd Cray. 'Ro'n i'n talu llawer iawn o arian ichi. Wel, fe gewch chi anghofio am hynny bellach. Mae e wedi cwpla. Mae'r cyfan ar ben. Dyw Cyrch Eryr ddim yn mynd i ddigwydd. A beth amdana i? Mae MI6 yn siŵr o ddarganfod hyn i gyd, ac os dôn nhw ar fy ôl i ...' Torrodd ei lais. 'Hon oedd fy moment fawr i. Llafur oes gyfan. Nawr mae'r cyfan wedi'i ddinistrio, a chi sy'n gyfrifol!'

'Dyw e ddim ar ben,' meddai Yassen. Doedd dim newid yn ei lais, ond roedd rhyw elfen iasol ynddo allai fod wedi rhybuddio Cray ei fod unwaith eto wedi dod yn beryglus o agos at farwolaeth gyflym ac annisgwyl. Edrychodd y Rwsiad i lawr ar y dyn bychan, yn gorffwys ar y pentwr o obenyddion yn y gwely. 'Ond mae'n rhaid inni gymryd camau argyfwng. Mae pobl gyda fi yn Lloegr. Rwy'i wedi rhoi gorchmynion iddyn nhw. Fe gewch y gyriant fflach yn ôl mewn pryd.'

'Shwd ych chi am drefnu hynny?' gofynnodd Cray. Doedd o ddim yn swnio fel pe bai wedi'i argyhoeddi.

'Rwy'i wedi bod yn ystyried y sefyllfa. Ar hyd yr amser ro'n i'n credu bod Alecs yn gweithredu ar ei ben ei hun. A taw hap a damwain ddaeth ag e aton ni.'

'Roedd e'n sefyll yn y tŷ yna yn Ne Ffrainc.'
'Oedd.'
'Felly shwd ych chi'n egluro'r peth?'

'Gofynnwch y cwestiwn yma i chi'ch hun. Pam bod Alecs wedi cyffroi cymaint gan yr hyn ddigwyddodd i'r newyddiadurwr? Doedd a wnelo'r peth ddim ag e. Ond roedd e'n ddig. Fe wnaeth e fentro'i fywyd trwy ddod ar y bad, y *Fer de Lance*. Mae'r ateb yn amlwg. Merch oedd y ffrind roedd e'n sefyll gyda hi.'

'Wejen?' Gwenodd Cray'n goeglyd.

'Mae'n amlwg ei fod yn hoff ohoni. Dyna roddodd e ar ein trywydd ni.'

'Ac ry'ch chi'n credu taw'r ferch yma ...?' Gallai Cray weld beth oedd ar feddwl y Rwsiad, ac yn sydyn doedd y dyfodol ddim yn edrych mor llwm wedi'r cyfan. Suddodd yn ei ôl i mewn i'r gobenyddion. Roedd yr hambwrdd brecwast yn codi ac yn disgyn o'i flaen.

'Beth yw ei henw hi?' gofynnodd Cray.

'Sabina Pleasure,' meddai Yassen.

* * *

Roedd Sabina wastad wedi casáu ysbytai, ac roedd popeth ynglŷn ag ysbyty Whitchurch yn ei hatgoffa pam.

Roedd y lle'n anferth. Gallech ddychmygu cerdded drwy'r drysau tro a pheidio â dod allan byth eto. Fallai y byddech yn marw; fallai y byddech yn cael eich llyncu gan y system a diflannu. Fyddai hynny'n gwneud dim gwahaniaeth. Roedd popeth ynglŷn â'r adeilad yn amhersonol, fel pe bai wedi'i gynllunio er mwyn gwneud i'r cleifion deimlo fel cynnyrch ffatri. Deuai meddygon a nyrsys i mewn ac allan, gan edrych wedi blino'n llwyr ac wedi'u trechu. Roedd bod yn agos at y lle'n ddigon i godi arswyd ar Sabina.

Ysbyty newydd sbon yn ne Llundain oedd y Whitchurch. Roedd mam Sabina wedi dod â hi yno. Roedd y ddwy yn y maes parcio, yn eistedd gyda'i gilydd yn VW Golf Lis Pleasure.

'Wyt ti'n siŵr nad wyt ti ddim isio imi ddod efo ti?' meddai'i mam.

'Na, fydda i'n iawn.'

'Yr un un ydi o, Sabina. Mae'n rhaid iti sylweddoli hynny. Fallai y cei di sioc wrth ei weld o. Ond o dan y cwbl mae o'n dal yr un fath.'

'Ydi e isie ngweld i?'

'Wrth gwrs ei fod o. Mae o wedi bod yn edrych ymlaen. Dim ond iti beidio aros yn rhy hir. Mae o'n blino …'

Hwn oedd y tro cyntaf i Sabina fynd i weld ei thad ers iddo gael ei hedfan yn ôl o Ffrainc. Doedd o ddim wedi bod yn ddigon cryf i'w gweld tan heddiw, ac roedd yr un peth, sylweddolodd, yn wir amdani hithau. Mewn ffordd, roedd hyn wedi bod yn codi ofn arni. Meddyliodd tybed sut y byddai'n teimlo wrth ei weld. Roedd wedi'i losgi'n ddifrifol. Doedd o ddim eto'n gallu cerdded. Ond, yn ei breuddwydion, yr un tad cyfarwydd oedd e. Roedd ganddi ffotograff ohono wrth ei gwely, a phob nos cyn cysgu byddai'n ei weld fel y bu erioed: llyfrbryf blêr, ond bob amser yn iach ac yn gwenu. Gwyddai Sabina y byddai'n gorfod dechrau wynebu realiti y foment y cerddai i mewn i'w stafell.

Anadlodd Sabina'n ddwfn. Aeth allan o'r car a cherddded ar draws y maes parcio, heibio'r fynedfa Damweiniau ac Argyfwng ac i mewn i'r ysbyty. Trodd y drysau a chafodd ei sugno i mewn i ardal dderbyn oedd yn rhy brysur ac wedi'i goleuo'n rhy lachar. Teimlai Sabina fod y lle'n anhygoel o boblog a swnllyd – tebycach i ganolfan siopa nag i ysbyty. Roedd yna hefyd un neu ddwy o siopau, un yn gwerthu blodau, a chaffi a siop fwydydd drws nesaf lle gallai pobl brynu brechdanau a byrbrydau i'w cario i'w ffrindiau a pherthnasau oedd yn gleifion yno. Pwyntiai arwyddion i bob cyfeiriad. Cardioleg. Pediatreg. Arennau. Radioleg. Roedd hyd yn oed yr enwau rywsut yn swnio'n fygythiol.

Yn Ward Lister, oedd wedi'i henwi ar ôl llawfeddyg o'r bedwaredd ganrif ar bymtheg, roedd Edward Pleasure. Gwyddai Sabina fod honno ar y trydydd llawr, ond o edrych o'i hamgylch methai weld lifft yn unman. Roedd ar fin gofyn am gyfarwyddiadau pan ddaeth dyn – meddyg ifanc, yn ôl ei olwg – ar draws ei llwybr.

'Ar goll?' gofynnodd. Roedd yn ei ugeiniau, yn bryd tywyll, wedi'i wisgo mewn côt wen lac, a chariai gwpanaid o ddŵr yn ei law. Edrychai fel pe bai wedi camu'n syth allan o gyfres ddrama ar y teledu. Roedd yn gwenu fel petai newydd glywed ryw jôc breifat, ac roedd yn rhaid i Sabina gyfaddef mai peth doniol, fallai, oedd ei bod ar goll a hithau wedi'i hamgylchynu ag arwyddion ar bob ochr.

'Rwy'n whilo am Ward Lister,' meddai Sabina.

'Ar y trydydd llawr mae fanno. Dwi ar fy ffordd yno fy hun. Ond gwaetha'r modd dydi'r lifftie ddim yn gweithio,' ychwanegodd y meddyg.

Roedd hynny'n od. Doedd ei mam ddim wedi sôn am y peth, ac roedd hi wedi ymweld â'r ward y noson cynt. Ond, meddyliodd Sabina, mewn ysbyty fel hyn fe fyddai pethau fel yna'n digwydd drwy'r amser.

'Mi fedrwch chi fynd i fyny'r grisie. Pam na ddowch chi efo fi?'

Gwasgodd y meddyg ei gwpan a'i roi mewn bin sbwriel. Cerddodd drwy'r dderbynfa ac aeth Sabina ar ei ôl.

'Felly pwy sy ganddoch chi yma?' gofynnodd y meddyg.

'Fy nhad.'

'Be sy'n bod arno fo?'

'Gafodd e ddamwain.'

'Ddrwg gen i. Sut mae o'n dod yn ei flaen?'

249

'Dyma'r tro cynta imi ddod i'w weld e. Mae e'n gwella ... rwy'n credu.'

Aethant drwy bâr o ddrysau dwbl ac ar hyd coridor. Sylwodd Sabina eu bod nhw wedi gadael yr ymwelwyr i gyd ar ôl. Roedd y coridor yn hir ac yn wag. Daeth â nhw at gyntedd lle roedd pump o wahanol goridorau'n cyfarfod. Ar un ochr roedd grisiau'n arwain i fyny, ond anwybyddodd y meddyg nhw. 'Nage dyna'r ffordd?' gofynnodd hi.

'Na.' Trodd y meddyg a gwenu eto. Roedd yn gwenu'n aml. 'I'r adran Wroleg mae'r rheina'n mynd. Mi fedrwch fynd trwodd i Ward Lister, ond mae ffordd yma'n gynt.' Pwyntiodd at ddrws a'i agor. Dilynodd Sabina ef.

Synnodd wrth ei chael ei hun yn ôl allan yn yr awyr iach. Roedd y drws yn arwain at ardal heibio ochr yr ysbyty, lle roedd cerbydau cyflenwi'n parcio. Roedd cilfach lwytho yn uwch na'r llawr, a sawl crât wedi'u pentyrru yno'n barod. Ar hyd un o'r waliau roedd rhes o finiau sbwriel, pob un o liw gwahanol yn ôl y gwastraff oedd i'w roi ynddo.

'Esgusodwch fi, rwy'n credu'ch bod chi wedi –' dechreuodd Sabina.

Ond yna agorodd ei llygaid yn fawr mewn braw. Roedd y meddyg yn taflu'i hun amdani, a chyn iddi sylweddoli beth oedd yn digwydd roedd ei fraich am ei gwddf. Y cyfan allai hi feddwl oedd mai gwallgofddyn oedd o, ac ymatebodd yn reddfol. Roedd rhieni Sabina wedi mynnu ei bod yn cael gwersi hunan-amddiffyn. Heb betruso am eiliad, trodd yn gyflym, gan wthio'i phen-glin rhwng coesau'r dyn. Yr un pryd agorodd ei cheg i sgrechian. Roedd wedi cael ei dysgu mai sŵn, mewn sefyllfa fel hon, oedd yr un peth oedd yn codi mwyaf o ofn ar ymosodwr.

Ond roedd yn rhy gyflym iddi. Wrth i'r sgrech godi yn ei gwddf, gwasgodd ei law'n dynn dros ei cheg. Roedd o wedi gweld beth oedd hi ar fin ei wneud ac wedi mynd y tu ôl iddi, un llaw dros ei cheg, a'i fraich arall yn ei gwasgu hi ato. Roedd Sabina'n sylweddoli bellach ei bod wedi cymryd gormod yn ganiataol. Roedd y dyn yn gwisgo côt wen. Roedd e yn yr ysbyty. Ond wrth gwrs, doedd ganddi ddim syniad pwy oedd e, ac roedd hi wedi bod yn wallgof i fynd gydag e. Paid byth â mynd i unrhyw le gyda dieithryn. Sawl gwaith oedd ei rhieni wedi ei siarsio?

Daeth ambiwlans i'r golwg, yn bagio'n gyflym i mewn i'r ardal gwasanaethau. Teimlodd Sabina rywfaint o obaith, a rhoddodd hynny nerth newydd iddi. Beth bynnag roedd ei hymosodwr yn bwriadu'i wneud, roedd wedi dewis y lle anghywir. Roedd yr ambiwlans wedi cyrraedd jest mewn pryd. Ond yna sylweddolodd nad oedd y dyn wedi ymateb o gwbl. Roedd hi wedi meddwl y byddai'n ei gollwng yn rhydd a rhedeg i ffwrdd. I'r gwrthwyneb – roedd wedi bod yn aros am yr ambiwlans, a dechreuodd ei llusgo tuag ato. Syllodd Sabina wrth i gefn yr ambiwlans agor yn sydyn a dau ddyn arall yn neidio allan. Roedd yr holl beth wedi'i gynllunio rhwng y tri ohonyn nhw! Roedden nhw'n gwybod y byddai hi yno, yn ymweld â'i thad, ac wedi dod i'r ysbyty gyda'r bwriad o'i dal.

Rywsut neu'i gilydd llwyddodd i frathu'r llaw oedd dros ei cheg. Rhegodd y meddyg ffug a gollwng ei law. Symudodd Sabina ei phenelin yn gyflym, a theimlodd ei drwyn yn derbyn yr ergyd; camodd yntau'n ôl ac yn sydyn roedd hi'n rhydd. Ceisiodd sgrechian eto, i alw am help, ond roedd y ddau ddyn ambiwlans ar ei gwarthaf. Roedd un ohonyn nhw'n dal rhywbeth lliw arian, pigog, ond dim ond wrth iddo suddo i mewn i'w braich y sylweddolodd Sabina mai nodwydd hypodermig oedd hi. Bu'n gwingo a chicio, ond teimlodd y nerth yn llifo allan ohoni fel dŵr yn diflannu drwy drapddrws. Sigodd ei choesau, a byddai wedi cwympo i'r llawr heblaw fod y ddau ddyn wedi'i dal hi. Doedd hi ddim yn anymwybodol. Roedd ei meddwl yn glir. Gwyddai ei bod mewn peryg ofnadwy – mwy o beryg nag oedd hi wedi'i brofi erioed – ond doedd ganddi ddim syniad pam fod hyn yn digwydd iddi.

Cafodd Sabina'i llusgo'n ddiymadferth tua'r ambiwlans a'i thaflu i mewn. Roedd matres ar y llawr gan wneud ei chodwm chydig yn ysgafnach, o leiaf. Yna clepiodd y drysau ynghau a chlywodd y clo'n cael ei droi o'r tu allan. Roedd mewn magl, ar ei phen ei hun mewn bocs metel gwag, heb allu symud modfedd wrth i'r cyffur gael effaith. Teimlai Sabina anobaith llwyr.

Cerddodd y ddau ddyn i ffwrdd ar hyd llwybrau'r ysbyty fel pe bai dim byd anghyffredin wedi digwydd. Tynnodd y meddyg ffug ei gôt wen a'i gwthio i mewn i un o'r biniau. Gwisgai siwt gyffredin o dan y gôt, a gwelodd fod gwaed ar ei grys. Roedd ei drwyn yn gwaedu, ond peth da oedd hynny. Wrth fynd yn ôl i mewn i'r ysbyty, ni fyddai'n edrych yn wahanol i unrhyw glaf cyffredin.

Gyrrodd yr ambiwlans i ffwrdd yn araf. Pe bai rhywun wedi meddwl edrych, byddai wedi gweld

253

bod y gyrrwr wedi'i wisgo yn yr un dillad yn union â'r criwiau eraill. Digwyddodd Lis Pleasure sylwi arno'n gadael, wrth eistedd yn ei VW yn y maes parcio. Roedd hi'n dal yno hanner awr yn ddiweddarach, yn meddwl tybed beth oedd wedi digwydd i Sabina. Ond byddai peth amser yn mynd heibio cyn iddi sylweddoli bod ei merch wedi diflannu.

TRWCO ANNHEG

Roedd hi'n bump o'r gloch pan gyrhaeddodd Alecs faes awyr Dinas Llundain, ar ddiwedd y diwrnod hir, rhwystredig roedd wedi'i dreulio'n teithio ar y ffordd ac yn yr awyr dros dair gwlad. Roedd Jac ac yntau wedi dal bws o Amsterdam i Antwerp, gan gyrraedd jest yn rhy hwyr ar gyfer yr awyren amser cinio. Roedden nhw wedi lladd tair awr yn y maes awyr cyn mynd ar fwrdd Fokker 50 henffasiwn oedd fel petai'n cymryd hydoedd i gyrraedd Lloegr. Meddyliodd Alecs tybed oedd o wedi gwastraffu gormod o amser yn ceisio osgoi Damian Cray. Roedd diwrnod cyfan wedi mynd heibio. Ond o leiaf roedd y maes awyr yr ochr gywir i Lundain, heb fod yn rhy bell o Liverpool Street a swyddfeydd MI6.

Roedd Alecs yn bwriadu mynd â'r gyriant fflach yn syth at Alan Blunt. Byddai wedi ffonio ymlaen llaw, ond allai o ddim bod yn siŵr y byddai Blunt hyd yn oed yn derbyn ei alwad. Roedd un peth yn sicr. Fyddai o ddim yn teimlo'n ddiogel nes iddo drosglwyddo'r teclyn. Unwaith yr oedd yn nwylo MI6, byddai'n gallu ymlacio.

Dyna oedd ei gynllun – ond newidiodd popeth

wrth iddo gamu i mewn i gyntedd y maes awyr. Roedd dynes yn eistedd mewn bar coffi yn darllen y papur gyda'r nos, a'r dudalen flaen ar agor. Roedd hi bron fel pe bai wedi'i gosod yno er mwyn i Alecs gael ei gweld. Ffotograff o Sabina. A phennawd:

MERCH YSGOL YN DIFLANNU O YSBYTY

'Ffordd hyn,' meddai Jac. 'Awn ni i chwilio am dacsi.'

'Jac!'

Gwelodd Jac yr olwg ar ei wyneb a dilyn ei lygaid at y papur newydd. Heb ddweud yr un gair arall brysiodd i mewn i siop y maes awyr a phrynu copi iddi'i hun.

Doedd dim llawer o stori – ond ar hyn o bryd doedd dim llawer i'w ddweud. Roedd merch ysgol bymtheg oed o dde Llundain wedi bod yn ymweld â'i thad yn ysbyty Whitchurch y bore hwnnw. Roedd ei thad wedi cael ei anafu'n ddiweddar mewn digwyddiad yn ymwneud â brawychwyr yn Ne Ffrainc. Am ryw reswm, doedd hi ddim wedi cyrraedd y ward – mewn gwirionedd, roedd hi wedi diflannu'n llwyr. Roedd yr heddlu'n apelio am dystion i ddod ymlaen. Roedd ei mam eisoes wedi gwneud apêl ar y teledu i Sabina ddod adref.

'Cray sy'n gyfrifol,' meddai Alecs mewn llais gwag. 'Fo sy wedi'i chipio hi.'

'Dduw mawr, Alecs.' Roedd Jac yn swnio yr un mor druenus ag roedd o'n teimlo. 'Wedi gwneud hyn i gael y gyriant fflach mae e. Ddylen ni fod wedi meddwl …'

'Doedd dim rheswm inni fod wedi disgwyl hyn. Sut oedd o'n gwybod hyd yn oed ei bod hi'n ffrind imi?' Meddyliodd Alecs am foment. 'Yassen.' Atebodd ei gwestiwn ei hun. 'Mae'n rhaid ei fod o wedi dweud wrth Cray.'

'Mae'n rhaid iti fynd at MI6 ar unwaith. Does gen ti ddim dewis.'

'Na. Dwi isio mynd adref gynta.'

'Alecs – pam?'

Edrychodd Alecs ar y llun unwaith eto, yna gwasgodd y dudalen yn belen yn ei ddwylo. 'Fallai bod Cray wedi gadael neges imi,' meddai.

Roedd yna neges. Ond cyrhaeddodd mewn ffordd gwbl annisgwyl.

Roedd Jac wedi mynd i mewn i'r tŷ gyntaf, gan wneud yn siŵr nad oedd neb yn aros amdanyn nhw. Yna galwodd ar Alecs. Roedd golwg ddifrifol ar ei hwyneb wrth iddi sefyll yn y drws.

'Yn y lolfa mae e,' meddai.

Roedd Jac yn cyfeirio at set deledu sgrin lydan newydd sbon. Roedd rhywun wedi bod yn y tŷ a gadael y teledu yng nghanol y stafell. Roedd gwe-gamera ar ben y sgrin a chêbl coch newydd sbon yn nadreddu'i ffordd at flwch cysylltu yn y wal.

'Anrheg gan Cray,' mwmiodd Jac.

'Dwi ddim yn meddwl mai anrheg ydi hi,' meddai Alecs.

Wrth ymyl y gwe-gamera roedd rheolydd. Cododd Alecs y teclyn yn anfodlon. Gwyddai na fyddai'n hoffi'r hyn roedd ar fin ei weld, ond doedd dim modd iddo'i anwybyddu. Trodd y set deledu ymlaen.

Goleuodd y sgrin yn aneglur, yna cliriodd ac yn sydyn cafodd ei hun wyneb yn wyneb â Damian Cray. Am ryw reswm doedd o'n synnu dim. Meddyliodd tybed a oedd Cray wedi dod yn ôl i Loegr, ynteu oedd o fallai'n darlledu o Amsterdam. Gwyddai mai llun byw oedd hwn, ac y byddai ei lun yntau'n cael ei drosglwyddo drwy'r gwe-gamera. Eisteddodd yn araf o flaen y sgrin, heb ddangos unrhyw emosiwn o gwbl.

'Alecs!' Roedd Cray i'w weld wedi ymlacio ac mewn hwyliau da. Roedd ei lais mor eglur â phe byddai yn yr un stafell â nhw. 'Rwy'i mor falch eich bod chi wedi cyrraedd yn ôl yn ddiogel. Rwy'i wedi bod yn aros am y cyfle i siarad gyda ti.'

'Ble mae Sabina?' gofynnodd Alecs.

'Ble mae Sabina? Ble mae Sabina? Dyna annwyl! Cariad ifanc!'

Newidiodd y llun. Clywodd Alecs lais Jac yn ebychu. Roedd Sabina'n gorwedd ar fync mewn stafell foel. Roedd ei gwallt yn flêr, ond fel arall edrychai'n ddianaf. Edrychodd i fyny at y camera a gallai Alecs weld yr ofn a'r dryswch yn ei llygaid.

Yna newidiodd y llun yn ôl at Cray. 'Dy'n ni ddim wedi'i niweidio hi … hyd yma,' meddai. 'Ond gallai hynny newid ar unrhyw adeg.'

'Dwi ddim am roi'r gyriant fflach ichi,' meddai Alecs.

'Gad imi gwpla, Alecs.' Pwysodd Cray ymlaen fel ei fod yn ymddangos fel pe bai'n agosáu at y sgrin. 'Mae pobl ifanc y dyddie hyn mor benboeth! Rwy'i wedi mynd i lawer iawn o drafferth a chostau o dy achos di. A'r peth yw, fe *fyddi* di'n rhoi'r gyriant fflach imi, oherwydd os na wnei di bydd dy wejen yn marw, a byddi dithau'n gwylio'r cyfan ar y fideo.'

'Paid â gwrando arno fe, Alecs!' ebychodd Jac.

'Mae e *yn* gwrando arna i, a hoffwn ofyn i chi beidio torri ar draws!' Gwenodd Cray. Roedd yn ymddangos yn hollol hyderus, fel pe bai hyn yn ddim mwy nag unrhyw gyfweliad seléb arall. 'Alla i ddychmygu beth sy'n mynd trwy dy feddwl di,' meddai wedyn, wrth Alecs. 'Rwyt ti'n bwriadu mynd at dy ffrindie yn MI6. Fydden i'n dy gynghori di'n gryf yn erbyn hynny.'

'Shwd gwyddoch chi nad y'n ni ddim wedi bod gyda nhw'n barod?' gofynnodd Jac.

'Rwy'n gobeitho'n fawr nad y'ch chi,' atebodd Cray. 'Oherwydd rwy'n ddyn nerfus iawn. Os bydda i'n credu bod rhywun yn gwneud ymholiadau amdana i, fe ladda i'r ferch. Os bydd plismon hyd yn oed yn taflu cipolwg arna i yn y stryd, mae'n bosib iawn y lladda i'r ferch. Ac rwy'n addo hyn. Os na ddoi di â'r gyriant fflach i mi, yn bersonol, cyn deg o'r gloch bore fory, fe fyddaf – yn gwbl bendant – yn lladd y ferch.'

'Na!' meddai Alecs mewn llais cadarn.

'Fe alli di ddweud celwydd wrtha i, Alecs, ond rwyt ti'n ffaelu dweud celwydd wrthot ti dy hunan. Dwyt ti ddim yn gweithio i MI6. Dy'n nhw'n golygu dim i ti. Ond mae'r ferch yn bwysig i ti. Os byddi di'n troi dy gefn arni hi, fe fyddi di'n difaru am weddill dy oes. A fydd y broblem ddim yn cwpla gyda hi. Fe wna i erlid gweddill dy ffrindie, bob un ohonyn nhw. Paid â bychanu fy ngrym i! Fe wna i ddinistrio pawb a phopeth rwyt ti'n nabod. Ac yna fe ddo i ar dy ôl di. Felly paid â thwyllo dy hunan. Rho ddiwedd ar y dwli 'ma nawr. Dere â'r gyriant fflach i mi.'

Bu tawelwch hir.

'Sut y do i o hyd i chi?' gofynnodd Alecs. Roedd blas chwerw ar y geiriau yn ei geg. Blas colli.

'Rwy'i yn fy nhŷ yn Wiltshire. Fe elli di ddal tacsi o orsaf Caerfaddon. Mae'r gyrwyr i gyd yn gwybod ble rwy'n byw.'

'Ac os do i â fo ichi ...' Roedd Alecs yn brwydro i ddod o hyd i'r geiriau iawn. 'Sut y gwn i y byddwch chi'n ei gollwng hi'n rhydd? Sut y gwn i y byddwch chi'n gadael i'r un ohonon ni fynd yn rhydd?'

'Yn gwmws!' meddai Jac, gan dorri ar draws eto. 'Shwd y'n ni'n gwybod y gallwn ni ymddiried ynoch chi?'

'Rwyf wedi cael fy urddo'n farchog!' ebychodd Cray. 'Mae'r Frenhines yn ymddiried ynof fi; gallwch chithe wneud hefyd!'

Aeth y sgrin yn wag.

Trodd Alecs at Jac. Am unwaith roedd yn

gwbl ddiymadferth. 'Be wna i?' gofynnodd.

'Anwybydda fe, Alecs. Cer at MI6.'

'Fedra i ddim, Jac. Mi glywaist ti be ddwedodd o. Cyn deg o'r gloch bore fory. Fydd MI6 ddim yn medru gwneud dim byd cyn hynny, ac os gwnân nhw drio, mi fydd Cray'n lladd Sab.' Pwysodd ei ben ar ei ddwylo. 'Fedrwn i ddim gadael i hynny ddigwydd. Mae Sab yn y picil yma o'm hachos i. Faswn i ddim yn medru byw yn fy nghroen tasa ...'

'Ond Alecs ... fe allai llawer mwy o bobl gael loes os bydd Cyrch Eryr – beth bynnag yw e – yn mynd yn ei flaen.'

'Dydan ni ddim yn siŵr o hynny.'

'Wyt ti'n credu y byddai Cray'n gwneud hyn i gyd tase fe ddim ond am ladrata o fanc neu rywbeth fel'ny?'

Ddwedodd Alecs 'run gair.

'Llofrudd yw Cray, Alecs. Mae'n ddrwg 'da fi. Hoffwn i allu bod yn fwy o help. Ond sai'n credu y gelli di jest cerdded mewn i'w dŷ e.'

Meddyliodd Alecs am y peth. Meddyliodd am amser hir. Tra oedd Sabina gan Cray, roedd y cardiau i gyd yn ei feddiant. Ond fallai bod ffordd iddo'i chael hi allan o'r lle. Byddai'n golygu ei fod yn rhoi ei hun i fyny. Unwaith eto fe fyddai'n garcharor yn nwylo Cray. Ond unwaith y byddai Sabina'n rhydd gallai Jac gysylltu ag MI6. A fallai – dim ond fallai – y byddai Alecs yn llwyddo i ddod allan o hyn yn fyw.

Amlinellodd ei gynllun i Jac. Gwrandawodd hi – ond po fwyaf y clywai, mwyaf anhapus yr edrychai.

'Mae'n ofnadwy o beryglus, Alecs,' meddai.

'Ond mi allai weithio.'

'Elli di ddim rhoi'r gyriant fflach iddo fe.'

'Wna i ddim rhoi'r gyriant fflach iddo fo, Jac.'

'A beth os yw'r cyfan yn mynd yn ffradach?'

Cododd Alecs ei ysgwyddau. 'Wedyn mae Cray'n ennill. Mae Cyrch Eryr yn mynd yn ei flaen.' Ceisiodd wenu, ond doedd dim hiwmor yn ei lais. 'Ond o leia, o'r diwedd, mi gawn ni wybod be ydi o.'

* * *

Roedd y tŷ ar gyrion Caerfaddon, taith ugain munud o'r orsaf. Roedd Cray yn iawn am un peth. Roedd gyrrwr y tacsi'n gwybod ble roedd y tŷ heb fod angen map na chyfeiriad – ac wrth i'r car deithio ar hyd y lôn breifat tua'r brif fynedfa, roedd Alecs yn deall pam.

Roedd Damian Cray'n byw mewn hen

leiandy Eidalaidd. Yn ôl y papurau, roedd wedi gweld yr adeilad yn Wmbria, wedi syrthio mewn cariad ag e, a'i gludo draw mewn llong, garreg wrth garreg. Roedd yr adeilad yn wirioneddol unigryw. Edrychai fel pe bai'n meddiannu cyfran helaeth o'r wlad gyfagos, wedi'i neilltuo o olwg y cyhoedd gan fur uchel o frics lliw mêl a dwy gât o bren wedi'i gerfio, o leiaf ddeg metr o uchder. Yr ochr bellaf i'r mur gallai Alecs weld to ar ogwydd, wedi'i wneud o deils terracotta, a thu draw roedd twr addurnedig â phileri, ffenestri bwaog a bylchfuriau. Roedd rhan helaeth o'r ardd hefyd wedi'i mewnforio o'r Eidal, yn cynnwys coed cypres gwyrdd tywyll, troellog a choed olewydd. Doedd hyd yn oed y tywydd ddim i'w weld yn gweddu i Loegr. Roedd yr haul yn tywynnu a'r awyr yn lliw glas gloyw. Rhaid mai hwn oedd diwrnod poethaf y flwyddyn.

Talodd Alecs i'r gyrrwr a dod allan o'r tacsi. Gwisgai jyrsi feicio Trailrider lwyd golau â llewys byr, heb badiau penelin. Wrth gerdded draw at y gatiau, llaciodd y sip oedd yn cyrraedd at y gwddf, gan adael i'r awel chwarae ar ei groen. Roedd rhaff yn dod o dwll yn y mur ac fe'i tynnodd. Seiniodd cloch yn rhywle. Meddyliodd Alecs y gallai'r un gloch yn union fod wedi galw'r lleianod o'u gweddïau unwaith. Rywsut, roedd yn ymddangos yn gywilydd o beth bod lle cysegredig wedi cael ei ddadwreiddio a'i gludo yma i fod yn ffau i wallgofddyn.

Agorodd y gatiau'n electronig. Cerddodd Alecs drwyddynt a chael ei hun mewn clwysty: darn petryal o laswellt wedi'i dorri'n berffaith a'i amgylchynu gan gerfluniau o seintiau. O'i flaen roedd capel o'r bedwaredd ganrif ar ddeg â fila'n sownd wrtho, y ddau rywsut yn bodoli ochr yn ochr mewn cytgord perffaith. Roedd arogl lemwn ar yr awel. Llifai miwsig pop o rywle yn y tŷ. Roedd Alecs yn nabod y gân – *White Lines*. Roedd Cray'n chwarae ei gryno-ddisg ei hun.

Roedd prif ddrws y tŷ'n agored. Doedd neb yn y golwg, felly cerddodd Alecs i mewn. Arweiniai'r drws yn syth i gyntedd eang, agored lle roedd dodrefn hardd ar lawr o deils. Roedd yno biano cyngerdd wedi'i wneud o rosbren, a nifer o ddarluniau – allorluniau canoloesol – yn hongian ar waliau gwyn plaen. Edrychai rhes o chwe ffenest allan ar deras a gardd tu draw. Yn hongian o'r nenfwd i'r llawr roedd llenni mwslin gwyn, yn siglo'n ysgafn yn yr awel.

Eisteddai Damian Cray ar sedd bren wedi'i cherfio'n gelfydd, a phwdl gwyn yn gorwedd ar ei lin. Edrychodd i fyny wrth i Alecs ddod i'r stafell. 'A, dyna ti, Alecs.' Mwythodd y ci. 'Bybls yw hwn. On'd yw e'n bert?'

'Ble mae Sabina?' gofynnodd Alecs.

Gwgodd Cray. 'Wna i ddim ateb cwestiwn anghwrtais, os nad oes gwahanieth 'da ti,' meddai. 'Yn arbennig yn fy nghartre fy hunan.'

'Ble mae hi?'

'O'r gore!' Wrth i Cray godi, neidiodd y ci oddi ar ei lin a rhedeg allan o'r stafell. Aeth Cray draw at y ddesg a gwasgu botwm. Ymhen eiliad neu ddwy agorodd un o'r drysau a daeth Yassen Gregorovich i mewn. Roedd Sabina gydag ef. Agorodd ei llygaid yn fawr pan welodd hi Alecs, ond allai hi ddim siarad. Roedd ei dwylo wedi'u clymu ac roedd darn o dâp dros ei cheg. Gorfododd Yassen hi i eistedd ar gadair a safodd yntau wrth ei hymyl. Roedd ei lygaid yn osgoi edrych ar Alecs.

'Dyma hi, Alecs. Wedi cael tamed bach o ofon, fallai, ond fel arall yn ddianaf.'

'Pam dach chi wedi'i chlymu hi?' gofynnodd Alecs. 'Pam na wnewch chi adael iddi hi siarad?'

'Am ei bod hi wedi dweud rhai pethau creulon iawn wrtha i,' atebodd Cray. 'Hefyd fe wnaeth hi geisio ymosod arna i. A dweud y gwir yn onest, mae hi wedi ymddwyn mewn ffordd anfoesgar iawn.' Gwgodd. 'Nawr 'te – mae gen ti rywbeth imi.'

Hon oedd oedd y foment anodd roedd Alecs wedi bod yn ei hofni. Roedd ganddo gynllun. Wrth eistedd ar y trên o Lundain i Gaerfaddon, yn y tacsi, a hyd yn oed wrth gerdded i mewn i'r tŷ, roedd wedi teimlo'n sicr y byddai'n gweithio. Nawr, wyneb yn wyneb â Damian Cray, yn sydyn doedd o ddim mor sicr.

Estynnodd ei law i'w boced a thynnu'r gyriant fflach allan. Roedd caead ar y capsiwl arian, ac wrth i Alecs ei agor roedd dryswch o gylchedwaith i'w weld y tu mewn. Roedd wedi tapio tiwb lliwgar yn ei le, ei big yn pwyntio i mewn i'r ddyfais. Nawr daliodd ef i fyny er mwyn i Cray ei weld.

'Beth yw hwnna?' gofynnodd Cray.

'*Superglue*,' meddai Alecs. 'Wn i ddim be sy y tu mewn i'ch gyriant fflach annwyl chi, ond mae'n amheus gen i a wnaiff o weithio efo llond ei fol o'r stwff yma. Dim ond imi wasgu fy llaw ac mi gewch chi anghofio am Cyrch Eryr. Gewch chi anghofio am y cwbl lot.'

'Wel, dyna beth yw dyfeisgarwch!' chwarddodd Cray. 'Ond a dweud y gwir, rwy'n ffaelu gweld y pwynt.'

'Digon syml,' meddai Alecs. 'Rydach chi'n gollwng Sabina'n rhydd; mae hi'n cerdded allan o fan'ma. Mae hi'n mynd i dafarn neu i dŷ ac yn

267

fy ffonio i yn fan hyn. Mi gewch chi roi'r rhif iddi. Unwaith fy mod i'n gwybod ei bod hi'n ddiogel, mi ro i'r gyriant fflach ichi.'

Dweud celwydd roedd Alecs.

Cyn gynted ag y byddai Sabina wedi mynd, byddai'n gwasgu'r tiwb p'un bynnag. Byddai'r gyriant fflach yn cael ei lenwi â *superglue*, a hwnnw'n caledu bron ar unwaith. Roedd Alecs yn ffyddiog na fyddai'r ddyfais yn gweithio wedyn. Doedd twyllo Cray yn poeni dim ar ei gydwybod. Dyna oedd ei gynllun o'r cychwyn cyntaf. Roedd yn osgoi meddwl am beth allai ddigwydd iddo ef ei hun, ond doedd hynny ddim yn bwysig. Mi fyddai Sabina'n rhydd. A chyn gynted ag y byddai Jac yn gwybod ei bod hi'n ddiogel, gallai weithredu. Byddai Jac yn ffonio MI6. Rhywsut neu'i gilydd byddai'n rhaid i Alecs aros yn fyw nes iddyn nhw gyrraedd.

'Dy syniad di oedd hyn?' gofynnodd Cray. Ddwedodd Alecs 'run gair, felly aeth yn ei flaen. 'Mae'n glyfar iawn. Mae'n giwt. Ond y cwestiwn pwysig yw ...' Cododd fys ar bob llaw. 'Wnaiff e weitho?'

'Dwi o ddifri,' meddai Alecs gan ddal y gyriant fflach hyd braich oddi wrtho. 'Gadewch iddi fynd.'

'Ond beth petai hi'n mynd yn syth at yr heddlu?'

'Wnaiff hi ddim.'

Ceisiodd Sabina anghytuno o'r tu ôl i'w mwgwd. Anadlodd Alecs yn ddwfn.

'Mi fydda i'n dal yma,' eglurodd. 'Os aiff Sabina at yr heddlu, mi gewch chi wneud fel fynnoch chi efo fi. Felly mi wnaiff hynny 'i rhwystro hi. P'un bynnag, does ganddi hi ddim syniad be dach chi'n gynllunio. Does 'na ddim byd allith hi 'i wneud.'

Ysgydwodd Cray ei ben. 'Ddrwg 'da fi,' meddai.

'Be?'

'Rhaid imi wrthod dy gynnig di.'

'Ydach chi o ddifri?' Caeodd Alecs ei law am y tiwb.

'Ydw.'

'Be am Cyrch Eryr?'

'Beth am dy wejen?' Roedd siswrn cegin trwm ar y ddesg. Cyn i Alecs allu dweud gair, cododd Cray'r siswrn a'i daflu at Yassen. Dechreuodd Sabina strancio'n ffyrnig, ond daliodd y Rwsiad hi yn ei lle. 'Rwyt ti wedi gwneud camgymeriad syml, Alecs,' meddai Cray wedyn. 'Rwyt ti'n ddewr iawn. Fyddet ti'n gwneud unrhyw beth, bron, i gael rhyddhau'r ferch. Ond fe wnaf inne bron unrhyw beth i'w chadw hi. Ac rwy'n gofyn i fi'n hunan, faint fyddi di'n fodlon ei wylio, pa mor bell fydd yn rhaid imi fynd, cyn i ti benderfynu y bydde man a man iti roi'r gyriant fflach imi ta beth. Bys, falle? Dau fys?'

Agorodd Yassen y siswrn. Roedd Sabina bellach yn ddistaw ac yn llonydd iawn. Roedd hi'n erfyn â'i llygaid wrth edrych ar Alecs.

'Na!' gwaeddodd Alecs. Torrodd ton o anobaith drosto wrth iddo sylweddoli bod Cray wedi ennill y dydd. Roedd wedi gobeithio cael Sabina allan oddi yno, o leiaf. Ond nid felly oedd hi i fod.

Gwelodd Cray yn ei lygaid ei fod wedi'i drechu. 'Rho fe i mi!' gorchmynnodd.

'Na.'

'Dechreuwch gyda'r bys bach, Yassen. Yna fe weithiwn ni un bys ar y tro tuag at ei bawd.'

Cronnodd dagrau yn llygaid Sabina. Allai hi ddim cuddio'i harswyd.

Teimlai Alecs yn sâl. Roedd chwys yn diferu i lawr ei gorff o dan ei grys. Doedd dim byd mwy y gallai ei wneud. Roedd yn difaru na fyddai wedi gwrando ar Jac. Roedd yn difaru ei fod erioed wedi dod.

Taflodd y gyriant fflach ar y ddesg.

Cododd Cray ef yn ei law.

'Wel, dyna hynna wedi'i setlo,' meddai, gan wenu. 'Nawr 'te, beth am i ni anghofio'r holl helynt a mynd i gael dishgled o de?'

GWALLGOFRWYDD A BISGEDI

Roedd te yn cael ei weini y tu allan ar y lawnt – ond roedd honno'n lawnt cymaint â chae, mewn gardd oedd yn annhebyg i unrhyw beth a welsai Alecs erioed o'r blaen. Roedd Cray wedi adeiladu gwlad ffantasi iddo'i hun yng nghefn gwlad Lloegr, gyda dwsinau o lynnoedd bach, rhaeadrau, temlau bychain a grottos. Roedd yna ardd rosod a gardd gerfluniau, gardd wedi'i llenwi â dim byd ond blodau gwyn, ac un arall wedi'i neilltuo ar gyfer perlysiau, a'r rheiny wedi'u gosod mewn adrannau ar ffurf cloc. Yma ac acw roedd wedi adeiladu copïau o adeiladau cyfarwydd – Tŵr Eiffel, Colisëwm Rhufain, y Taj Mahal, Tŵr Llundain; roedd pob un yn union un ganfed o raddfa'r gwreiddiol a'r cyfan wedi'u cymysgu drwy'i gilydd fel cardiau post wedi'u gwasgaru ar lawr. Gardd oedd yn eiddo i ddyn oedd yn dymuno rheoli'r byd ond yn methu gwneud hynny oedd hon, ac o'r herwydd roedd wedi torri'r byd i lawr i'w faint ei hun.

'Beth wyt ti'n feddwl o'r lle 'ma?' gofynnodd Cray wrth iddo ymuno ag Alecs wrth y bwrdd.

'Mae 'na rai gerddi efo drysfa ynddyn nhw,' atebodd Alecs yn dawel, 'ond welais i erioed ddim byd mor ddryslyd â hyn.'

Gwenodd Cray.

Roedd pump ohonyn nhw'n eistedd ar y teras uchel y tu allan i'r tŷ: Cray, Alecs, Yassen, y dyn o'r enw Henryk, a Sabina. Roedd ei dwylo hi'n rhydd erbyn hyn a'r mwgwd wedi'i dynnu oddi ar ei cheg. Cyn gynted ag y cafodd ei rhyddhau, roedd hi wedi rhuthro draw at Alecs a thaflu'i breichiau am ei wddf.

'Rwy'i mor flin,' sibrydodd. 'Fe ddylen i fod wedi dy gredu di.'

Dyna'r cyfan ddwedodd hi. Ar wahân i hynny roedd hi'n dawel, ei hwyneb yn welw. Gwyddai Alecs ei bod yn ofnus – ond yn nodweddiadol ohoni, roedd Sabina'n ceisio osgoi dangos hynny.

'Wel, dyma ni. Un teulu mawr cytûn,' meddai Cray. Pwyntiodd at y dyn â'r gwallt arian a'r wyneb creithiog. Nawr, ac yntau'n nes ato, gallai Alecs weld ei fod yn wirioneddol hyll. Roedd ei lygaid, wedi'u chwyddo gan y sbectol, yn goch i gyd. Gwisgai grys denim oedd yn rhy dynn iddo ac yn dangos pa mor fawr oedd ei fol.

'Sai'n credu dy fod ti wedi cwrdd â Henryk,' ychwanegodd Cray.

'Does gen i fawr o awydd chwaith,' meddai Alecs.

'Rhaid iti beidio â bod yn gollwr gwael, Alecs.

Mae Henryk yn werthfawr iawn imi. Mae e'n hedfan jymbo jets.'

Jymbo jets. Darn arall o'r jig-sô.

'Felly i ble mae o'n mynd â chi?' gofynnodd Alecs. 'Rhywle digon pell i ffwrdd, gobeithio.'

Gwenodd Cray iddo'i hun. 'Fe ddewn ni at hynny maes o law. Yn y cyfamser, beth am i ni gael dishgled? Earl Grey yw'r te; gobeitho nad oes gwahanieth 'da ti. Helpa dy hun i'r bisgedi, wnei di?'

Arllwysodd Cray bum cwpanaid o de a gosod y tebot i lawr. Doedd Yassen ddim wedi yngan gair hyd yma. Cafodd Alecs y teimlad fod y Rwsiad yn teimlo'n anghyffordus ei fod yno. A dyna beth od arall. Roedd o wastad wedi ystyried Yassen fel ei elyn pennaf, ond wrth eistedd yma nawr roedd fel petai'n amherthnasol, bron. Roedd y cyfan yn troi o amgylch Damian Cray.

'Mae gyda ni ryw awr cyn y bydd raid inni adael,' meddai Cray. 'Felly fe feddyliais i y bydden i'n dweud ychydig wrthoch chi amdana fi'n hunan. Ffordd dda o basio'r amser.'

'Does gen i fawr o ddiddordeb, deud y gwir,' meddai Alecs.

Teneuodd gwên Cray ryw chydig. 'Mae hynna'n anodd ei gredu. Rwyt ti fel petaet ti'n ymddiddori ynddo i ers peth amser.'

'Fe drioch chi ladd fy nhad i,' meddai Sabina.

Trodd Cray, wedi synnu wrth glywed ei llais.

'Do, mae hynny'n wir,' meddai. 'Ac os wnei di gau dy geg, rwy'i ar fin dweud pam.'

Tawelodd am eiliad. Hedfanodd pâr o löynnod byw o amgylch llwyn lafant cyfagos.

'Rwy'i wedi byw bywyd eithriadol o ddiddorol a breintiedig,' cychwynnodd Cray. 'Roedd fy rhieni'n gyfoethog. Eithriadol o gyfoethog, mewn gwirionedd. Ond nid yn eithriadol. Dyn busnes oedd fy nhad – dyn diflas braidd. Doedd fy mam yn gwneud fawr o ddim; do'n i ddim yn ei hoffi hi ryw lawer, chwaith. Ro'n i'n unig blentyn, ac yn naturiol yn cael fy sbwylio'n ogoneddus. Ro'n i'n fwy cyfoethog yn wyth oed nag y bydd y rhan fwyaf o bobl ar hyd eu hoes!'

'Oes raid inni wrando ar hyn?' gofynnodd Alecs.

'Os byddi di'n torri ar fy nhraws i eto, fe ofynna i i Yassen estyn y siswrn,' atebodd Cray. Aeth yn ei flaen. 'Fe gwmpes i mas â'm rhieni'n ddifrifol am y tro cyntaf pan o'n i'n dair ar ddeg oed. Y'ch chi'n gweld, roedden nhw wedi'n hala fi i'r Academi Frenhinol yn Llundain. Ro'n i'n ganwr talentog tu hwnt. Ond y drwg oedd, ro'n i'n casáu bod yno. Bach a Beethoven a Mozart a Verdi. Ro'n i yn fy arddegau, er mwyn popeth! Ro'n i'n moyn bod yn Elvis Presley; ro'n i'n moyn bod mewn grŵp pop; ro'n i'n moyn bod yn enwog!

'Fe gynhyrfodd fy nhad yn arw pan ddwedes i wrtho. Roedd e'n troi'i drwyn ar unrhyw beth poblogaidd. Roedd e'n credu mod i wedi'i siomi e, ac roedd Mam yn cytuno. Roedd y ddau ohonyn nhw'n breuddwydio y bydden i ryw ddydd yn canu mewn operâu yn Covent Garden neu rywbeth ofnadwy fel yna. Doedden nhw ddim yn moyn imi adel yr Academi. Mewn gwirionedd, roedden nhw'n pallu gadel imi – a does dim syniad 'da fi beth fydde wedi digwydd oni bai iddyn nhw gael y ddamwain erchyll 'na gyda'r car. Fe gwympodd e ar eu penne nhw, wyddoch chi. Alla i ddim dweud mod i wedi cyffroi'n ofnadwy, ond wrth gwrs roedd yn rhaid imi esgus fy mod. Ond wyddoch chi beth feddyliais i? Fe feddylies i fod yn rhaid bod Duw o mhlaid i. Roedd E'n moyn imi fod yn llwyddiant, ac felly roedd E wedi penderfynu fy helpu i.'

Taflodd Alecs gipolwg ar Sabina i weld sut roedd hi'n ymateb. Eisteddai'n gefnsyth yn ei chadair, ei chwpanaid o de heb ei chyffwrdd. Roedd ei hwyneb yn welw, ond roedd hi'n dal

276

dan reolaeth. Doedd hi'n dangos dim teimlad o gwbl.

'Ta beth,' meddai Cray, 'y peth gore oedd bod fy rhieni mas o'r ffordd, a gwell fyth, ro'n i wedi etifeddu'u holl arian nhw. Pan o'n i'n un ar hugen, fe brynes i fflat yn Llundain – a dweud y gwir roedd e'n fwy o *penthouse* – a sefydlu fy mand fy hunan o'r enw Slam. Ac fel y gwyddoch, mae'n siŵr, mae'r gweddill bellach yn hen hanes. Bum mlynedd yn ddiweddarach dechreuais berfformio fel unawdydd, ac ymhen dim fi oedd y seren fwyaf yn y byd. A dyna pryd ddechreues i feddwl am y byd o nghwmpas i.

'Ro'n i'n moyn helpu pobl. Ar hyd fy oes rwy'i wedi bod yn awyddus i helpu pobl. Y ffordd rwyt ti'n edrych arna i, Alecs, bydde rhywun yn credu mod i'n rhyw fath o fwystfil. Ond dyw hynny ddim yn wir. Rwy'i wedi codi miliyne o bunne i elusennau. Miliyne ar filiyne. A chofia di hefyd mod i wedi cael fy urddo'n farchog gan y Frenhines. *Syr* Damian Cray ydw i mewn gwirionedd, er na fydda i ddim yn defnyddio'r teitl oherwydd nage hen snob ydw i. Gwraig hyfryd, gyda llaw, yw'r Frenhines. Wyddost ti faint o arian a godwyd gan fy sengl Nadolig, "Rhywbeth bach i'r Plantos" ar ei phen ei hunan? Digon i fwydo gwlad gyfan!

'Ond y broblem yw, ambell dro dyw bod yn enwog a chyfoethog ddim yn ddigon. Roedd 'da fi gyment o whant gwneud gwahanieth – ond beth o'n i i fod i'w wneud pan oedd pobl yn pallu gwrando? Er enghraifft, cymer di achos Sefydliad Milburn ym Mryste. Labordy oedd hwn yn gwneud gwaith i nifer o gwmnïe'n cynhyrchu defnyddie cosmetig, ac fe ddarganfyddes i eu bod nhw'n profi'u cynnyrch ar anifeilied. Nawr, rwy'n sicr y bydden ni'n dau ar yr un ochr yn hyn o beth, Alecs. Fe fues i'n ymgyrchu am flwyddyn a mwy. Roedd gyda ni ddeiseb o fwy nag ugen mil o enwau, ac eto doedden nhw ddim yn fodlon gwrando. Felly yn y diwedd – ro'n i wedi cwrdd â phobl, ac wrth gwrs roedd gen i ddigonedd o arian – fe sylweddoles i'n sydyn taw'r peth gore i'w wneud fydde trefnu i'r Athro Milburn gael ei ladd. A dyna wnes i. Chwe mis yn ddiweddarach fe gaewyd y sefydliad, a dyna hi. Dim rhagor o niweidio anifeilied.'

Oedodd llaw Cray uwchben y plataid bisgedi a dewis un. Roedd yn amlwg yn teimlo'n fodlon iawn ohono'i hun.

'Fe drefnes i nifer dda o bobl gael eu lladd yn y blynydde canlynol,' meddai. 'Er enghraifft, roedd criw o bobl annymunol iawn yn difetha'r fforest law ym Mrasil. Maen nhw'n dal yn y fforest law … chwe throedfedd odani. Wedyn roedd 'na llond bad o bysgotwyr o Siapan yn pallu gwrando arna i. Fe drefnes iddyn nhw gael eu rhewi yn eu rhewgist eu hunen. Dysgu gwers iddyn nhw i beido â hela morfilod prin! Ac roedd cwmni yn swydd Efrog yn gwerthu ffrwydron tir. Do'n i ddim yn hoffi'r rheiny *o gwbl*. Felly fe drefnes i'r bwrdd cyfarwyddwyr cyfan ddiflannu ar gwrs gweithgareddau awyr agored yn Ardal y Llynnoedd – a dyna ben ar hynna!

'Rwy'i wedi gorfod gwneud rhai pethau ofnadw yn fy nydd. Do, wir i chi.' Trodd at Sabina. 'Ro'n i'n casáu gorfod ffrwydro tŷ dy dad. Petai e heb ysbïo arna i, fyddwn i ddim wedi gorfod gwneud shwd beth. Ond mae'n rhaid iti weld na allwn i ddim gadel iddo fe ddrysu nghynllunie i.'

Roedd chorff Sabina'n llawn tensiwn, a gwyddai Alecs ei bod yn ei gorfodi ei hun i ymatal rhag ymosod ar Cray. Ond roedd Yassen yn eistedd yn union wrth ei hymyl a fyddai ganddi ddim gobaith mynd yn agos ato.

Aeth Cray yn ei flaen. 'Byd ofnadw yw hwn, ac os y'ch chi isie gwneud gwahanieth, ambell dro mae'n rhaid ichi fod 'bach yn eithafol. A dyna'r pwynt. Rwy'n hynod o falch o'r ffaith mod i wedi helpu cyment o bobl a chynifer o wahanol achosion da. Oherwydd mae helpu pobl – *elusengarwch* – wedi bod yn llafur oes i mi.'

Seibiodd yn ddigon hir i fwyta'r fisgeden roedd wedi'i dewis.

Gorfododd Alecs ei hun i yfed chydig o'r te persawrus. Er ei fod yn casáu'r blas, roedd ei geg yn hollol sych. 'Mae gen i gwpwl o gwestiynau,' meddai.

'Wrth gwrs, ymlaen â ti.'

'I Yassen Gregorovich mae'r cynta.' Trodd at y Rwsiad. 'Pam eich bod chi'n gweithio i'r dyn gwallgof yma?' Meddyliodd Alecs tybed a fyddai Cray'n ei daro. Ond byddai hynny'n werth chweil. Yn ôl pob golwg, doedd y Rwsiad ddim yn rhannu syniadau Cray am y byd a'i broblemau. Edrychai'n anesmwyth, allan o'i le. Fe allai fod yn werth y drafferth petai'n ceisio codi anghydfod rhwng y ddau.

Gwgodd Cray, heb ddweud 'run gair. Amneidiodd ar Yassen i'w annog i ateb.

'Mae e'n talu imi,' meddai Yassen yn syml.

'Gobeitho bod dy ail gwestiwn di'n fwy difyr,' chwyrnodd Cray.

'Ydi. Rydach chi'n trio dweud bod popeth rydach chi wedi'i wneud i bwrpas da. Rydach chi'n credu bod yr holl ladd yma'n cael ei

280

gyfiawnhau gan y canlyniadau. Dwi ddim yn siŵr mod i'n cytuno. Mae llawer o bobl yn gweithio i elusen; mae llawer o bobl yn awyddus i newid y byd. Ond dydyn nhw ddim yn ymddwyn yn yr un ffordd â chi.'

'Rwy'n aros ...' meddai Cray'n ddiamynedd.

'Iawn. Dyma fy nghwestiwn i. Be yn union ydi Cyrch Eryr? Ydach chi'n dweud wrtha i mai cynllun ydi o i wneud y byd yn well lle?'

Chwarddodd Cray'n dawel. Am eiliad edrychai'n debyg i'r bachgen ysgol cythreulig a oedd, unwaith, wedi croesawu marwolaeth ei rieni ei hun. 'Odw,' meddai. 'Dyna'n gwmws beth yw e. Weithie mae pobl alluog iawn yn cael eu camddeall. Dwyt ti na dy wejen ddim yn fy neall i. Ond rwy'i wir yn dymuno newid y byd. Dyna fy uchelgais i erioed. Ac rwy'i wedi bod yn ffodus tu hwnt, achos mae fy ngherddorieth i wedi gwneud hynny'n bosib. Yn yr unfed ganrif ar hugen, mae diddanwyr yn llawer mwy dylanwadol na gwleidyddion neu wladweinwyr. Fi yw'r unig un sy wedi sylweddoli'r ffaith honno.'

Dewisodd Cray fisgeden arall oddi ar y plât.

'Gad imi ofyn cwestiwn iti, Alecs. Beth wyt ti'n credu yw'r drwg mwyaf ar y blaned yma heddi?'

'Gan eich cynnwys chi, 'ta heb eich cynnwys

chi?' gofynnodd Alecs.

Gwgodd Cray. 'Os gweli di'n dda, paid â ngwylltio i.'

'Wn i ddim,' meddai Alecs. 'Dwedwch wrtha i.'

'Cyffurie!' Poerodd Cray'r un gair fel pe bai'n gwbl amlwg. 'Mae cyffurie'n achosi mwy o anhapusrwydd a dinistr nag unrhyw beth yn unrhyw le drwy'r byd. Mae cyffurie'n lladd mwy o bobl na rhyfel na brawychiaeth. Wyddost ti taw cyffurie'n sy'n achosi'r rhan fwyaf o dorcyfraith gwledydd y gorllewin? Mae gyda ni blant mas ar y stryd yn cymryd heroin a chocên, ac maen nhw'n dwgyd er mwyn cynnal eu dibyniaeth. Ond nid dihirod y'n nhw; dioddefwyr y'n nhw. Ar y cyffurie mae'r bai.'

'Rydan ni wedi bod yn trafod hyn yn yr ysgol,' meddai Alecs. Darlith oedd y peth olaf roedd arno ei angen ar hyn o bryd.

'Ar hyd fy oes rwy'i wedi bod yn ymladd yn erbyn cyffurie,' meddai Cray wedyn. 'Rwy'i wedi ymddangos mewn hysbysebion y llywodreth, rwy'i wedi hala miliyne ar adeiladu canolfanne trinieth. Ac rwy'i wedi cyfansoddi caneuon. Mae'n rhaid dy fod ti wedi gwrando ar *White Lines* ...'

Caeodd ei lygaid a hymio'n dawel, yna canodd:

'Llifa'r afon wenwyn aton ni,
mhob cwr, mor llethol; does neb a ŵyr
am ffordd i bennu'r gêm sy'n lladd
ein plant cyn ei bod hi'n rhy hwyr?'
Tawelodd yn sydyn.

'Ond fe wn i beth i wneud,' meddai'n syml. 'Rwy'i wedi'i weitho fe mas. A dyna yw holl bwrpas Cyrch Eryr. Byd heb gyffurie. On'd yw hynny'n rhywbeth i freuddwydio amdano, Alecs? O'nd yw e'n werth aberth neu ddwy? Meddylia – rhoi diwedd ar y broblem gyffurie. Ac fe alla i wneud i hynny ddigwydd.'

'Sut?' Bron bod Alecs yn ofni clywed yr ateb.

'Mae'n hawdd. Mae llywodraethe'n pallu gwneud dim. Mae'r heddlu'n pallu gwneud dim. All neb rwystro'r rhai sy'n delio mewn cyffuriau. Felly mae'n rhaid mynd yn ôl at y cyflenwyr. Rhaid iti feddwl o ble mae'r cyffurie hyn yn dod. A ble yw hynny? Fe ddweda i wrthot ti.

'Bob blwyddyn, mae cannoedd ar gannoedd o dunelli o heroin yn dod o Affganistan – yn arbennig o daleithie Nangarhar a Helmand. Wyddost ti fod cynnydd yn y raddfa gynhyrchu o fil pedwar cant y cant er pan drechwyd y Taliban? Rhyfel llwyddiannus iawn! Wedyn, ar ôl Affganistan, dyna i ti Byrma a'r triongl euraid, ac oddeutu can mil hectar o dir yn cael ei

283

ddefnyddio i gynhyrchu opiwm a heroin. Dyw llywodreth Byrma'n becso dim. Does neb yn becso dam. A phaid ag anghofio Pacistan, sy'n cynhyrchu cant pum deg pump o dunelli metrig o opiwm bob bwyddyn, gyda phurfeydd ledled ardal y Khyber ac ar hyd y ffinie.

'Yr ochr draw i'r byd mae Colombia. Hi yw'r prif gyflenwr a dosbarthwr cocên, ond mae hi hefyd yn cyflenwi heroin a marijuana. Mae'n fusnes gwerth tair biliwn o ddoleri'r flwyddyn, Alecs. Wyth deg tunnell o gocên bob deuddeg mis. Saith tunnell o heroin. Mae llawer ohono'n diweddu ar strydoedd dinasoedd America. Mewn ysgolion uwchradd. Llanw mawr o drueni a thorcyfraith.

'Ond dim ond un darn bach o'r darlun yw hynna.' Cododd Cray ei law a dechrau ticio'r gwledydd eraill i ffwrdd ar ei fysedd. 'Mae 'na burfeydd yn Albania. Trenau mulod yng Ngwlad Thai. Cnydau coca ym Mheriw. Planigfeydd opiwm yn yr Aifft. Mae effedrin – y cemegyn sy'n cael ei ddefnyddio wrth drin heroin – yn cael ei gynhyrchu yn Tseina. Mae un o'r marchnadoedd cyffurie mwyaf yn y byd wedi'i lleoli yn Nhashcent, Wsbecistán.

'Rhain yw prif ffynonellau problemau cyffuriau'r byd. Dyma lle mae'r holl drafferth yn cychwyn. Rhain yw fy nhargedau.'

'Targedau ...' Sibrydodd Alecs yr un gair.

Rhoddodd Damian Cray ei law yn ei boced ac estyn y gyriant fflach. Yn sydyn roedd Yassen ar ei wyliadwraeth. Gwyddai Alecs fod ganddo ddryll ac y byddai'n ei ddefnyddio pe bai o'n symud modfedd.

'Er nad oedd modd iti wybod hynny,' eglurodd Cray, 'mewn gwirionedd, allwedd yw hon i ddatgloi un o'r systemau diogelwch mwyaf cymhleth a ddyfeisiwyd erioed. Cafodd yr allwedd wreiddiol ei chreu gan yr Asiantaeth Ddiogelwch Genedlaethol ac mae hi ym meddiant arlywydd yr Unol Daleithiau. Roedd fy nghyfaill, y diweddar Charlie Roper, yn uwch-swyddog gyda'r ADdG, a'i arbenigedd ef, ei wybodaeth am y codau, wnaeth fy ngalluogi i greu copi. Hyd yn oed wedyn, bu'n ymdrech enfawr. Does gen ti ddim syniad faint o rym prosesu cyfrifiadurol roedd ei angen i greu allwedd arall.'

'Y Gameslayer ...' meddai Alecs.

'Ie. Roedd yn dwyll perffaith. Cymaint o bobl; cymaint o dechnoleg. Ffatri â'r holl nerth prosesu y gallwn i ei ddymuno. Ac mewn gwirionedd roedd y cyfan er mwyn hwn!'

Daliodd y capsiwl metel bach i fyny.

285

'Bydd yr allwedd yma'n rhoi mynediad imi at ddwy fil a hanner o daflegrau niwclear. Taflegrau Americanaidd yw'r rhain, ac maen nhw ar barodrwydd clicied ysgafn – sy'n golygu y gallan nhw gael eu tanio ar rybudd o eiliade'n unig. Fy mwriad i yw gor-reoli system yr ADdG a thanio pump ar hugen o'r taflegrau yna ar dargede rwy'i wedi'u dewis yn ofalus o amgylch y byd.'

Gwenodd Cray'n drist.

'Mae bron yn amhosib dychmygu'r dinistr gaiff ei achosi gan bump ar hugen o daflegrau can tunnell yn ffrwydro ar yr un pryd. De America, Canolbarth America, Asia, Affrica ... bydd pob cyfandir bron yn teimlo'r boen. Ac fe *fydd* 'na boen, Alecs. Rwy'n hollol ymwybodol o hynny.

'Ond fe fydda i wedi difa'r meysydd pabi. Y ffermydd a'r ffatrïoedd. Y purfeydd, y llwybrau masnach, y marchnadoedd. Fydd dim rhagor o gyflenwyr cyffurie oherwydd na fydd dim rhagor o gyflenwade. Wrth gwrs, bydd miliyne o bobl yn marw. Ond bydd miliyne mwy'n cael eu hachub.

'Dyna'n gwmws beth yw pwrpas Cyrch Eryr, Alecs. Dechre oes aur newydd. Diwrnod pan fydd y ddynolieth yn dod at ei gilydd ac yn llawenhau.

'Y diwrnod hwnnw yw nawr. Mae fy amser i wedi cyrredd o'r diwedd.'

CYRCH ERYR

Cafodd Alecs a Sabina eu harwain at stafell rywle yn seler y tŷ a'u taflu i mewn. Caewyd y drws ac yn sydyn roedden nhw ar eu pennau'u hunain.

Gwnaeth Alecs arwydd ar Sabina iddi beidio dweud gair, yna dechreuodd wneud archwiliad cyflym o'r lle. Talp o dderw solet oedd y drws, wedi'i gloi o'r tu allan ac wedi'i follttio hefyd, mae'n debyg. Roedd un ffenest sgwâr wedi'i gosod yn uchel yn y wal ond roedd barrau drosti, a ph'un bynnag, fyddai dim modd i neb ddringo drwyddi. Doedd dim golygfa. Fallai bod y stafell wedi'i defnyddio fel seler win ar un adeg; roedd y waliau'n noeth a ddiaddurn, a'r llawr o goncrid, ac ar wahân i silff neu ddwy doedd dim dodrefn yno. Hongiai un bylb noeth ar wifren o'r nenfwd. Chwilio roedd Alecs am feicroffonau cudd. Doedd hi ddim yn debygol y byddai Cray isio clustfeinio ar y ddau, ond hyd yn oed wedyn roedd am fod yn sicr na allai neb eu clywed.

Dim ond ar ôl iddo archwilio pob modfedd o'r stafell y trodd Alecs at Sabina. Edrychai'n eithriadol o ddigynnwrf. Meddyliodd Alecs am yr holl bethau oedd wedi digwydd iddi. Roedd

wedi cael ei chipio a'i chadw'n garcharor –
wedi'i chlymu a'i mygydu. Roedd hi wedi dod
wyneb yn wyneb â'r dyn oedd wedi rhoi'r
gorchymyn i ladd ei thad, ac wedi gwrando
wrth iddo amlinellu'i syniad gwallgof i
ddinistrio hanner y byd. A dyma hi dan glo
unwaith eto, bron yn gwbl sicr na fyddai hi nac
Alecs yn cael gadael y lle'n fyw. Dylai Sabina
fod wedi dychryn am ei bywyd. Ond y cyfan
wnaeth hi oedd aros yn dawel tra oedd Alecs
yn gorffen ei archwiliad, gan ei wylio fel pe
bai'n ei weld am y tro cyntaf.

'Ti'n iawn?' gofynnodd iddi o'r diwedd.

'Alecs …' Dim ond wrth iddi geisio siarad y
llifodd yr emosiwn drosti. Anadlodd yn ddwfn ac
ymladd i'w rheoli'i hun. 'Sa i'n gallu credu bod
hyn yn digwydd,' meddai.

'Dwi'n gwybod. Biti garw ei fod o.' Wyddai
Alecs ddim beth i'w ddweud. 'Pryd gest ti dy
ddal?' gofynnodd.

'Yn yr ysbyty. Roedd 'na dri ohonyn nhw.'

'Wnaethon nhw dy frifo di?'

'Fe godon nhw ofn arna i. A rhoi rhyw fath o
chwistrelliad imi.' Gwgodd. 'Ych a fi! Mae
Damian Cray'n shwd crîp! A wnes i eriod
sylweddoli ei fod e mor – fach!'

Gwnaeth hynny i Alecs wenu er gwaethaf

popeth. Doedd Sabina heb newid dim.

Ond roedd hi o ddifrif. 'Gynted ag y gweles i e, feddylies i amdanat ti. Ro'n i'n gwybod dy fod ti wedi bod yn dweud y gwir drwy'r amser ac ro'n i'n teimlo mor euog am beido dy gredu di.' Tawelodd am eiliad. 'Felly rwyt ti'n wir yn sbïwr!'

'Ddim yn hollol …'

'Odi MI6 yn gwybod dy fod ti yma?'

'Na.'

'Ond mae'n rhaid fod gyda ti ryw fath o ddyfeisie. Fe ddwedest ti wrtha i eu bod nhw'n rhoi rhai iti. Does 'da ti ddim careie sgidie ffrwydrol neu rywbeth tebyg i'n cael ni mas o'r lle hyn?'

'Does gen i ddim byd. Dydi MI6 ddim hyd yn oed yn gwybod mod i yma. Ar ôl be ddigwyddodd yn y banc – yn Liverpool Street – mi es i ar ôl Cray ar fy mhen fy hun. Ro'n i jest mor flin am y ffordd roedden nhw wedi dy dwyllo di a dweud celwydd amdana i. Mi fues i'n ddwl. Hynny ydi, roedd y gyriant fflach yn fy llaw … ac mi rois i o'n ôl i Cray!'

Roedd Sabina'n deall. 'Fe ddoist ti yma i'n achub i,' meddai.

'Achub, wir!'

'Ar ôl y ffordd wnes i dy drin di, fe ddylet ti jest fod wedi'n dympo fi.'

290

'Wn i ddim, Sab. Ro'n i'n meddwl mod i wedi gweithio'r cwbl allan. Ro'n i'n meddwl y basan nhw'n dy ollwng di'n rhydd ac y bydda popeth yn troi allan yn iawn. Doedd gen i ddim syniad ...' Ciciodd Alecs yn erbyn y drws. Roedd mor gadarn â chraig. 'Mae'n rhaid inni'i rwystro fo,' meddai. 'Mae'n rhaid inni wneud rhywbeth.'

'Falle'i fod e'n gwneud y cyfan lan,' cynigiodd Sabina. 'Meddylia. Fe wedodd e ei fod am saethu pump ar hugen o daflegre dros y byd i gyd. Taflegre Americanaidd. Ond maen nhw i gyd yn cael eu rheoli o'r Tŷ Gwyn. Does neb ond arlywydd America'n gallu'u tanio nhw. Mae pawb yn gwybod hynny. Felly beth mae e'n bwriadu'i wneud? Hedfan i Washington a cheisio torri i mewn?'

'Faswn i wrth fy modd tasat ti'n iawn.' Ysgydwodd Alecs ei ben. 'Ond mae gan Cray gyfundrefn anferth. Mae o wedi buddsoddi blynyddoedd o gynllunio a miliynau o bunnau i mewn i'r ymgyrch. Mae Yassen Gregorovich yn gweithio iddo fo. Mae'n rhaid ei fod o'n gwybod rhywbeth nad ydan ni ddim.'

Aeth draw ati. Teimlai awydd rhoi ei fraich amdani, ond yn lle hynny safodd yn lletchwith o'i blaen hi. 'Gwranda,' meddai. 'Dwi'n mynd i swnio'n rêl pen bach, a ti'n gwybod na faswn i byth fel arfer yn dweud wrthot ti be i wneud. Ond y peth ydi, dwi wedi bod mewn sefyllfa fel hyn o'r blaen ...'

'Beth? Wedi dy gloi lan gan ryw fachan gwallgof sy'n moyn dinistrio'r byd?'

'Wel, ia, a dweud y gwir.' Ochneidiodd. 'Roedd fy ewyrth yn trio ngwneud i'n sbïwr pan o'n i'n dal mewn trowsus cwta. Wnes i erioed sylweddoli, hyd yn oed. Ac mae'n wir be ddwedais i. Mi fues i'n hyfforddi efo'r SAS. P'un bynnag, y gwir ydi ... mod i'n gwybod pethau. A falle gawn ni gyfle i ddial ar Cray. Ond os digwyddith hynny, mae'n rhaid iti adael y cyfan i mi. Mae'n rhaid iti wneud popeth dwi'n ddweud. Heb ddadlau ...'

'Anghofia'r peth!' Ysgydwodd Sabina'i phen. 'Fe wna i beth wyt ti'n ddweud. Ond fe driodd e ladd 'y nhad i. A galla i ddweud wrthot ti, os bydd Cray'n gadael cyllell cegin obeutu'r lle, wy'n mynd i'w gwthio hi i rywle eitha poenus ...'

'Fallai 'i bod hi'n rhy hwyr yn barod,' meddai Alecs yn ddigalon. 'Mi all Cray jest ein gadael ni yma. Fallai 'i fod o wedi mynd yn barod.'

'Sai'n credu. Rwy'n meddwl ei fod e dy angen di; wn i ddim pam. Fallai am taw ti ddaeth agosaf at ei drechu e.'

'Dwi'n falch dy fod ti yma,' meddai Alecs.

Edrychodd Sabina arno. 'Smo i'n falch,' meddai.

Deng munud yn ddiweddarach agorwyd y drws a daeth Yassen Gregorovich i mewn yn cario'r hyn a edrychai fel dwy oferôl wen a chyfres o rifau wedi eu marcio mewn coch ar y llewys. 'Mae angen ichi wisgo'r rhain,' meddai.

'Pam?' gofynnodd Alecs.

'Mae Cray'n gofyn amdanoch chi. Ry'ch chi'n dod gyda ni. Gwisgwch nhw – nawr!'

Ond roedd Alecs yn dal i betruso. 'Be ydi hyn?' gofynnodd. Roedd rhywbeth yn annymunol o gyfarwydd ynglŷn â'r oferôls.

'Defnydd polyamid yw e,' eglurodd Yassen. Doedd y geiriau'n golygu dim i Alecs. 'Mae'n cael ei ddefnyddio mewn rhyfela biocemegol,' ychwanegodd. 'Nawr, gwisga hi.'

Gan deimlo'n fwy petrusgar wrth yr eiliad, gwisgodd Alecs y siwt dros ei ddillad ei hun. Gwnaeth Sabina'r un fath. Roedd yr oferôls yn eu gorchuddio'n llwyr, a chyflau'n codi dros eu pennau. Sylweddolodd Alecs y bydden nhw'n gwbl ddi-siâp ar ôl gorffen gwisgo amdanynt. Byddai'n amhosib gweld mai pobl ifanc oedden nhw.

'Nawr dewch gyda fi,' meddai Yassen.

Cawsant eu harwain yn ôl drwy'r tŷ ac allan i'r

clwysty. Erbyn hyn roedd tri cherbyd wedi'u parcio ar y glaswellt: jîp a dau dryc â gorchudd drostynt, y ddau wedi'u peintio'n wyn a'r un marciau coch â'r oferôls. Roedd yna oddeutu ugain o ddynion, pob un yn gwisgo siwt fiogemegol. Roedd Henryk, y peilot o Iseldirwr, yng nghefn y jîp, yn glanhau'i sbectol yn betrusgar. Safai Damian Cray nesaf ato'n siarad, ond wrth weld Alecs stopiodd a cherdded draw. Roedd yn llawn cynnwrf, yn cerdded yn sionc, a'i lygaid yn loywach hyd yn oed nag arfer.

'Felly dyma chi!' ebychodd, fel pe bai'n croesawu Alecs i barti. 'Gwych! Rwy'i wedi penderfynu fy mod am i chi ddod hefyd. Fe geisiodd Mr Gregorovich fy narbwyllo i i anghofio'r peth, ond rhai fel 'na yw'r Rwsiaid. Dim synnwyr digrifwch. Ond weli di, Alecs, fydde dim o hyn wedi digwydd hebddot ti. Ti ddaeth â'r gyriant fflach imi; dyw hi ddim ond yn deg iti gael gweld shwd bydda i'n 'i ddefnyddio fe.'

'Mi fasa'n well gen i'ch gweld chi'n cael eich restio a'ch gyrru i garchar,' meddai Alecs.

Chwerthin wnaeth Cray. 'Dyna beth wy'n ei hoffi amdanat ti!' meddai. 'Rwyt ti mor ddigywilydd. Ond mae'n rhaid imi dy rybuddio di, fe fydd Yassen yn dy wylio di fel barcud. Neu falle y dylen i ddweud fel eryr. Os gwnei di unrhyw beth o gwbl, os gwnei di hyd yn oed flincio heb ganiatâd, fe fydd e'n saethu dy wejen di gyntaf. Ac yna bydd e'n dy saethu di. Wyt ti'n deall?'

'Ble dan ni'n mynd?' gofynnodd Alecs.

'Ry'n ni'n teithio ar y draffordd i mewn i Lunden. Fe gymerith hi ddwyawr inni, dim mwy. Byddi di a Sabina yn y tryc cyntaf gyda Yassen. Mae Cyrch Eryr wedi cychwyn, gyda llaw. Mae popeth yn ei le. Rwy'n credu y gwnei di fwynhau.'

Trodd ei gefn arnynt a mynd draw at y jîp. Ymhen munud neu ddau, cychwynnodd y cerbydau, gan yrru drwy'r gatiau ac yn ôl i fyny'r lôn fach at y briffordd. Roedd Alecs a Sabina'n eistedd nesaf at ei gilydd ar fainc bren gul. Roedd chwech o ddynion gyda nhw, pob un â dryll awtomatig ar felt dros ei siwt wen. Meddyliodd Alecs ei fod yn adnabod un o'r wynebau – wedi ei weld yn y cowrt y tu allan i Amsterdam. Yn sicr roedd yn adnabod y teip. Croen gwelw, gwallt marwaidd yr olwg, llygaid tywyll, gwag. Eisteddai Yassen gyferbyn â nhw. Roedd yntau hefyd yn gwisgo siwt fiogemegol. Roedd fel pe bai'n syllu ar Alecs, ond ddwedodd o 'run gair, ac roedd ei wyneb yn amhosib i'w ddarllen.

Fe deithion nhw am ddwyawr, gan ddilyn yr M4 i gyfeiriad Llundain. Troai Alecs i edrych ar Sabina yn awr ac yn y man; daliodd hi ei lygaid unwaith a gwenu'n nerfus. Nid ei byd hi oedd hwn. Y dynion, y drylliau peiriant, y siwtiau biogemegol … roedden nhw i gyd yn rhan o hunllef oedd wedi ymddangos o dyn a ŵyr ble ac nad oedd yn gwneud unrhyw synnwyr – a heb unrhyw arwydd bod ffordd allan ohoni. Roedd Alecs, hefyd, mewn penbleth. Ond roedd y siwtiau'n awgrymu posibilrwydd erchyll. Oedd gan Cray arfau biogemegol? Oedd o'n bwriadu'u defnyddio nhw?

Dyma nhw'n troi, o'r diwedd, oddi ar y draffordd. Wrth edrych allan drwy'r agoriad yn y cefn, gwelodd Alecs arwyddbost yn dangos y ffordd i faes awyr Heathrow, ac yn sydyn roedd yn gwybod, heb i neb ddweud wrtho, mai dyna oedd pen y daith. Cofiodd yr awyren roedd wedi'i gweld yn y cowrt. A Cray, wrth siarad yn yr ardd. *Mae Henryk yn werthfawr iawn imi. Mae e'n hedfan jymbo jets.* Rhaid bod y maes awyr yn rhan o'r cynllun, ond doedd hynny ddim yn egluro cymaint o bethau eraill chwaith. Arlywydd yr Unol Daleithiau. Taflegrau niwclear.

296

Yr enw – Cyrch Eryr. Roedd Alecs yn flin ag ef ei hun. Roedd y cyfan yno o'i flaen. Roedd rhyw fath o ddarlun yn dod i'r amlwg. Ond roedd yn dal i fod yn aneglur, allan o ffocws.

Stopiodd pawb. Symudodd neb. Yna siaradodd Yassen am y tro cyntaf. 'Mas!' Un gair.

Aeth Alecs allan gyntaf, yna helpodd Sabina i lawr, gan fwynhau teimlo'i llaw yn ei law yntau. Daeth sŵn rhuo uchel sydyn o'r awyr, ac edrychodd i fyny jest mewn pryd i weld awyren yn dechrau disgyn. Gwelodd ble roedden nhw. Roedden nhw wedi stopio ar lawr uchaf maes parcio aml-lawr gwag – wedi'i adael i Cray gan ei dad, Syr Alfred Lunt. Roedd ar gyrion maes awyr Heathrow, yn agos at y brif lanfa. Yr unig gar, ar wahân i'w cerbyd nhw, oedd hen gragen wedi'i losgi'n ulw. Roedd y llawr yn llanast o rwbel a hen duniau olew rhydlyd. Allai Alecs ddim dychmygu pam eu bod nhw wedi dod yma. Roedd Cray'n aros am signal. Roedd rhywbeth ar fin digwydd. Ond beth?

Edrychodd Alecs ar ei oriawr. Roedd hi'n union hanner awr wedi dau. Galwodd Cray ar bawb i ddod ato. Roedd wedi teithio yn y jîp gyda Henryk, a nawr gwelodd Alecs fod darlledydd radio ar y sedd gefn. Trodd Henryk ddeial, a chlywyd sŵn grwnan uchel. Yn sicr, roedd Cray'n creu perfformiad allan o hyn. Roedd y radio wedi'i gysylltu ag uchelseinydd er mwyn i bawb gael clywed.

'Mae e ar fin dechrau,' meddai Cray gan chwerthin. 'Yn gwmws ar amser!'

Edrychodd Alecs i fyny. Roedd ail awyren yn dod i mewn. Roedd yn dal i fod yn rhy bell i ffwrdd ac yn rhy uchel i'w gweld yn glir, ond hyd yn oed wedyn meddyliodd fod rhywbeth cyfarwydd ynghylch ei siâp. Yn sydyn daeth sŵn llais bloesg o'r uchelseinydd yn y jîp.

'Eich sylw, rheolaeth traffig awyr. Dyma ehediad 118 Millennium Air o Amsterdam. Mae gyda ni broblem.'

Siaradai'r llais mewn acen Iseldiraidd gref. Cafwyd saib a sŵn hisian gwag, yna llais dynes yn ateb. 'Roger, MA118. Beth yw eich problem, drosodd?'

'Mayday! Mayday!' Yn sydyn roedd y llais o'r awyren yn gryfach. 'Dyma ehediad MA 118. Mae gyda ni dân ar yr awyren. Gofyn caniatâd i lanio ar unwaith.'

Saib arall. Gallai Alecs ddychmygu'r panig yn y tŵr rheoli yn Heathrow. Ond pan siaradodd y ddynes eto, roedd ei llais yn broffesiynol, yn ddigynnwrf. 'Roger eich mayday. Rydych chi ar ein radar. Llywiwch ar 0-90. Disgynnwch dair mil o droedfeddi.'

'Rheolaeth traffig awyr.' Roedd y radio'n clecian eto. 'Dyma'r Capten Schroeder o ehediad MA 118. Rhaid eich hysbysu fy mod yn cario cynnyrch biogemegol peryglus iawn ar ran y Weinyddiaeth Amddiffyn. Mae'r sefyllfa'n argyfyngus. Eich cyngor, os gwelwch yn dda.'

Atebodd y ddynes o Heathrow'n syth. 'Mae angen inni wybod beth sydd ar fwrdd yr awyren. Ble mae e, a beth yw ei faint?'

'Rheolaeth traffig awyr, ry'n ni'n cario nwy nerfau. Allwn ni ddim bod yn fwy manwl. Mae'n arbrofol iawn ac yn eithriadol o beryglus. Mae tri o duniau yn yr howld. Nawr mae gyda ni dân yn y prif gaban. Mayday! Mayday!'

Edrychodd Alecs eto. Erbyn hyn roedd yr awyren lawer yn is, a gwyddai'n union ble roedd wedi'i gweld o'r blaen. Hon oedd yr awyren nwyddau a welsai yn y cowrt y tu allan i Amsterdam. Roedd mwg yn llifo allan o'i hochr, ac fel roedd Alecs yn gwylio ffrwydrodd fflamau allan ohoni, gan ymledu ar hyd yr adenydd. I unrhyw un oedd yn gwylio byddai'n ymddangos bod yr awyren mewn perygl dirfawr. Ond gwyddai Alecs mai wedi'i ffugio oedd yr holl beth.

Roedd y tŵr rheoli'n monitro'r awyren. 'Ehediad MA 118, mae'r gwasanaethau brys wedi'u rhybuddio. Ry'n ni'n dechrau gwagio'r maes awyr ar unwaith. Ewch i ddau ddeg saith chwith. Mae gennych ganiatâd i lanio.'

Ar unwaith clywodd Alecs larymau'n seinio ymhob rhan o'r maes awyr. Roedd yr awyren ddwy neu dair mil o droedfeddi i fyny yn yr awyr, y fflamau'n ymestyn y tu ôl iddi. Roedd yn rhaid iddo gyfaddef bod y cyfan yn edrych yn hollol real. Yn sydyn roedd popeth yn dechrau gwneud synnwyr. Roedd yn dechrau deall cynllun Cray.

'Amser cychwyn!' cyhoeddodd Cray.

Cafodd Alecs a Sabina eu harwain yn ôl i'r tryc. Dringodd Cray i mewn i'r jîp, nesaf at Henryk oedd yn gyrru, ac i ffwrdd â nhw. Roedd yn anodd i Alecs weld beth oedd yn digwydd, ond dyfalai eu bod wedi gadael y maes parcio ac yn dilyn ffens y terfyn o amgylch y maes awyr. Roedd sŵn y larymau i'w glywed yn uwch; am eu bod yn agosáu atynt, meddyliodd. Seiniai nifer o seirenau ceir heddlu yn y pellter; sylwodd Alecs fod y ffordd yn brysurach a cheir yn rhuthro heibio, eu gyrwyr yn gwneud eu gorau glas i ddianc o ardal y maes awyr.

'Beth mae e'n wneud?' sibrydodd Sabina.

'Dydi'r awyren ddim ar dân,' meddai Alecs.
'Mae Cray wedi'u twyllo nhw. Mae o wedi
gwneud iddyn nhw wagio'r maes awyr. Dyna sut
rydan ni am gael mynd i mewn.'

'Ond pam?'

'Dyna ddigon,' meddai Yassen. 'Caewch eich
cegau.' Rhoddodd ei law dan ei sedd, gan estyn
dau fwgwd nwy a'u rhoi i Alecs a Sabina.
'Gwisgwch rhain.'

'Pam fod ei angen e arna i?' gofynnodd
Sabina.

'Jest gwisga fe.'

'Wel, fe wnaiff e lanast o ngholur i,' meddai'n
goeglyd cyn ei wisgo.

Gwnaeth Alecs yr un fath. Roedd pawb yn y
tryc, gan gynnwys Yassen, yn gwisgo mwgwd
nwy. Yn sydyn roedden nhw'n hollol
ddigymeriad. Roedd Alecs yn gorfod cyfaddef
bod cynllun Cray yn un athrylithgar. Roedd yn
ffordd berffaith i dorri i mewn i'r maes awyr.
Erbyn hyn byddai pawb o'r staff diogelwch yn
gwybod bod awyren yn cario cemegyn nerfol
marwol ar fin cwymplanio yno. Roedd y maes
awyr yn cael ei wagio'n llwyr yn ôl gofynion
argyfwng. Wrth i Cray a'i fyddin fechan
gyrraedd y brif gât, fyddai neb yn debygol o ofyn
iddyn nhw brofi pwy oedden nhw. Yn eu siwtiau

biogemegol roedd golwg swyddogol arnyn nhw. Roedden nhw'n gyrru cerbydau a edrychai'n swyddogol. Fyddai'r ffaith eu bod wedi cyrraedd y maes awyr mor eithriadol o gyflym ddim yn edrych yn amheus. Byddai'n debycach i wyrth.

Digwyddodd pethau'n hollol fel roedd Alecs wedi'i ddisgwyl.

Stopiodd y jîp wrth gât ar ochr ddeheuol y maes awyr. Dynion ifanc oedd y ddau warchodwr. Dim ond ers rhyw bythefnos roedd un ohonynt wedi bod yn y swydd ac roedd yn panicio wrth orfod wynebu rhybudd argyfwng eithaf. Doedd yr awyren nwyddau ddim wedi glanio eto, ond roedd hi'n dod yn nes ac yn nes, gan hercian i lawr o'r awyr. Roedd y tân wedi cynyddu, yn amlwg allan o reolaeth. A dyma ddau dryc a cherbyd y fyddin yn cyrraedd, yn llawn o ddynion mewn siwtiau gwyn a chyflau a mygydau nwy. Doedd e ddim am ddechrau dadlau.

Pwysodd Cray allan o'r drws. Roedd mor anhysbys â gweddill y dynion, ei wyneb o'r golwg y tu ôl i'r mwgwd nwy. 'Gweinyddiaeth Amddiffyn,' meddai'n fyr. 'Adran Arfau Biogemegol.'

'Ymlaen â chi!' Allai'r gwarchodwyr ddim eu gyrru nhw drwodd yn ddigon cyflym.

Glaniodd yr awyren. Rasiodd dwy injan dân ac amrywiaeth o gerbydau argyfwng tuag ati. Aeth eu tryc nhw heibio'r jîp a stopio. Wrth edrych allan drwy'r cefn, gallai Alecs weld y cyfan.

Damian Cray gychwynnodd y peth.

Roedd yn eistedd wrth ochr gyrrwr y jîp ac wedi estyn darlledydd radio. 'Mae'n bryd i bethau dwymo lan,' meddai. 'Gadewch inni wneud hyn yn argyfwng go iawn.'

Rywsut neu'i gilydd roedd Alecs yn gwybod beth oedd ar fin digwydd. Pwysodd Cray fotwm, ac ar unwaith ffrwydrodd yr awyren, gan ddiflannu o'r golwg mewn pelen anferth o dân a ffrwydrodd allan ohoni gan ei llosgi'n golsyn. Chwyrlïodd darnau o bren a metel i bob cyfeiriad. Llifodd tanwydd awyren dros y lanfa, gan wneud i honno hefyd edrych fel pe bai hi ar dân. Roedd y cerbydau argyfwng wedi gwahanu er mwyn amgylchynu'r awyren, ond yna sylweddolodd Alecs eu bod wedi derbyn gorchmynion newydd o'r tŵr rheoli. Doedd dim mwy y gallen nhw ei wneud. Roedd y peilot a'i griw ar yr awyren yn sicr wedi marw. Gallai rhyw nwy nerfau dieithr fod yn gollwng i'r awyr y funud honno. Trowch yn ôl! Ar unwaith! Ewch!

Roedd Alecs yn gwybod bod Cray wedi twyllo

pwy bynnag oedd wedi hedfan yr awyren, gan eu lladd â'r un difaterwch dideimlad ag y byddai'n lladd unrhyw un a feiddiai sefyll yn ei ffordd. Byddai'r peilot wedi cael ei dalu am yrru'r rhybudd ffug ac wedyn am ffugio'r cwymplaniad. Fyddai ganddo ddim syniad fod llwyth o ffrwydron plastig wedi'i guddio ar fwrdd yr awyren. Gallai fod wedi disgwyl arhosiad go hir yn un o garchardai Lloegr. Doedd neb wedi dweud wrtho y byddai'n cael ei ladd.

Doedd Sabina ddim yn gwylio. Ni allai Alecs weld ei hwyneb – roedd ager dros ochr fewnol ei mwgwd – ond roedd hi wedi troi'i phen i ffwrdd. Am eiliad roedd ei galon yn gwaedu drosti. Y fath drybini ofnadwy. A'r cyfan, yn anhygoel, wedi dechrau ar wyliau yn Ne Ffrainc!

Herciodd y tryc yn ei flaen. Bellach roedden nhw y tu mewn i'r maes awyr. Roedd Cray wedi llwyddo i chwalu'r system ddiogelwch yn gyfan gwbl. Fyddai neb yn sylwi arnyn nhw – ddim am sbel, o leiaf. Ond roedd y cwestiynau'n aros. Pam roedden nhw wedi dod? Pam yma?

Ac yna arafodd y cerbyd am y tro olaf. Edrychodd Alecs allan. Ac o'r diwedd roedd popeth yn gwneud synnwyr.

Roedden nhw wedi stopio o flaen awyren, Boeing 747-200B. Ond roedd hi'n llawer mwy na hynny. Roedd ei chorff wedi'i beintio'n las a gwyn, a'r geiriau UNOL DALEITHIAU AMERICA wedi'u sgwennu ar hyd y prif gorff a baner yr UDA wedi'i pheintio ar ei chynffon. A dacw'r eryr, yn cydio mewn tarian, yn union dan y drws, yn gwawdio Alecs am fethu â dyfalu'n ddigon buan. Yr eryr oedd wedi rhoi'i enw i Gyrch Eryr. Hon oedd sêl yr arlywydd a hon oedd yr awyren arlywyddol, Air Force One. Hon oedd y rheswm pam bod Damian Cray yma.

Roedd Alecs wedi'i gweld ar y teledu pan oedd yn swyddfa Blunt. Yr awyren oedd wedi cludo arlywydd America i Loegr. Roedd hi'n arfer hedfan i bedwar ban byd, gan deithio chydig yn arafach na chyflymder sŵn. Doedd Alecs ddim yn gwybod llawer amdani, oherwydd roedd bron pob darn o wybodaeth am Air Force One yn gyfrinachol. Ond roedd yn gwybod un peth. Roedd bron unrhyw beth y gellid ei wneud yn y Tŷ Gwyn yn gallu cael ei wneud ar yr awyren, hyd yn oed pan oedd yn hedfan.

Bron unrhyw beth. Gan gynnwys cychwyn rhyfel niwclear.

Safai dau ddyn ar warchodaeth ar y grisiau oedd yn arwain at y drws agored a'r prif gaban. Milwyr oedden nhw, wedi'u gwisgo mewn dillad ymladd lliw caci a *berets* du. Wrth i Cray ddod allan o'r cerbyd, cododd y ddau eu drylliau. Roedden nhw wedi clywed y larymau ac yn gwybod bod rhywbeth yn digwydd yn y maes awyr. Doedden nhw ddim yn sicr beth oedd a wnelo'r helynt â nhw.

'Beth sy'n digwydd?' gofynnodd un ohonyn nhw.

Ddwedodd Damian Cray 'run gair. Cododd un llaw ac yn sydyn roedd yn dal pistol. Saethodd ddwywaith, y bwledi'n gwneud bron dim sŵn – neu fallai bod sŵn y dryll wedi'i foddi gan anferthedd yr awyren. Trodd y milwyr i'r ochr a syrthio ar y tarmac. Doedd neb wedi gweld beth ddigwyddodd. Roedd llygaid pawb ar y lanfa ac ar weddillion yr awyren nwyddau oedd yn dal i losgi.

Teimlodd Alecs lif o gasineb tuag at Cray a'i lwfrdra. Doedd y milwyr Americanaidd ddim wedi disgwyl helynt. Doedd yr arlywydd ddim ar gyfyl y maes awyr. Doedd Air Force One ddim i fod i hedfan am ddiwrnod arall. Gallai Cray fod wedi eu taro'n anymwybodol; gallai fod wedi eu cymryd yn garcharorion. Ond roedd eu lladd yn haws. Roedd eisoes yn rhoi'r dryll yn ôl yn ei boced – dau fywyd dynol wedi'u hysgubo o'r neilltu a'u hanghofio. Safai Sabina yn ei ymyl, gan syllu'n anghrediniol.

'Arhoswch chi fan hyn,' meddai Cray. Roedd wedi tynnu'i fwgwd nwy, ac roedd ei wyneb gwridog yn llawn cynnwrf.

Rhedodd Yassen Gregorovich a hanner y dynion i fyny'r grisiau a byrddio'r awyren. Tynnodd y lleill eu siwtiau gwyn i ddangos lifrai byddin America oddi tanynt. Roedd Cray wedi cynllunio'n fanwl. Pe bai unrhyw un yn digwydd troi'i sylw oddi wrth yr awyren nwyddau, byddai'n edrych fel petai Air Force One dan warchodaeth ddwys, a bod popeth yn iawn. Mewn gwirionedd, roedd hynny mor bell o'r gwir ag y gallai fod.

Daeth sŵn rhagor o saethu o'r tu mewn i'r awyren. Doedd Cray ddim yn cymryd carcharorion. Roedd unrhyw un a safai ar ei ffordd yn cael ei ladd ar unwaith, yn gwbl ddidostur.

Safodd Cray nesaf at Alecs. 'Croeso i'r lolfa VIPs,' meddai. 'Fallai yr hoffet ti wybod taw dyna maen nhw'n galw'r holl adran hon o'r maes awyr.' Pwyntiodd at adeilad o ddur a gwydr yr ochr draw i'r awyren. 'Dyna ble maen nhw i gyd yn mynd. Arlywyddion, prif weinidogion … Rwy'i wedi bod i mewn yno fy hunan unweth neu ddwy, a dweud y gwir. Cyffyrddus iawn, a dim ciwio i ddangos dy basbort!'

'Gadwch inni fynd,' meddai Alecs. 'Dydach chi mo'n hangen ni.'

'Fydde'n well gyda ti mod i'n eich lladd chi nawr, yn hytrach nag yn nes ymlaen?'

Taflodd Sabina gipolwg ar Alecs ond ddwedodd hi 'run gair.

Daeth Yassen i'r golwg yn nrws yr awyren a gwneud arwydd. Roedd Air Force One wedi cael ei meddiannu. Doedd neb ar ôl i ymladd. Daeth dynion Cray allan heibio iddo a dringo i lawr y grisiau. Roedd un ohonyn nhw wedi cael ei anafu; roedd gwaed ar lawes ei siwt. Felly o leiaf roedd rhywun wedi ceisio taro'n ôl!

'Rwy'n credu y gallwn ni fynd ar fwrdd yr awyren nawr,' meddai Cray.

Roedd ei ddynion i gyd erbyn hyn wedi'u gwisgo fel milwyr Americanaidd; safent mewn hanner cylch o amgylch y grisiau'n arwain at ddrws yr awyren rhag ofn gwrth-ymosodiad. Roedd Henryk eisoes wedi dringo i fyny a dilynodd Sabina ac Alecs ef. Daeth Cray'n syth y tu ôl, ei ddryll yn ei law. Felly dim ond y pump ohonyn nhw oedd yn mynd i fod ar yr awyren. Cadwodd Alecs yr wybodaeth honno mewn ffeil yn rhywle yn ei feddwl. O leiaf rŵan roedd ganddyn nhw chydig gwell siawns.

Roedd Sabina mewn perlewyg, yn symud fel

pe bai wedi'i hypnoteiddio. Gwyddai Alecs sut roedd hi'n teimlo. Roedd ei goesau yntau bron yn methu'i gynnal, wrth iddo ddringo'r grisiau yma, oedd wedi'u neilltuo ar gyfer y dyn mwyaf pwerus ar y blaned. Wrth edrych ar y drws o'u blaenau, a delwedd arall o eryr ar un ochr iddo, gwelodd Yassen yn dod i'r golwg o'r tu mewn, yn llusgo corff wedi'i wisgo mewn trowsus glas a gwasgod las; un o stiwardiaid yr awyren. Dyn diniwed arall wedi'i aberthu yn enw breuddwyd gwallgof Cray.

Aeth Alecs i mewn i'r awyren.

Roedd Air Force One yn wahanol i bob awyren arall yn y byd. Doedd dim seddau wedi'u gwasgu at ei gilydd, dim adran economi, dim byd oedd yn edrych yn debyg mewn unrhyw ffordd i jymbo jet arferol. Roedd wedi cael ei haddasu ar gyfer yr arlywydd a'i staff, gyda thri llawr o swyddfeydd a stafelloedd gwely, stafell gynadledda a chegin ... pedair mil o droedfeddi sgwâr o ofod. Rywle tu mewn roedd yna hyd yn oed fwrdd llawdriniaeth, er nad oedd erioed wedi cael ei ddefnyddio. Cafodd Alecs ei hun mewn ardal fyw cynllun-agored. Roedd popeth wedi'i gynllunio i fod yn gyfforddus, gyda charpedi trwchus, soffas isel a chadeiriau esmwyth, a byrddau a lampau trydan hen ffasiwn. Y prif liwiau oedd hufen a brown, wedi'u goleuo gan ddwsinau o lampau wedi'u gosod yn y nenfwd. Arweiniai coridor hir i lawr un ochr yr awyren, a chyfres o swyddfeydd taclus a pharthau eistedd ar yr ochr. Roedd yna ragor o soffas a byrddau bach bob hyn a hyn yr holl ffordd i lawr y coridor. Gorchuddiwyd y ffenestri â bleinds lliw hufen.

Roedd Yassen wedi cael gwared â'r cyrff, ond gadawyd staen gwaedlyd ar y carped. Roedd yn erchyll o amlwg.

Roedd gweddill yr awyren wedi cael ei lanhau'n drwyadl nes bod pobman fel pìn mewn papur. Safai troli ar olwynion wrth un o'r waliau, a sylwodd Alecs ar y gwydrau grisial disglair, pob un â'r geiriau AIR FORCE ONE a llun o'r awyren wedi'u hysgythru arno. Roedd nifer o boteli'n sefyll ar silff isaf y troli: gwahanol fathau o wisgi brag prin a gwinoedd arbennig. Gwasanaeth o safon arbennig, roedd hynny'n amlwg. Llond dwrn o bobl yn unig gâi'r fraint o hedfan ar yr awyren hon, a bydden nhw wedi'u hamgylchynu â moethusrwydd llwyr.

Roedd hyd yn oed Cray, oedd yn berchen ar ei awyren jet breifat ei hun, yn llawn edmygedd. Edrychodd ar Yassen. 'Dyna'r cyfan?' gofynnodd. 'Y'n ni wedi lladd pawb sydd angen eu lladd?'

Nodiodd Yassen.

'Felly fe ddechreuwn ni. Af i ag Alecs. Rwy'n moyn dangos iddo fe … Arhoswch chi yma.'

Nodiodd Cray ar Alecs. Gwyddai Alecs nad oedd ganddo ddewis. Taflodd un cipolwg olaf ar Sabina a cheisiodd fynegi â'i lygaid: *Mi feddylia i am rywbeth. Dwi'n mynd i'n cael ni allan o'r lle 'ma.* Roedd erchylltra Cyrch Eryr wedi'i daro o'r diwedd. Air Force One! Awyren yr arlywydd. Doedd hi erioed wedi cael ei meddiannu fel hyn – a pha rhyfedd? Fyddai neb arall yn ddigon gwallgof i ystyried y fath beth.

Gwthiodd Cray y dryll i mewn i ochr Alecs, gan ei orfodi i ddringo set o risiau. Roedd Alecs yn hanner gobeithio y bydden nhw'n dod ar draws rhywun. Dim ond un milwr neu aelod o'r criw oedd wedi llwyddo i ddianc, ac efallai ei fod yn cuddio'n barod i ymosod arnynt. Ond gwyddai y byddai Yassen wedi gwneud ei waith yn drylwyr. Ceisiai Alecs beidio â meddwl faint o bobl allai fod ar yr awyren pan ymosodwyd arni.

Daethant at stafell yn llawn dop o offer electronig. Safai cyfrifiaduron hynod o soffistigedig ochr yn ochr â systemau telffon a radar cymhleth a chanddynt resi o fotymau, switsys a goleuadau'n fflachio. Roedd hyd yn oed y nenfwd wedi'i orchuddio â pheiriannau. Sylweddolodd Alecs ei fod yn sefyll yng nghanolfan gysylltiadau Air Force One. Rhaid bod rhywun yn gweithio yno pan feddiannwyd yr awyren. Doedd y drws ddim wedi'i gloi.

'Neb gartre,' meddai Cray. 'Rwy'n ofni nad oedden nhw'n disgwyl gweld ymwelwyr. Fe gawn ni ymlacio.' Estynnodd y gyriant fflach o'i boced. 'Hon yw'r foment fawr, Alecs,' meddai. 'I ti mae'r diolch am hyn i gyd. Ond aros yn llonydd fel delw, os gweli di'n dda. Dwi ddim isie dy ladd di nes i ti weld hyn, ond os gwnei di hyd yn oed flincio, rwy'n ofni falle bydd raid imi dy saethu.'

Roedd Cray'n gwybod yn iawn beth oedd e'n ei wneud. Gosododd y dryll ar y bwrdd nesaf ato fel na fyddai fyth fwy na chydig gentimetrau o'i gyrraedd. Yna agorodd y gyriant fflach a'i blygio i mewn i soced ym mlaen y cyfrifiadur. Yna eisteddodd a theipio cyfres o orchmynion ar yr allweddell.

'Alla i ddim egluro shwd mae hyn yn gweitho,' meddai wrth iddo fynd ymlaen. 'Does ganddon ni ddim amser, a ta beth, rwy'i wastod wedi ystyried bod cyfrifiaduron a'r stwff yna i gyd yn ddiflas tu hwnt. Ond mae'r cyfrifiaduron yma'n gwmws yr un fath â'r rhai yn y Tŷ Gwyn, ac maen nhw wedi'u cysylltu â Mount Cheyenne, sef canolfan rheoli arfau niwclear danddaearol ein cyfeillion Americanaidd. Nawr, y peth cyntaf rwyt ti ei angen i danio'r taflegrau niwclear yw'r codau lansio. Maen nhw'n newid bob dydd ac yn cael eu hanfon at yr arlywydd, ble bynnag y bydd e, gan yr Asiantaeth Ddiogelwch Genedlaethol. Gobitho nad wy'n dy ddiflasu di, Alecs?'

Atebodd Alecs ddim. Roedd yn edrych ar y dryll, yn mesur pellteroedd …

'Mae'r arlywydd yn eu cario nhw gydag e drwy'r amser. Wyddet ti fod yr Arlywydd Carter wedi'u colli nhw un tro? Gyrrodd nhw gyda'i ddillad i gael eu sychlanhau. Ond stori arall yw honna. Mae'r codau'n cael eu darlledu gan Milstar – system Trosglwyddiant Strategol a Thactegol y Fyddin. System gyfathrebu trwy loeren yw hi. Mae un set yn mynd i'r Pentagon a set arall yn dod yma. Mae'r codau yn y cyfrifiadur a …'

Clywyd sŵn grwnan, ac yn sydyn trodd nifer o'r goleuadau ar y panel rheoli'n wyrdd. Ebychodd Cray mewn boddhad. Gloywai ei wyneb yn wyrdd yn yr adlewyrchiad.

'… a dyma nhw'n awr. Dyna iti glou! Rhyfeddol neu beido, rwy'i nawr yn rheoli'r holl daflegrau yn yr Unol Daleithiau, fwy neu lai. On'd yw hynny'n sbort?'

Tapiodd yn gyflymach ar yr allweddell, ac am foment roedd wedi'i drawsnewid. Wrth i'w fysedd ddawnsio dros yr allweddi, cafodd Alecs ei atgoffa o'r Damian Cray roedd wedi'i weld yn chwarae'r piano yn Earls Court a Stadiwm Wembley. Roedd gwên freuddwydiol ar ei wyneb a golwg bell yn ei lygaid.

'Mae 'na, wrth gwrs, ddyfais ddiogelwch wedi'i mewnosod yn y system,' meddai wedyn. 'Fydde'r Americanwyr ddim yn fodlon i rywun-rhywun danio'u taflegre, na fydden! Na. Dim ond yr arlywydd all wneud, oherwydd hyn ...'

Estynnodd Cray allwedd fach liw arian o'i boced. Meddyliodd Alecs yn siŵr mai copi oedd hi, wedi'i darparu gan Charlie Roper. Rhoddodd Cray'r allwedd i mewn i glo arian cymhleth yr olwg wedi'i osod yn y cyfrifiadur, a'i agor. Roedd dau fotwm coch yno. Un i danio'r taflegrau. Y llall wedi'i farcio ag un gair oedd o fwy o ddiddordeb i Alecs. HUNAN-DDIFA.

Dim ond yn y botwm cyntaf roedd diddordeb Cray.

'Hwn yw'r botwm,' meddai. 'Y botwm mawr. Yr un ddarllenest ti bopeth amdano. Y botwm sy'n gyfystyr â diwedd y byd. Ond mae e'n adnabod ôl bys. Os nad bys yr arlywydd yw e, yna waeth iti fynd gartre ddim.' Estynnodd ei fys a phwyso'r botwm tanio. Ddigwyddodd ddim byd. 'Ti'n gweld? Smo fe'n gweitho!'

'Felly mae hyn i gyd wedi bod yn wastraff amser!'

'O naddo, Alecs annwyl. Oherwydd, ti'n gweld, falle dy fod ti'n cofio imi gael y fraint yn ddiweddar – y fraint fawr iawn – o shiglo llaw 'da'r arlywydd. Fe fynnes i wneud. Roedd e'n hynod bwysig i mi. Ond roedd gyda fi haen arbennig o latecs ar fy llaw fy hunan, a phan oedden ni'n shiglo llaw, fe gymeres i fowld o'i fysedd e. Clefar, ontefe?'

Estynnodd Cray yr hyn a edrychai fel maneg blastig denau o'i boced a'i gwisgo am ei law. Gwelodd Alecs fod bysedd y faneg wedi'u mowldio. Roedd yn deall. Roedd ôl bysedd yr arlywydd wedi cael eu dyblygu ar wyneb y latecs.

Bellach roedd gan Cray y gallu i lansio'i ymosodiad niwclear.

'Arhoswch funud,' meddai Alecs.

'Ie?'

'Rydach chi'n anghywir. Rydach chi'n gwbl anghywir. Rydach chi'n meddwl eich bod chi'n gwneud pethau'n well, ond dydach chi ddim!'

Ymdrechodd Alecs i ddod o hyd i'r geiriau priodol. 'Mi wnewch chi ladd miloedd o bobl. Cannoedd o filoedd o bobl, a'r rhan fwya ohonyn nhw'n gwbl ddieuog. Fydd ganddyn nhw ddim cysylltiad o gwbl efo cyffuriau ...'

'Rhaid aberthu. Ond os bydd mil o bobl yn marw er mwyn achub miliwn, beth sydd o'i le ar hynna?'

'Mae pob dim o'i le arno fo! Be am yr ymbelydredd? Dach chi wedi meddwl am yr effaith gaiff hynny ar weddill y blaned? Ro'n i'n meddwl eich bod chi'n poeni am yr amgylchedd. Ond rydych chi'n bwriadu'i ddifa fo!'

'Mae'n bris gwerth ei dalu, a rhyw ddiwrnod fe fydd pawb drwy'r byd yn cytuno. Cofia, ni cheir y melys heb y chwerw.'

'Dim ond am eich bod chi'n gwbl wallgo dach chi'n meddwl hynna.'

Estynnodd Cray at y botwm lansio.

Neidiodd Alecs ymlaen. Doedd o bellach yn poeni dim am ei ddiogelwch ei hun. Allai o ddim hyd yn oed amddiffyn Sabina. Fallai mai cael eu lladd fyddai eu hanes nhw ill dau, ond roedd yn rhaid iddo rwystro hyn rhag digwydd. Roedd yn rhaid iddo amddiffyn y miliynau fyddai'n marw ledled y byd pe bai Cray'n gweithredu'r cynllun. Pump ar hugain o daflegrau niwclear yn disgyn o'r awyr ar yr un pryd! Roedd y peth y tu hwnt i'r dychymyg.

Ond roedd Cray wedi bod yn disgwyl y symudiad. Yn sydyn roedd y dryll yn ei law a'i fraich yn hollti'r awyr. Teimlodd Alecs ergyd egr ar ochr ei ben wrth i Cray ei daro. Cafodd ei daflu'n ôl, wedi'i syfrdanu. Nofiai'r stafell o flaen ei lygaid, yna baglodd a syrthio.

'Rhy hwyr,' mwmiodd Cray.

Estynnodd ei law a thynnu siâp cylch yn yr awyr ag un bys.

Arhosodd.

Yna gwasgodd yn galed ar y botwm

'GWISGWCH EICH GWREGYSAU'

Roedd y taflegrau wedi cael eu bywiogi.

Dros America gyfan, yr yr anialdiroedd a'r mynyddoedd, ar ffyrdd a rheilffyrdd, hyd yn oed ar y môr, cychwynnodd y prosesau lansio'n awtomatig. Aeth gwersylloedd yn North Dakota, Montana a Wyoming yn sydyn i gyflwr gwyliadwraeth uchaf. Roedd seirenau'n sgrechian. Dechreuodd cyfrifiaduron brosesu cyfarwyddiadau newydd sbon. Dyma gamau cyntaf y panig fyddai'n ymledu mewn munudau dros bedwar ban byd.

Bob yn un, ffrwydrodd y pum roced ar hugain i'r awyr mewn moment o ryw brydferthwch arswydus.

Dringodd wyth Minuteman, wyth Peacekeeper, pum Poseidon a phedwar Trident D5 i'r uwch-atmosffer ar yr un amser i'r eiliad, gan deithio ar gyflymder o hyd at bymtheg mil o filltiroedd yr awr. Taniwyd rhai o guddfannau ymhell islaw'r ddaear. Ffrwydrodd rhai allan o gerbydau rheilffordd wedi'u haddasu'n arbennig. Daeth eraill o longau tanfor. A wyddai neb pwy oedd wedi rhoi'r gorchymyn. Roedd hi'n sioe tân gwyllt werth biliwn o ddoleri – sioe fyddai'n newid y byd am byth.

Ac ymhen naw deg munud byddai'r cyfan ar ben.

Yn y stafell gyfathrebu roedd sgrin pob cyfrifiadur yn fflachio'n goch a'r bwrdd gweithredu cyfan yn dangos rhes o oleuadau'n fflachio o un pen i'r llall. Cododd Cray. Roedd gwên ddigynnwrf ar ei wyneb.

'Wel, dyna hi,' meddai. 'Does dim all unrhyw un ei wneud bellach.'

'Mi wnân nhw'u stopio nhw!' meddai Alecs. 'Unwaith y byddan nhw'n deall be sy wedi digwydd, mi wnân nhw bwyso botwm ac mi wnaiff eich holl daflegrau chi ddifa'u hunain.'

'Mae arna i ofn nad yw hi mor rhwydd â hynny. Ti'n gweld, mae pob un o'r protocolau lansio wedi cael eu cyflawni. Cyfrifiadur Air Force One wnaeth danio'r taflegrau, felly dim ond Air Force One all eu diddymu nhw. Sylwes i arnat ti'n llygadu'r botwm bach coch ar yr allweddell yn fan hyn. HUNAN-DDIFA. Ond mae arna i ofn na chei di fynd yn agos ato, Alecs. Bant â ni.'

Gwnaeth Cray ystum â'i ddryll a gorfodwyd Alecs i fynd o'r stafell gyfathrebu ac i lawr yn ôl i'r prif gaban. Roedd ei ben yn dal yn boenus lle roedd Cray wedi'i daro. Roedd arno angen adennill ei nerth. Ond faint o amser oedd ganddo ar ôl?

Roedd Yassen a Sabina'n disgwyl amdanynt. Cyn gynted ag y daeth Alecs i'r golwg, ceisiodd Sabina fynd draw ato, ond daliodd Yassen hi'n ôl. Eisteddodd Cray nesaf ati ar y soffa.

'Mae'n bryd i ni fynd!' meddai. Gwenodd ar Alecs. 'Rwyt ti'n sylweddoli, wrth gwrs, unwaith mae'r awyren yma yn yr awyr, mae bron yn amhosib ei dinistrio. Fe allet ti ddweud taw hon yw'r cerbyd-dianc perffaith. Dyna ogoniant y peth. Mae mwy na dau gant tri deg o filltiroedd o wifrau y tu mewn i'r ffrâm, sydd wedi'i chynllunio i wrthsefyll trawiad ffrwydrad thermoniwclear hyd yn oed. Nid y bydde hynny'n gwneud unrhyw wahaniaeth, ta beth. Petaen nhw'n llwyddo i'n saethu ni i lawr, bydde'r taflegre'n dal i gyrraedd eu targed. A bydde'r byd yn cael ei achub ta beth.'

Ceisiodd Alecs feddwl yn glir. Dim ond pump ohonyn nhw oedd ar yr awyren.

Sabina, Yassen, Damian Cray ac ef ei hun — a Henryk yng nghaban y peilot. Edrychodd Alecs allan drwy'r drws. Roedd y cylch milwyr Americanaidd ffug yn dal yn eu lle. Hyd yn oed pe bai rhywun yn y maes awyr yn taflu cipolwg i'w cyfeiriad nhw, fyddai neb yn gweld dim byd o'i le. Nid bod hynny'n debygol o ddigwydd. Roedd yr awdurdodau, mae'n rhaid, yn dal i ganolbwyntio ar y cwmwl o nwy nerfol marwol nad oedd mewn gwirionedd yn bodoli.

Roedd Alecs yn gwybod pe bai'n mynd i wneud rhywbeth – os oedd unrhyw beth y gallai ei wneud – byddai'n rhaid i hynny ddigwydd cyn i'r awyren godi o'r llawr. Roedd Cray'n iawn. Unwaith y byddai'r awyren yn hedfan, fyddai ganddo ddim llygedyn o obaith.

'Caewch y drws, Mr Gregorovich,' gorchmynnodd Cray. 'Rwy'n credu y dylen ni gychwyn.'

'Hanner munud!' Dechreuodd Alecs godi ar ei draed ond amneidiodd Cray arno i eistedd. Roedd y dryll yn ei law. Smith & Wesson .40 oedd y dryll – un bychan, pwerus, y baril yn dair modfedd a hanner, a'r carn yn sgwâr. Gwyddai Alecs mai peth peryglus iawn oedd tanio dryll ar awyren arferol. Byddai torri ffenest neu dyllu drwy'r croen allanol yn gostwng pwysedd aer y caban ac yn gwneud hedfan yn amhosib. Ond, wrth gwrs, Air Force One oedd hon. Doedd hi ddim yn awyren arferol.

'Aros yn gwmws ble rwyt ti,' meddai Cray.

'I ble ry'ch chi'n mynd â ni?' gofynnodd Sabina. Roedd Cray'n dal i eistedd ar y soffa nesaf ati. Roedd yn amlwg ei fod yn credu y byddai'n well ei chadw hi ac Alecs ar wahân. Estynnodd ei law a rhedeg ei fys ar draws ei boch. Crynodd Sabina mewn ffieidd-dra heb falio dim a wyddai ef hynny neu beidio. 'Ry'n ni'n mynd i Rwsia,' meddai.

'Rwsia?' Edrychodd Alecs yn syn.

'Bywyd newydd i mi. A bydd Mr Gregorovich yn cael mynd 'nôl gartre.' Llyfodd Cray ei wefusau. 'Fel mae'n digwydd, bydd Mr Gregorovich yn dipyn o arwr.'

'Dwi'n amau hynny, rywsut.' Methai Alecs gadw'r dirmyg allan o'i lais.

'O bydd. Mae heroin yn cael ei smyglo i mewn i'r wlad – medden nhw wrtha i – mewn eirch wedi'u leinio â phlwm, ac mae gwarchodwyr y ffin yn eu hanwybyddu. Wrth gwrs, mae arian yn newid dwylo. Mae llygredd ymhobman. Mae cyffurie yn Rwsia ddengwaith rhatach nag yn Ewrop, ac mae o leiaf dair miliwn a hanner o bobl yn gaeth i gyffurie ym Moscow a St Petersburg. Bydd Mr Gregorovich yn rhoi diwedd ar broblem sy bron wedi difetha'r wlad yn llwyr, ac fe wn i y bydd yr arlywydd yn ddiolchgar. Felly, mae'n dishgwl yn debyg y byddwn ni'n dau'n cael byw oes hir a dedwydd – sy'n fwy, mae arna i ofn, nag y galla i ddweud amdanat ti.'

Roedd Yassen wedi cau'r drws. Gwyliodd Alecs wrth iddo dynnu'r lifer i lawr, i'w gloi. 'Drysau ar awtomatig,' meddai Yassen.

Roedd system o uchelseinyddion yn gweithio drwy'r awyren, a phob gair a ddywedid yn y prif gaban yn cael ei glywed yng nghaban y peilot. Ac yn ei sedd wrth y bwrdd hedfan, trodd Henryk swits fel bod ei lais yntau hefyd yn atseinio drwy'r awyren.

'Eich capten sy'n siarad,' meddai. 'Gwisgwch eich gwregysau, os gwelwch yn dda, a pharatoi i esgyn.' Roedd yn tynnu coes: dynwarediad ffiaidd o ymadawiad go iawn. 'Diolch am hedfan gyda Chwmni Awyrennau Cray. Rwy'n gobeithio y cewch chi daith ddymunol.'

Taniwyd y peiriannau. Trwy'r ffenest gwelai Alecs y rheng milwyr yn chwalu a rhedeg yn ôl at eu lorïau. Roedd eu gwaith nhw ar ben. Byddent yn gadael y maes awyr a gwneud eu ffordd adref i Amsterdam. Edrychodd ar Sabina. Roedd hi'n eistedd yn llonydd fel delw, ac fe gofiodd ei bod hi'n disgwyl iddo wneud rhywbeth. *Dwi'n gwybod petha ... Mae'n rhaid iti adael popeth i mi.* Dyna roedd wedi'i ddweud wrthi. Mor wag oedd y geiriau'n swnio!

Roedd gan Air Force One bedair injan

anferth. Clywodd Alecs nhw'n dechrau troi. Roedden nhw ar fin gadael! Gwibiodd ei lygaid o amgylch y caban yn chwilio am y gobaith lleiaf: y drws wedi'i gau a'r lifer gwyn am i lawr, y grisiau'n arwain i fyny tua chaban y peilot, y byrddau isel a'r rhes daclus o gylchgronau, y troli â'i boteli a'i wydrau. Roedd Cray'n eistedd â'i goesau chydig ar wahân, ei ddryll yn gorffwys ar ei glun. Roedd Yassen yn dal ar ei draed wrth y drws. Roedd gan yntau ddryll arall, yn un o'i bocedi, ond gwyddai Alecs y byddai'r Rwsiad yn gallu estyn, anelu a thanio cyn iddo gael amser i flincio. Doedd yr un arf arall yn y golwg, dim byd y gallai gael ei ddwylo arno. Anobeithiol.

Sgrytiodd yr awyren a dechrau tynnu'n ôl o'i safle. Edrychodd Alecs drwy'r ffenest eto a gweld rhywbeth rhyfeddol. Roedd cerbyd wedi'i barcio nesaf at adeilad y VIPs, heb fod ymhell o'r awyren. Roedd yn debyg i dractor bychan, â thri cherbyd yn sownd wrtho, y cyfan wedi'u llwytho â bocsys plastig. Wrth i Alecs wylio, yn sydyn cafodd y cerbyd ei chwythu i ffwrdd, fel pe bai wedi'i wneud o bapur. Troellodd y cerbydau o gwmpas a thorri'n rhydd. Trodd y tractor ei hun ar ei ochr a sglefrio ar hyd y tarmac.

Y peiriannau oedd yn gyfrifol! Fel arfer byddai

awyren o'r maint yma'n cael ei thynnu i ardal agored allan o ffordd pawb a phopeth cyn iddi ddechrau symud ohoni'i hun. Doedd Cray, wrth gwrs, ddim yn fodlon aros. Roedd Air Force One wedi cael ei rhoi mewn gwthiant am yn ôl, a chymaint oedd nerth y peiriannau – a chanddynt lefel gwthiant o fwy na dwy fil o bwysi – fel y gallent chwythu unrhyw un neu unrhyw beth yn y cyffiniau i ffwrdd. Nesaf, tro'r adeilad VIPs oedd hi. Chwalodd y ffenestri, a'r gwydr yn ffrwydro at i mewn. Roedd un o'r dynion diogelwch wedi dod allan, a gwelodd Alecs ef yn cael hyrddio'n ôl fel milwr plastig wedi'i saethu o ddolen elastig. Daeth llais dros yr uchelseinydd-ion y tu mewn i'r caban. Rhaid bod Henryk wedi cysylltu'r radio er mwyn iddyn nhw glywed.

'Dyma reolaeth traffig awyr i Air Force One.' Llais dyn oedd o y tro hwn. 'Does gennych chi ddim caniatâd i symud. Stopiwch ar unwaith, os gwelwch yn dda.'

Disgynnodd y grisiau roedden nhw wedi'u defnyddio i ddringo ar fwrdd yr awyren i un ochr, a tharo'r tarmac. Roedd yr awyren yn symud yn gyflymach erbyn hyn, gan fagio allan ar y prif balmant.

'Rheolaeth traffig awyr i Air Force One. Ail-ddweud: does gennych chi ddim caniatâd i symud. Nodwch eich bwriad ...'

Roedden nhw allan ar dir agored, i ffwrdd oddi wrth y lolfa VIPs. Y tu ôl iddynt roedd y brif lanfa. Rhaid bod gweddill y maes awyr bron filltir i ffwrdd. Y tu mewn i gaban y peilot gwnaeth Henryk i beiriannau'r awyren wthio ymlaen; teimlodd Alecs y sgytwad a chlywed sŵn y peiriannau'n grwnan wrth iddyn nhw ddechrau symud unwaith eto. Roedd Cray'n hymian wrtho'i hun, ei lygaid yn wag, wedi ymgolli yn ei fyd bach ei hun. Ond roedd y Smith & Wesson yn dal yn ei law, a gwyddai Alecs y byddai'r symudiad lleiaf yn gwneud iddo ymateb yn syth bìn. Doedd Yassen ddim wedi symud gewyn. Roedd yntau hefyd fel petai wedi ymgolli yn ei feddyliau ei hun, fel pe bai'n ceisio anwybyddu'r ffaith bod hyn yn digwydd.

Dechreuodd yr awyren gyflymu, gan anelu am y lanfa. Roedd cyfrifiadur yng nghaban y peilot ac roedd Henryk wedi mewnbynnu'r holl wybodaeth angenrheidiol: pwysau'r awyren, tymheredd yr aer y tu allan, cyflymder y gwynt, pwysedd yr aer. Byddai'n esgyn tua'r awel, oedd yn chwythu o'r dwyrain erbyn hyn. Roedd y brif lanfa chydig llai na phedair mil o fetrau o hyd, ac roedd y cyfrifiadur eisoes wedi cyfrifo mai dim ond dwy fil a hanner o droedfeddi fyddai eu hangen ar yr awyren. Roedd y lanfa bron yn wag. Byddai'r esgyniad yma'n un hawdd.

'Air Force One. Does gennych chi ddim caniatâd. Stopiwch ar unwaith, os gwelwch yn dda. Ail-ddweud: stopiwch ar unwaith.'

Roedd y llais yn dal i swnian yn ei glustffonau. Estynnodd Henryk ei law a diffodd y radio. Gwyddai y byddai gweithgarwch argyfwng dwys bellach ar waith, ac y byddai unrhyw awyrennau eraill yn cael eu dargyfeirio allan o'i ffordd. Wedi'r cyfan, roedd yr awyren yma'n eiddo i arlywydd Unol Daleithiau America. Byddai awdurdodau Heathrow'n sgrechian ar ei gilydd dros y llinellau ffôn, nid yn unig yn ofni damwain ond hefyd yn ofni digwyddiad diplomataidd o bwys mawr. Byddai Stryd Downing wedi cael ei hysbysu. Mewn swyddfeydd ar draws Llundain byddai swyddogion a gweision sifil yn gofyn yr un cwestiwn.

Be ddiawl sy'n digwydd?

Can cilometr uwch eu pennau, roedd yr wyth taflegryn Peacemaker yn nesáu at ymyl y gofod. Roedd dwy o'u rocedi eisoes wedi darfod a gwahanu, gan adael dim ond yr adrannau olaf a'u modylau lleoliad a'u platiau amddiffynnol. Doedd y Minutemen a'r taflegrau eraill a daniwyd gan Cray ddim yn bell ar ôl. Ym mhob un roedd systemau llywio hynod gyfrinachol a datblygedig. Roedd cyfrifiaduron ar y taflegrau'n cyfrifo llwybrau ac yn gwneud cywiriadau. Cyn bo hir byddai'r taflegrau'n troi ac yn cloi ar eu targedau.

Ac ymhen wyth deg munud fe fydden nhw'n syrthio'n ôl i'r ddaear.

Roedd Air Force One yn symud yn gyflym erbyn hyn, yn dilyn y llwybrau priodol i gyfeiriad y brif redfa. O'i blaen roedd y man atal lle byddai'n troi'n sydyn a dechrau gwiriadau cyn-hedfan.

Yn y caban edrychai Sabina ar Cray fel petai'n ei weld am y tro cyntaf. Doedd dim byd ond dirmyg ar ei hwyneb. 'Tybed beth wnawn nhw â chi pan gyrhaeddwch chi Rwsia?' meddai.

'Beth wyt ti'n feddwl?' meddai Cray.

'Tybed wnân nhw gael gwared â chi drwy'ch hala chi'n ôl i Loegr, ynte dim ond eich saethu chi'n syth.'

Syllodd Cray arni. Edrychodd fel pe bai wedi cael clusten ar draws ei wyneb. Gwingodd Alecs, gan ofni'r gwaethaf. Ac fe ddaeth.

'Rwy'i wedi cael llond bola o'r cnafon bach hyn,' meddai Cray'n chwyrn. 'Smo nhw'n fy nifyrru erbyn hyn.' Trodd at Yassen. 'Lladdwch nhw,' meddai.

Roedd Yassen fel pe bai heb glywed. 'Beth?' gofynnodd.

'Fe glywsoch chi. Maen nhw'n ddiflas. Lladdwch nhw nawr!'

Stopiodd yr awyren. Roedden nhw wedi cyrraedd y man atal. Roedd Henryk wedi clywed y gorchmynion o'r prif gaban, ond anwybyddodd bopeth wrth iddo ddilyn y camau terfynol: codi a gostwng y codwyr, troi'r isadenydd. Roedd eiliadau i ffwrdd o gychwyn. Cyn gynted ag yr oedd yn fodlon bod yr awyren yn barod, byddai'n pwyso'r pedwar lifer gwthiant i lawr a byddent yn saethu ymlaen. Profodd bedalau'r llyw ac olwyn y trwyn. Roedd popeth yn barod.

'Dwi ddim yn lladd plant,' meddai Yassen. Roedd Alecs wedi'i glywed yn dweud yr un peth yn union ar y bad yn Ne Ffrainc. Doedd o ddim wedi'i gredu'r tro hwnnw, ond nawr meddyliodd tybed beth oedd yn mynd trwy feddwl y Rwsiad.

Roedd Sabina'n gwylio Alecs yn ofalus, gan aros iddo wneud rhywbeth. Ond, ac yntau wedi'i gaethiwo yn yr awyren, a sŵn grwnan y peiriannau'n cynyddu bob eiliad, doedd dim y gallai ei wneud. Ddim eto …

'Beth y'ch chi'n ddweud?' gofynnodd Cray.

'Does dim angen hyn,' meddai Yassen. 'Ewch â nhw gyda ni. Allan nhw wneud dim drwg.'

'Pam bydden i'n moyn mynd â nhw'r holl ffordd i Rwsia?'

'Fe allwn ni eu cloi nhw yn un o'r cabanau. Does dim angen ichi 'u gweld nhw, hyd yn oed.'

'Mr Gregorovich ...' Roedd Cray'n anadlu'n drwm. Roedd diferyn o chwys ar ei dalcen, a gafaelai'n dynnach nag erioed yn ei ddryll. 'Os na wnewch chi eu lladd nhw, fe wnaf i.'

Symudodd Yassen ddim.

'O'r gore! O'r gore!' ochneidiodd Cray. 'Ro'n i'n credu taw fi oedd yn rheoli pethe fan hyn, ond mae'n ymddangos bod raid imi wneud popeth fy hunan.'

Cododd Cray ei ddryll. Cododd Alecs ar ei draed.

'Na!' sgrechiodd Sabina.

Saethodd Cray.

Ond nid at Sabina, na hyd yn oed at Alecs, roedd wedi anelu. Trawodd y bwled Yassen yn ei frest, gan ei droelli i ffwrdd o'r drws. 'Rwy'n flin, Mr Gregorovich,' meddai, 'ond rwy'n eich diswyddo chi.'

Yna trodd y dryll at Alecs.

'Ti sy nesaf,' meddai.

Taniodd am yr eildro.

Sgrechiodd Sabina mewn arswyd. Roedd Cray wedi anelu'r dryll at galon Alecs, ac yn y caban cyfyng roedd yn annhebygol iawn o fethu. Taflwyd Alecs oddi ar ei draed gan nerth y fwled, ac yn ôl ar draws y caban. Trawodd y llawr gan orwedd yno'n llonydd.

Taflodd Sabina'i hun am Cray. Roedd Alecs wedi marw. Roedd yr awyren yn cychwyn. Roedd popeth yn ddibwys bellach. Saethodd Cray ati, ond methodd yr ergyd ac yn sydyn roedd hi ar ei warthaf, ei dwylo'n crafangu am ei lygaid, yn gweiddi'n ddi-baid. Ond roedd Cray'n rhy gryf iddi. Cododd ei fraich gan afael ynddi a'i thaflu'n ôl yn erbyn y drws. Gorweddodd yno'n hurt a diymadferth. Roedd y dryll yn codi.

'Da bo ti, mechan i,' meddai Cray.

Anelodd. Ond cyn iddo allu tanio, daliwyd ei fraich o'r tu ôl iddo. Syllodd Sabina'n syn. Roedd Alecs ar ei draed eto ac yn ddianaf. Roedd y peth yn amhosib. Ond, fel Cray, doedd dim modd iddi wybod bod Alecs yn gwisgo'r jersi wrthfwledi roedd Smithers wedi'i rhoi iddo gyda'r beic. Roedd y fwled wedi ei frifo; meddyliodd ei fod fallai wedi cracio asen. Ond er ei fod wedi'i daro i lawr, doedd y fwled ddim wedi torri'r croen.

Nawr roedd Alecs ar ben Cray. Dyn bychan

oedd o – dim ond chydig yn dalach nag Alecs ei hun – ond hyd yn oed wedyn roedd yn gydnerth ac yn syndod o gryf. Llwyddodd Alecs i afael am arddwrn Cray, gan gadw'r dryll draw oddi wrtho. Ond cydiodd Cray yng ngwddf Alecs â'i law arall, ei fysedd yn crafangu i ochr gwddf Alecs.

'Sabina! Cer o'ma!' Llwyddodd Alecs i weiddi'r geiriau cyn i'w gorn gwddf gael ei gau. Roedd y dryll allan o reolaeth. Defnyddiai Alecs ei holl nerth i rwystro Cray rhag anelu ato, a wyddai o ddim am faint hirach y gallai ei gadw draw. Rhedodd Sabina draw at y prif ddrws a chodi'r lifer gwyn i'w agor.

Ar yr union eiliad honno, yn ei gaban, pwysodd Henryk y pedwar lifer gwthiant yr holl ffordd i lawr. O'i sedd, gwelai'r rhedfa'n ymestyn o'i flaen. Roedd y llwybr yn glir. Herciodd Air Force One ymlaen a dechrau codi.

Agorodd y prif ddrws â sŵn hisian uchel. Roedd wedi'i osod ar reolaeth awtomatig cyn i'r awyren ddechrau symud, a chyn gynted ag roedd Sabina wedi'i ddatgloi, roedd system niwmatig wedi cael ei rhoi ar waith. Estynnodd llithren liw oren o'r drws fel tafod anferth a dechrau llenwi ag aer. Y llithren argyfwng.

Rhuthrodd gwynt a llwch i mewn fel trowynt bychan a chwyrlïo'n wyllt drwy'r caban. Roedd

Cray wedi llwyddo i anelu'r dryll at ben Alecs, ond cafodd ei synnu gan nerth y gwynt. Chwythodd y cylchgronau ar y bwrdd i fyny i'r aer, gan hedfan i'w wyneb fel gwybed anferth. Torrodd y troli diodydd yn rhydd gan sgrytian ar hyd y carped, a'r poteli a'r gwydrau'n chwalu oddi arno.

Roedd wyneb Cray wedi'i ystumio, ei ddannedd perffaith yn ysgyrnygu'n gam, ei lygaid wedi chwyddo. Rhegodd, ond roedd yn amhosib clywed unrhyw beth dros sŵn rhuo'r peiriannau. Roedd Sabina wedi'i gwasgu yn erbyn y wal, yn syllu'n ddiymadferth ar y glaswellt a'r concrid yn rhuthro heibio yn un niwl o wyrdd a llwyd. Doedd Yassen ddim yn symud, ond llifai gwaed yn araf ar draws ei grys. Gallai Alecs deimlo'r nerth yn llifo ohono'i hun. Llaciodd ei afael a daeth ergyd o'r dryll. Sgrechiodd Sabina. Roedd y fwled wedi chwalu lamp fodfeddi oddi wrth ei hwyneb. Trawodd Alecs am i lawr, gan geisio taro'r dryll o law Cray. Trawodd Cray ei ben-glin yn ei stumog a siglodd Alecs yn ôl, yn brwydro i gael ei wynt. Rhuthrodd yr awyren yn ei blaen, yn gynt ac yn gynt, ar hyd y rhedfa.

Ac yntau'n eistedd wrth y llyw, dechreuodd Henryk chwysu. Roedd y llygaid y tu ôl i'r sbectol yn ddryslyd. Roedd wedi gweld lamp yn goleuo, rhybudd iddo fod drws wedi agor ac nad oedd aer y prif gaban bellach dan bwysedd. Roedd eisoes yn teithio ar gyflymder o gant tri deg milltir yr awr. Rhaid bod rheolaeth traffig awyr wedi sylweddoli beth oedd yn digwydd erbn hyn, ac wedi rhybuddio'r awdurdodau. Pe bai'n stopio nawr byddai'n cael ei restio. Ond a allai feiddio barhau â'r esgyniad?

Ac yna daeth llais o'r cyfrifiadur yn ei gaban.

'V1 ...'

Llais peiriant oedd e. Llais hollol ddiemosiwn. Dwy sillaf wedi'u cysylltu gan gylchedwaith electronig. A'r rheiny oedd y ddwy sillaf roedd Henryk yn ofni eu clywed.

Fel arfer, y peilot cynorthwyol fyddai'n galw'r cyflymderau, gan gadw llygad barcud ar bethau. Ond roedd Henryk ar ei ben ei hun, ac yn gorfod dibynnu ar y system awtomatig. Dweud wrtho roedd y cyfrifiadur bod yr awyren yn symud ar gant a hanner o filltiroedd yr awr – V1 – cyflymder penderfynu. Roedd yn mynd yn rhy gyflym i stopio. Pe bai'n penderfynu terfynu'r esgyniad, pe bai'n rhoi'r peiriannau mewn ôlwthiant, byddai'n amhosib cadw'r awyren yn un darn.

Hon yw'r foment mae pob peilot yn ei hofni

am ei fywyd – a'r foment fwyaf peryglus yn ystod unrhyw ehediad. Mae mwy o ddamweiniau awyrennau wedi'u hachosi gan benderfyniad anghywir ar yr adeg yma na chan unrhyw beth arall. Roedd pob greddf yng nghorff Henryk yn dweud wrtho am stopio. Roedd yn ddiogel ar y ddaear. Byddai damwain fan hyn yn well na damwain bymtheg can troedfedd i fyny yn yr awyr. Ond pe bai'n ceisio stopio, y canlyniad sicr fyddai dryllio'r awyren.

Doedd ganddo ddim syniad beth i'w wneud.

* * *

Er bod yr haul yn machlud yn nhref Quetta ym Mhacistan, roedd bywyd yn y gwersyll ffoaduriaid mor brysur ag erioed. Ymlwybrai cannoedd o bobl o gwmpas, gan gydio mewn blancedi ac offer, drwy ddinas fechan o bebyll, tra oedd plant – rhai mewn carpiau – yn ciwio i gael eu brechu. Eisteddai rhesaid o ferched ar feinciau, gan weithio ar gwilt, yn curo a phlygu'r cotwm.

Roedd yr aer yn oer ac yn bur ym mryniau Patkai ym Myanmar, neu Byrma, i roi ei hen enw i'r wlad. Mil pedwar cant o fetrau uwchlaw lefel y môr, roedd arogl coed pin a blodau ar yr awel.

Roedd hi'n hanner awr wedi naw y nos a'r rhan fwyaf o bobl yn cysgu. Eisteddai ambell fugail ar ei ben ei hun gyda'i braidd. Roedd miloedd o sêr yn britho awyr y nos.

Yng Ngholombia, yn rhanbarth Urabá, roedd diwrnod arall wedi gwawrio ac arogl siocled yn ymledu ar hyd stryd y pentref . Roedd y *campesinas* – gwragedd y ffermwyr – wedi dechau ar eu gwaith gyda'r wawr, yn crasu'r ffa cacao, yna'n hollti'r plisg. Roedd plant yn cael eu denu at eu drysau, gan synhwyro'r persawr hudolus.

Ac yn ucheldiroedd Periw, i'r gogledd o Arequipa, roedd teuluoedd yn eu dillad lliwgar yn cerdded i'r marchnadoedd, rhai'n cario'r sypiau bach o ffrwythau a llysiau, sef yr unig bethau oedd ganddynt i'w gwerthu. Eisteddai gwraig mewn het gron galed yn ei chwman wrth ymyl rhes o sachau, pob un yn llawn o sbeisys gwahanol. Roedd criw o blant ifanc hwyliog yn cicio pêl droed yn y stryd.

Rhain oedd y targedau roedd y taflegrau wedi'u dewis, ymhell i ffwrdd yn y gofod. Roedd miloedd – miliynau – mwy o rai tebyg iddyn nhw. Ac roedd pob un ohonynt yn ddieuog. Roedden nhw'n gwybod am y caeau lle roedd y blodau pabi'n cael eu tyfu. Roedden nhw'n nabod y dynion oedd yn gweithio yno. Ond doedd hynny'n ddim o'u busnes nhw. Roedd yn rhaid i fywyd fynd yn ei flaen.

A doedd gan yr un ohonyn nhw unrhyw wybodaeth am y taflegrau marwol oedd eisoes yn anelu amdanynt. Doedd yr un ohonynt yn gallu gweld yr erchylldra oedd ar ei ffordd tuag atyn nhw.

Daeth y diwedd yn gyflym iawn ar fwrdd Air Force One.

Roedd Cray'n dyrnu ochr pen Alecs drosodd a throsodd. Daliai Alecs i gydio yn y dryll, ond roedd ei afael yn llacio. O'r diwedd syrthiodd yn ôl, yn gwaedu ac wedi ymlâdd. Roedd ei wyneb wedi'i gleisio, a'i lygaid wedi hanner cau.

Roedd y llithren argyfwng erbyn hyn yn ymestyn allan, yn llorwedd â'r awyren. Roedd nerth yr aer yn ei gwthio'n ôl, gan ei chyfeirio tua'r adenydd. Cant wyth deg milltir yr awr oedd cyflymder yr awyren. Byddai'n codi o'r llawr ymhen llai na deg eiliad.

Cododd Cray y dryll am y tro olaf.

Yna gwaeddodd yn uchel wrth i rywbeth daro yn ei erbyn. Sabina oedd yno. Roedd hi wedi gafael yn y troli a'i ddefnyddio fel hwrdd rhyfel. Trawyd Cray y tu ôl i'w bengliniau. Sigodd ei goesau a chollodd ei gydbwysedd, gan syrthio wysg ei gefn. Glaniodd ar ben y troli, gan ollwng y dryll. Plymiodd Sabina amdano, yn benderfynol na châi gyfle i saethu ergyd arall.

A dyna pryd y cododd Alecs.

Roedd wedi ystyried y pellteroedd a'r onglau'n gyflym. Roedd yn gwybod beth oedd raid iddo'i wneud. Gan roi gwaedd, taflodd ei hun ymlaen a'i freichiau wedi'u hymestyn. Trawodd ochr y troli'n galed â chledrau'i ddwylo. Gwaeddodd Cray'n uchel. Saethodd y troli ar draws y caban ac allan drwy'r drws – a Cray yn dal ar ei ben.

Nid dyna oedd y diwedd. Roedd y llithren yn gogwyddo chydig tua'r ddaear, oedd yn saethu heibio ymhell oddi tano. Câi ei dal yn ei lle gan ruthr y gwynt a chan yr aer cywasgedig y tu mewn iddi. Bownsiodd y troli allan ar y llithren a dechreuodd bowlio i lawr. Stryffaglodd Alecs draw at y drws mewn pryd i weld Cray'n dechrau ar ei reid ffair i uffern. Aeth y llithren ag ef hanner ffordd i lawr, gyda nerth y gwynt yn ei ogwyddo'n ôl tuag at yr adenydd. Roedd Damian Cray yn agosáu at injan rhif dau.

Y peth olaf a welodd Cray oedd ceg agored yr injan. Cipiwyd ef gan nerth y gwynt. Â sgrech arswydus, cafodd ef – a'r troli – eu sugno i mewn i'r peiriant.

Roedd Cray yn friwgig. Yn fwy na hynny, roedd wedi'i anweddu. Mewn eiliad roedd wedi cael ei droi'n gwmwl o nwy coch a ddiflannodd i'r awyr. Doedd dim byd ohono ar ôl. Ond roedd y troli wedi'i wneud o ddeunydd caletach. Clywyd clec fel o ergyd canon. Ffrwydrodd tafod anferth o dân allan o'r cefn wrth i'r injan gael ei rhwygo'n ddarnau.

Dyna pryd yr aeth yr awyren allan o reolaeth.

Roedd Henryk wedi penderfynu terfynu'r esgyniad ac roedd yn ceisio arafu, ond bellach roedd yn rhy hwyr. Roedd un injan ar un ochr wedi stopio'n sydyn. Roedd y ddwy injan ar yr ochr arall yn dal i redeg ar eu llawn nerth. Oherwydd yr anghydbwysedd yma, taflwyd yr awyren yn wyllt i'r chwith. Cafodd Alecs a Sabina eu lluchio i'r llawr. Roedd goleuadau ar bob ochr iddynt yn ffiwsio ac yn taflu gwreichion. Chwyrlïai unrhyw beth nad oedd wedi'i glymu'n sownd yn wyllt drwy'r awyr. Brwydrodd Henryk i gadw rheolaeth, ond doedd ganddo dim gobaith. Trodd yr awyren i'r ochr a mynd oddi ar y rhedfa. A dyna oedd y diwedd. Ni allai'r tir meddal ddal pwysau mor anferthol. I gyfeiliant sŵn erchyll metel yn rhwygo, torrodd yr offer glanio dan yr awyren i ffwrdd a throdd y cyfan ar ei ochr.

Trodd y caban yn ei gyfanrwydd i'r ochr a theimlai Alecs y llawr yn gogwyddo dan ei draed. Roedd fel pe bai'r awyren yn troi â'i hwyneb i waered. Ond o'r diwedd stopiodd y cyfan. Tawelodd y ddwy injan. Gorffwysai'r awyren ar ei hochr, ac roedd sgrechian seirenau'n llenwi'r aer wrth i gerbydau argyfwng rasio hyd y tarmac.

Ceisiodd Alecs symud, ond roedd ei goesau'n gwrthod ufuddhau. Gorweddai ar lawr, gan deimlo'r tywyllwch yn cau amdano. Ond doedd ei waith ddim ar ben eto.

'Sab?' Galwodd arni a theimlo rhyddhad wrth ei gweld yn codi ar ei thraed a dod ato.

'Alecs?'

'Mae'n rhaid iti fynd i'r stafell gyfathrebu. Mae 'na fotwm. Hunan-ddifa.' Am eiliad edrychodd Sabina'n ddiddeall arno, a chydiodd yn ei braich. 'Y taflegrau ...'

'Ie. Ie ... wrth gwrs.' Roedd hi wedi cael ysgytwad. Roedd gormod o bethau wedi digwydd. Ond roedd hi'n deall. Simsanodd i fyny'r grisiau, gan bwyso ar y waliau cam i'w helpu. Gorweddodd Alecs yn ei unfan.

Ac yna clywodd lais Yassen.

'Alecs ...'

Doedd gan Alecs ddim digon o nerth ar ôl i gael ei synnu. Trodd ei ben yn araf, gan ddisgwyl gweld dryll yn llaw'r Rwsiad. Roedd y cyfan mor annheg. Ar ôl popeth oedd wedi digwydd, oedd o'n mynd i farw rŵan, pan oedd help ar fin cyrraedd?

Ond doedd dim dryll yn llaw Yassen. Roedd wedi tynnu'i hun i fyny i bwyso yn erbyn bwrdd. Erbyn hyn roedd yn waed drosto ac roedd golwg rhyfedd yn ei lygaid wrth i'r lliw glas wanhau'n raddol. Roedd croen Yassen yn fwy gwelw nag arfer, ac wrth i'w ben bwyso'n ôl sylwodd Alecs am y tro cyntaf fod ganddo graith hir ar ei wddf. Roedd hi'n hollol syth, fel pe bai wedi'i thynnu â phren mesur.

'Plîs …' ymbiliodd Yassen.

Er mor anodd oedd hynny, cropiodd Alecs drwy lanast y caban i fynd draw ato. Cofiodd mai'r unig reswm pam bod Cray wedi marw a bod yr awyren wedi'i dryllio oedd bod Yassen wedi gwrthod lladd Sabina ac yntau.

'Beth ddigwyddodd i Cray?' gofynnodd Yassen mewn llais gwan.

'Mi aeth am dro ar ei droli,' meddai Alecs.

'Mae e wedi marw?'

'Ydi.'

Nodiodd Yassen, fel petai'n falch o glywed.

'Fe wyddwn i taw camgymeriad oedd gweitho iddo fe,' meddai. Brwydrai i anadlu, gan grychu'i lygaid am eiliad. 'Mae gyda fi rywbeth i'w ddweud wrthot ti, Alecs,' meddai. Y peth rhyfedd oedd ei fod yn siarad yn gwbl normal, fel pe bai hon yn ddim mwy na sgwrs dawel rhwng ffrindiau. Ar ei waethaf, cafodd Alecs ei hun yn rhyfeddu at hunanreolaeth y dyn. Rhaid mai dim ond ychydig funudau o fywyd oedd ganddo ar ôl.

Yna siaradodd Yassen eto a newidiodd popeth ym mywyd Alecs am byth.

'Allwn i ddim dy ladd di,' meddai. 'Fydden i byth wedi dy ladd di. Oherwydd, ti'n gweld, Alecs ... ro'n i'n nabod dy dad.'

'Be?' Er gwaethaf ei flinder, er yr holl boen o'i anafiadau, teimlodd Alecs ryw gryndod yn rhedeg drwyddo.

'Dy dad. Fe a finne ...' Brwydrodd Yassen am anadl. 'Roedden ni'n gweitho gyda'n gilydd.'

'Mi weithiodd o efo chi?'

'Do.'

'Hynny ydi ... ysbïwr oedd o?'

'Nid ysbïwr, na, Alecs. Lladdwr oedd e. Fel finne. Fe oedd y gore un. Y gore ar wyneb y ddaear. Ro'n i'n nabod e pan o'n i'n beder ar bymtheg. Fe ddysgodd e lawer o bethe imi ...'

'Na!' Roedd Alecs yn gwrthod derbyn yr hyn roedd yn ei glywed. Doedd e erioed wedi cwrdd â'i dad, nac yn gwybod dim amdano. Ond allai'r hyn roedd Yassen yn ei ddweud ddim bod yn wir. Rhyw fath o dric ffiaidd oedd y cyfan.

Roedd y seirenau'n dod yn nes, a'r cerbyd cyntaf newydd gyrraedd. Gallai glywed dynion yn gweiddi y tu allan.

'Dwi ddim yn eich credu chi,' gwaeddodd Alecs. 'Doedd fy nhad ddim yn lladdwr. Dydi hynny ddim yn bosib!'

'Rwy'n dweud y gwir wrthot ti. Mae'n bwysig dy fod yn gwybod.'

'Oedd o'n gweithio i MI6?'

'Na.' Gwibiodd rhyw gysgod o wên dros wyneb Yassen. Ond roedd yn llawn o dristwch. 'Fe aeth MI6 ar ei ôl e, a'i ladd. Fe geision nhw ladd y ddau ohonon ni. Ar y funed olaf fe lwyddes i i ddianc, ond ...' Llyncodd Yassen ei boer. 'Fe laddon nhw dy dad, Alecs.'

'Na!'

'Pam fydden i'n dweud celwydd wrthot ti?' Estynnodd Yassen ei law yn wan a chydio ym mraich Alecs. Hwn oedd y cyffyrddiad corfforol cyntaf a fu rhwng y ddau erioed. 'Dy dad ... fe oedd yn gyfrifol am hon.' Tynnodd Yassen flaen ei fys ar hyd y graith ar ei wddf, ond roedd ei lais yn gwanhau a doedd e ddim yn gallu egluro. 'Achubodd e fy mywyd i. Mewn ffordd, ro'n i'n ei garu e. Rwy'n dy garu dithe hefyd, Alecs. Rwyt ti mor debyg iddo fe. Rwy'n falch dy fod ti yma gyda fi nawr.' Llifodd ton o boen dros wyneb y dyn oedd ar fin marw. Roedd un peth olaf roedd yn rhaid iddo'i ddweud. 'Os nad wyt ti'n fy nghredu i, cer i Fenis. Chwilia am Scorpia. Ac fe ddoi di o hyd i dy dynged ...'

Caeodd Yassen ei lygaid a gwyddai Alecs na fyddai byth yn eu hailagor.

Yn y stafell gyfathrebu daeth Sabina o hyd i'r botwm a'i bwyso. Yn y gofod, chwalodd y Minuteman cyntaf yn filoedd o ddarnau – ffrwydrad disglair, di-sŵn. Eiliadau'n ddiweddarach gwnaeth y taflegrau eraill yr un peth.

Roedd Air Force One wedi'i hamgylchynu. Roedd fflyd o gerbydau argyfwng wedi cyrraedd a dau dryc yn ei chwistrellu, gan ei gorchuddio â rhaeadrau o ewyn gwyn.

Ond doedd Alecs ddim yn ymwybodol o hyn. Gorweddai wrth ochr Yassen, ei lygaid wedi cau. Yn dawel ac yn fodlon, roedd wedi llewygu.

PONT RICHMOND

Doedd yr elyrch ddim yn mynd i unman mewn gwirionedd. Roedden nhw'n gwbl fodlon yn gwneud dim ond symud yn araf mewn cylchoedd yn yr haul, gan ddipio'u pigau dan wyneb y dŵr bob hyn a hyn wrth chwilio am bryfed, algâu, unrhyw beth. Roedd Alecs wedi bod yn eu gwylio am ryw hanner awr, bron wedi'i hypnoteiddio ganddynt. Meddyliodd tybed sut beth oedd bod yn alarch. Tybed sut roedden nhw'n llwyddo i gadw'u plu mor wyn?

Eisteddai ar fainc ar lan afon Tafwys, ar gyrion Richmond. Dyma lle roedd yr afon fel petai'n cefnu ar Lundain, yn gadael y ddinas o'i hôl o'r diwedd, tu draw i bont Richmond. Wrth edrych i fyny'r afon, gallai Alecs weld caeau a choedwigoedd afresymol o wyrdd, yn gorweddian yng ngwres yr haf.

Cerddodd *au pair* heibio, yn gwthio coets babi ar hyd y llwybr ar lan yr afon. Wrth iddi sylwi ar Alecs newidiodd ei hwyneb, tynhaodd ei dwylo ar y goets a chyflymodd ei chamau. Gwyddai Alecs fod golwg ofnadwy arno; edrychai'n debyg i'r posteri hynny oedd yn cael eu dosbarthu gan y cyngor lleol. Alecs Rider, pedair ar ddeg oed, angen rhieni maeth. Roedd ei ymladdfa ddiwethaf gyda Damian Cray wedi gadael ei hôl arno. Ond y tro yma roedd wedi gadael mwy na briwiau a chreithiau. Byddai'r rheiny'n pylu fel o'r blaen. Y tro yma, roedd wedi gweld ei holl fywyd yn cael ei ystumio allan o siâp.

Roedd yn methu peidio â meddwl am Yassen Gregorovich. Er bod pythefnos wedi mynd heibio, roedd yn dal i ddeffro yng nghanol nos, yn ail-fyw'r munudau olaf ar Air Force One. Lladd yn ôl cytundeb oedd gwaith ei dad, wedi'i lofruddio gan yr un bobl oedd bellach wedi cymryd rheolaeth dros ei fywyd yntau. Doedd dim modd i'r peth fod yn wir. Rhaid bod Yassen yn dweud celwydd, yn ceisio brifo Alecs er mwyn dial arno. Roedd Alecs isio credu hynny. Ond roedd wedi edrych i fyw llygaid dyn ar fin marw heb weld unrhyw dwyll, dim ond rhyw fath o dynerwch od – a'r dymuniad i ddatgelu'r gwir.

Cer i Fenis. Chwilia am Scorpia. Chwilia am dy dynged ...

Teimlai Alecs mai ei unig dynged oedd gwrando ar gelwyddau a chael ei ddefnyddio gan oedolion nad oeddynt yn hidio dim amdano. A ddylai fynd i Fenis? Sut byddai'n llwyddo i ddod o hyd i Scorpia? O ran hynny, person ynteu lle oedd Scorpia? Gwyliodd Alecs yr elyrch; mor braf, meddyliodd, fyddai petaen

346

nhw'n gallu rhoi ateb iddo. Ond dim ond arnofio'n dawel ar y dŵr wnaethon nhw, a'i anwybyddu.

Syrthiodd cysgod dros y fainc. Cododd Alecs ei ben a theimlo dwrn yn cau'n dynn yn ei stumog. Roedd Mrs Jones, asiant MI6, yn sefyll drosto, wedi'i gwisgo mewn trowsus a siaced o sidan llwyd. Roedd pìn arian yn llabed ei siaced, ond dim gemwaith arall. Peth annisgwyl oedd ei gweld hi allan yn fan hyn, yn yr haul. Doedd o ddim isio'i gweld hi. Hi ac Alan Blunt oedd y ddau berson diwethaf roedd Alecs isio'u gweld.

'Ga i ymuno efo ti?' gofynnodd.

'Dach chi wedi gwneud yn barod, ddwedwn i,' meddai Alecs.

Eisteddodd wrth ei ymyl.

'Wedi bod yn fy nilyn i ydach chi?' gofynnodd Alecs. Meddyliodd sut yn y byd roedd hi'n gwybod ei fod o yma, a sylweddolodd fallai ei fod dan wyliadwriaeth ddydd a nos am y bythefnos diwethaf. Fyddai hynny ddim yn ei synnu.

'Na. Dy ffrind – Jac Starbright – ddwedodd wrtha i mai yma fyddet ti.'

'Dwi'n cyfarfod rhywun.'

'Ddim tan ddeuddeg. Daeth Jac i mewn i ngweld i, Alecs. Mi ddylet ti fod wedi cyflwyno adroddiad yn Liverpool Street erbyn hyn. Rydan ni angen gwybod dy hanes di.'

'Does 'na ddim pwynt gwneud hynny,' meddai Alecs yn chwerw. 'Does 'na ddim byd yn Liverpool Street, nagoes? Dim ond banc.'

Deallodd Mrs Jones. 'Mi wnaethon ni gamgymeriad,' meddai.

Trodd Alecs i ffwrdd.

'Mi wn i nad wyt ti'n awyddus i siarad efo fi, Alecs,' meddai Mrs Jones wedyn. 'Wel, does dim rhaid iti. Ond wnei di o leiaf wrando?'

Edrychodd arno'n betrusgar. Ddwedodd Alecs 'run gair. Aeth hithau yn ei blaen.

'Mae'n wir nad oedden ni'n dy gredu di pan ddoist ti aton ni – ac wrth gwrs roedden ni'n anghywir. Roedden ni'n dwp. Ond roedd hi mor anodd credu y byddai dyn fel Damian Cray'n medru peryglu diogelwch y wlad. Roedd o'n gyfoethog ac yn ecsentrig; ond yn y diwedd dim ond seren bop efo agweddau go bendant oedd o. Dyna roedden ni'n ei gredu, o leia.

'Ond os wyt ti'n meddwl ein bod ni wedi dy anwybyddu di'n llwyr, Alecs, rwyt ti'n anghywir. Mae gan Alan a finnau syniadau gwahanol iawn amdanat ti. A dweud y gwir, petawn i wedi cael fy ffordd, fydden i byth wedi dy gynnwys di o'r cychwyn … ddim hyd yn oed yn y busnes

Tarandon yna. Ond mater arall ydi hynna.'
Anadlodd yn ddwfn. 'Ar ôl iti fynd, fe
benderfynais i gymryd golwg arall ar Damian
Cray. Doedd dim llawer y gallwn i wneud heb yr
awdurdod priodol, ond mi drefnais fod rhywun
yn ei wylio, ac ro'n i'n derbyn adroddiadau ar ei
holl symudiadau.

'Fe glywais i dy fod ti wedi bod yn Hyde Park,
yn y gromen yna lle cafodd y Gameslayer ei
lansio. Hefyd fe dderbyniais i adroddiad gan yr
heddlu ar y ddynes – y newyddiadurwraig –
gafodd ei lladd. Roedd y peth yn edrych fel dim
byd mwy na chyd-ddigwyddiad anffodus. Wedyn
fe gefais i wybod bod 'na ddigwyddiad ym
Mharis: ffotograffydd a'i gynorthwy-ydd wedi
cael eu lladd. Bryd hynny, roedd Damian Cray
yn yr Iseldiroedd, a'r peth nesaf oedd bod
heddlu'r Iseldiroedd yn sgrechian am ryw fath o
helfa gyflym ofnadwy yn Amsterdam: ceir a
beiciau modur yn rhuthro ar ôl bachgen ar gefn
beic. Wrth gwrs, ro'n i'n gwybod yn syth mai ti
oedd o. Ond doedd gen i ddim syniad beth oedd
yn digwydd.

'Ac wedyn dyma dy ffrind Sabina'n diflannu o
Ysbyty Whitchurch. Dechreuodd y larymau
ganu yn ein meddyliau ni. Mae'n debyg dy fod
ti'n meddwl ein bod ni'n wirion o araf yn ymateb,

ac rwyt ti'n iawn. Ond mae pob gwasanaeth gwybodaeth dros y byd i gyd yr un fath. Pan maen nhw'n gweithredu, maen nhw'n effeithiol. Ond yn aml iawn maen nhw'n cychwyn yn rhy hwyr.

'Dyna ddigwyddodd yn yr achos yma. Erbyn inni benderfynnu dy alw i mewn, roeddet ti eisoes efo Cray, yn Wiltshire. Fe fuon ni'n siarad efo dy howscipar, Jac. Wedyn fe aethon ni'n syth i dŷ Cray. Ond mi ddaru ni dy fethu di eto, a'r tro yma doedd ganddon ni ddim syniad i ble roeddet ti wedi mynd. Erbyn hyn, wrth gwrs, rydan ni'n gwybod. Air Force One! Mae'r CIA wedi bod yn mynd yn gwbl wallgof. Cafodd Alan Blunt ei alw i mewn i weld y prif weinidog yr wythnos ddiwethaf. Mi allen nhw'n hawdd ei orfodi i ymddiswyddo.'

'Wel, mae nghalon i'n gwaedu drosto fe,' meddai Alecs.

Anwybyddodd Mrs Jones ei sylw. 'Alecs … yr holl brofiadau rwyt ti wedi bod trwyddyn nhw … mi wn i fod y cyfan yn anodd iawn iti. Roeddet ti ar dy ben dy hun, a ddylai hynny byth fod wedi digwydd. Ond y ffaith ydi dy fod ti wedi arbed miliynau o fywydau. Beth bynnag rwyt ti'n ei deimlo rŵan, mae'n rhaid iti gofio hynny. Mi fyddai bron yn wir i ddweud dy fod ti wedi achub y byd. Duw a ŵyr beth fyddai'r canlyniadau pe bai Cray wedi llwyddo. Sut bynnag, mi fyddai arlywydd yr Unol Daleithiau'n falch iawn o gael dy gyfarfod di. A'r prif weinidog hefyd, o ran hynny. Ac os ydi o o unrhyw ddiddordeb i ti, rwyt ti hyd yn oed wedi cael gwahoddiad i'r Palas os wyt ti isio mynd. Wrth gwrs, does neb arall yn gwybod dim amdanat ti. Mae dy statws di'n dal yn gyfrinachol. Ond mi ddylet ti fod yn falch iawn ohonot dy hun. Roedd beth wnest ti'n … rhyfeddol.'

'Be ddigwyddodd i Henryk?' gofynnodd Alecs. Synnodd Mrs Jones o glywed y cwestiwn, ond hynny oedd yr unig beth nad oedd Alecs yn ei wybod. 'Dim ond meddwl,' meddai.

'Mae o wedi marw,' meddai Mrs Jones. 'Cafodd ei ladd pan ddrylliwyd yr awyren. Mi dorrwyd ei wddf.'

'Wel, dyna hi felly.' Trodd Alecs ati. 'Fyddech chi'n fodlon mynd rŵan?'

'Mae Jac yn poeni amdanat ti, Alecs. Finnau hefyd. Mae'n bosib dy fod ti angen help i ddod i delerau â beth ddigwyddodd. Rhyw fath o therapi, fallai.'

'Dwi ddim isio therapi. Dwi jest isio llonydd.'

'O'r gorau.'

Cododd Mrs Jones. Cyn mynd, edrychodd

arno eto i weld a allai ddarllen ei feddwl. Hwn oedd y pedwerydd tro iddi gyfarfod Alecs ar ddiwedd tasg. Roedd hi wedi sylweddoli bob tro ei fod, mewn rhyw ffordd, wedi cael ei frifo. Ond y tro yma roedd rhywbeth gwaeth wedi digwydd. Roedd hi'n gwybod bod yna rywbeth nad oedd Alecs yn ei ddweud wrthi.

Ac yna, ar chwiw, meddai, 'Roeddet ti ar yr awyren efo Yassen pan gafodd ei saethu. Ddwedodd o rywbeth cyn iddo farw?'

'Be dach chi'n feddwl?'

'Siaradodd o efo ti?'

Edrychodd Alecs ym myw ei llygad. 'Na. Ddywedodd o 'run gair.'

Gwyliodd Alecs hi'n mynd. Felly roedd yr hyn ddwedodd Yassen yn wir. Roedd ei chwestiwn olaf yn profi hynny. Roedd yn gwybod pwy oedd o.

Roedd yn fab i lofrudd cytundeb.

* * *

Roedd Sabina'n disgwyl amdano o dan y bont. Gwyddai Alecs mai cyfarfod byr fyddai hwn. Mewn gwirionedd, doedd dim rhagor i'w ddweud.

'Shwd wyt ti?' gofynnodd hi.

'Dwi'n iawn. Sut mae dy dad?'

'Llawer gwell, diolch.' Cododd ei hysgwyddau. 'Rwy'n credu y bydd e'n iawn.'

'A dydi o ddim yn mynd i newid ei feddwl?'

'Na, Alecs. Ry'n ni'n mynd.'

Roedd Sabina wedi dweud wrtho ar y ffôn y noson cynt ei bod hi a'i rhieni'n gadael y wlad. Roedden nhw isio bod ar eu pennau'u hunain, i roi cyfle i'w thad wella'n llwyr. Roedden nhw wedi penderfynu y byddai'n haws iddo ddechrau bywyd newydd yn rhywle arall, ac wedi dewis San Francisco. Roedd Edward wedi cael cynnig swydd ar bapur newydd mawr yno. Ac roedd rhagor o newyddion da. Roedd yn sgrifennu llyfr: y gwir am Damian Cray. Byddai'n ennill ffortiwn iddo.

'Pryd dach chi'n mynd?' gofynnodd Alecs.

'Dydd Mawrth.' Ysgubodd Sabina rywbeth o'i llygad, a meddyliodd Alecs fallai mai deigryn oedd o. Ond pan edrychodd arno eto roedd hi'n gwenu. 'Wrth gwrs, fe wnawn ni gadw mewn cysylltiad,' meddai hi. 'Allwn ni e-bostio. Ac rwyt ti'n gwybod y gelli di wastod ddod mas os wyt ti'n moyn gwylie.'

'Cyn belled â'u bod nhw ddim yn debyg i'r rhai dwetha,' meddai Alecs.

'Bydd yn brofiad rhyfedd, mynd i ysgol Ameri ...'

Stopiodd Sabina ar ganol brawddeg. 'Roeddet ti'n ffantastig ar yr awyren, Alecs,' meddai'n sydyn. 'Allwn i ddim credu mor ddewr oeddet ti. Pan oedd Cray'n dweud yr holl bethe gwallgof 'na wrthot ti, doeddet ti ddim yn dangos unrhyw ofn.' Stopiodd. 'Wyt ti am weitho i MI6 eto?' gofynnodd.

'Na.'

'Wyt ti'n credu y cei di lonydd ganddyn nhw?'

'Dwi ddim yn gwybod, Sabina. Ar fy ewythr roedd y bai, a dweud y gwir. Fo gychwynnodd y cyfan, flynyddoedd yn ôl, a rŵan dwi'n sdyc efo fo.'

'Mae cywilydd arna i mod i wedi gwrthod dy gredu di.' Ochneidiodd Sabina. 'A nawr rwy'n deall sut roeddet ti'n teimlo. Fe orfodon nhw fi i arwyddo'r Ddeddf Cyfrinachau Swyddogol. Cha i ddim sôn gair wrth neb amdanat ti.' Saib. 'Wna i fyth d'anghofio di,' meddai.

'Fydda i'n dy golli di, Sabina.'

'Ond fe wnawn ni weld ein gilydd eto. Fe gei di ddod i Galiffornia. Ac fe rodda i wybod iti os bydda i byth yn Llunden ...'

'Iawn, felly.'

Roedd hi'n dweud celwydd. Gwyddai Alecs rywsut fod hyn yn fwy na dweud hwyl fawr, nad oedd y ddau byth yn mynd i weld ei gilydd eto.

Doedd dim rheswm dros hynny. Dim ond mai felly roedd hi'n mynd i fod.

Rhoddodd ei breichiau amdano a'i gusanu.

'Da bo ti, Alecs,' meddai.

Gwyliodd hi'n cerdded allan o'i fywyd. Wedyn trodd a dilyn yr afon, heibio'r elyrch, i berfeddion cefn gwlad. Cerddodd heb stopio. Heb edrych yn ôl.